AMAURY RIBEIRO JR.

A PRIVATARIA TUCANA

Os documentos secretos e a verdade sobre o maior assalto ao patrimônio público brasileiro. A fantástica viagem das fortunas tucanas até o paraíso fiscal das Ilhas Virgens Britânicas. E a história de como o PT sabotou o PT na campanha de Dilma Rousseff.

A PRIVATARIA TUCANA

1ª edição — Novembro de 2011
2ª reimpressão — Dezembro de 2011

Grafia atualizada segundo o Acordo Ortográfico da Língua Portuguesa
de 1990, que entrou em vigor no Brasil em 2009.

COLEÇÃO HISTÓRIA AGORA

Editor e Publisher
Luiz Fernando Emediato

Diretora Editorial
Fernanda Emediato

Produtora Editorial
Renata da Silva

Assistente Editorial
Diego Perandré

Capa e Projeto Gráfico
Alan Maia

Preparação de Texto
Josias A. Andrade

Revisão
Gabriel Senador Kwak

DADOS INTERNACIONAIS DE CATALOGAÇÃO NA PUBLICAÇÃO (CIP)
(Câmara Brasileira do Livro, SP, Brasil)

Ribeiro Junior, Amaury
A privataria tucana / Amaury Ribeiro Jr.. -- São Paulo :
Geração Editorial, 2011. (Coleção história agora ; v. 5)

ISBN 978-85-61501-98-3

1. 1. Brasil - Política e governo 2. Jornalismo
político 3. Privatização - Brasil 4. PSDB (Partido
político) - Brasil I. Título. II. Série.

11-12469 CDD: 070.44932081

Índices para catálogo sistemático

1. Brasil : PSDB : Partido político : Privatizações :
Jornalismo político 070.44932081

GERAÇÃO EDITORIAL

Rua Gomes Freire, 225/229 — Lapa
CEP: 05075-010 — São Paulo — SP
Telefax.: +55 11 3256-4444
Email: geracaoeditorial@geracaoeditorial.com.br
www.geracaoeditorial.com.br

2011
Impresso no Brasil
Printed in Brazil

Dedicatória

Dedico esse livro à memória de meu pai Amaury e dos meus tios Roberto e Anésio, que morreram recentemente. Dedico também a meus tios Fany e Wilson, meus eternos anjos-da-guarda. Por último dedico a meus filhos Nadelita e Pedro, minha mãe Nadel e a todos os amigos e familiares que me apoiaram nos momentos difíceis.

Agradecimentos:

Ayrton Centeno, Luiz Fernando Emediato, Adriano Bretas e toda a sua equipe, Hécio Zolini, Camilla Baeta, Márcio Firpi, Ivan Doeher, Luiz Lanzetta, a mana Margareth e o primo Chico e todo o pessoal da pizzaria, Gilberto Nascimento, Leandro Cipoloni, Domingos Fraga, Douglas Tavolaro, Luiz Canário, Lumi Zúnica, Luiz Carlos Azenha, Paulo Henrique Amorim, Rodrigo Vianna e todos os colegas da Record, Rubens Valente, Gustavo Terra, Chico Octávio, Cidinha Campos, Woltair, Cláudia, Renato Scalapomtepore, Paulo Afonso, dona Elza e todos os amigos e irmãos de Monte Castelo (irmãos fraternos) e do povoado de Medeiros.

Sumário

Nota do Editor

Em seus 20 anos de polêmica existência, a Geração Editorial publicou muitos livros impactantes — nenhum como este que você vai ler agora. Nossa editora publica, sem temor e sem censura, tudo o que consideramos útil e necessário para entender o Brasil e sua história. Assim foi com Fernando Collor, Antonio Carlos Magalhães, Paulo Maluf, a família Sarney, o caso do "mensalão" e tantos outros.

Então, prepare-se: este livro que chega finalmente às suas mãos não é uma narrativa qualquer. Você está embarcando em uma grande reportagem que vai devassar os subterrâneos da privatização realizada no Brasil sob o governo de Fernando Henrique Cardoso. É, talvez, a mais profunda e abrangente abordagem jamais feita deste tema.

Essa investigação — que durou 10 anos! — não se limita a resgatar a selvageria neoliberal dos anos 1990, que dizimou o patrimônio público nacional, deixando o país mais pobre e os ricos mais ricos. Se fosse apenas isso, o livro já se justificaria. Mas vai além, ao perseguir a conexão entre a onda privatizante e a abertura de contas sigilosas e de empresas de fachada nos paraísos fiscais do Caribe, onde se lava mais branco não somente "o dinheiro sujo da corrupção" — outro título de nossa editora, sobre as estripulias de Paulo Maluf —, mas também o do narcotráfico, do contrabando de armas e do terrorismo. Um ervanário que, após a assepsia, retorna limpo ao Brasil.

Resultado de uma busca incansável do jornalista Amaury Ribeiro Jr. — um dos mais importantes e premiados repórteres investigativos do país, com passagens por *IstoÉ*, *O Globo* e *Correio Braziliense*, entre outras redações — o livro registra as relações históricas de altos próceres do tucanato com a realização de depósitos e a abertura de empresas de fachada no exterior. Devota-se particularmente a perscrutar as atividades do clã do ex-governador paulista José Serra nesse vaivém entre o Brasil e os paraísos caribenhos.

Mais uma vez, atenção: essa narrativa não é apenas um amontoado de denúncias baseadas em "fontes", suspeitas e intrigas de oposicionistas, como se tornou comum em certa imprensa de nosso país. De forma alguma. Todos os fatos aqui narrados estão calcados em documentos oficiais, obtidos em juntas comerciais, cartórios, no Ministério Público e na Justiça.

Assim, comprova as movimentações de Verônica Serra, filha do ex-candidato do PSDB à Presidência da República, e as de seu marido, o empresário Alexandre Bourgeois, que seguiram no Caribe as lições do ex-tesoureiro de Serra e eminência parda das privatizações, Ricardo Sérgio de Oliveira. Descreve ainda suas ligações perigosas com o banqueiro Daniel Dantas. Detém-se na impressionante trajetória do primo político de Serra, o empresário Gregório Marín Preciado que, mesmo na bancarrota, conseguiu participar do leilão das estatais e arrematar empresas públicas!

Estas páginas também revelarão que o então governador José Serra contratou, com o aporte dos cofres paulistas, um renomado araponga antes sediado no setor mais implacável do Serviço Nacional de Informações, o extinto SNI. E que Verônica Serra foi indiciada sob a acusação de praticar o crime que, na disputa eleitoral de 2010, acusou os adversários políticos de seu pai de terem praticado.

Desvinculado de qualquer filiação partidária, militante do jornalismo, Ribeiro Jr. rastreou o dinheiro dos privatas do Caribe da mesma forma como esteve na linha de frente das averiguações sobre o "mensalão".

Tornado mais célebre do que já era por seu suposto envolvimento na última campanha presidencial, Amaury Ribeiro Jr. aproveita para visitar os bastidores da campanha do PT e averiguar os vazamentos de informações que perturbaram a candidatura presidencial em 2010. Ele sustenta que, na luta por ocupar espaço a qualquer preço, companheiros abriram fogo amigo contra companheiros, traficando intrigas para adversários políticos incrustados na mídia mais hostil à então candidata Dilma Rousseff.

É isso e muito mais. À leitura.

1.

A HISTÓRIA ANTES DA HISTÓRIA

As meninas executadas pelo narcotráfico.
Cento e cinquenta jovens assassinados.
O faroeste caboclo ao redor de Brasília.
Da polícia para a política.

Antes de tudo há o tiro. Não fosse o tiro, talvez a história que vai ser contada aqui não existiria. Então, antes de contar a história, é preciso contar a história do tiro. No começo da noite do dia 19 de setembro de 2007, o tiro vai partir de um 38 e entrar na minha barriga, de cima para baixo, em um bar na Cidade Ocidental, em Goiás. Dos três tiros disparados, será o único a atingir o alvo, mas fará o seu estrago. Vai atingir a coxa e passar rente à artéria femoral. Por uma questão de milímetros, vou escapar da hemorragia e de morrer esvaído em sangue na porta de um bar do entorno de Brasília.

Nas semanas que antecederam o tiro, eu ouvira dezenas de pessoas e vasculhara documentos e ocorrências policiais em Cidade Ocidental. Em um primeiro momento, minha tarefa era descrever um crime bárbaro: o assassinato de duas meninas, Natália Oliveira Vieira, de 14 anos; e Raiane Maia Moreira, de 17, com tiros na boca e na nuca. Registrada pelas lentes dos peritos, a cena do crime era chocante: as duas adolescentes de classe média abraçadas e mortas num matagal. O estado de suas roupas evidenciava que haviam sido violentadas. Não demorei a perceber que o cenário ilustrava a realidade de muitas famílias que, empurradas pela especulação imobiliária, rumavam para cidades-dormitórios onde o crime era a única lei. Na ausência de parques, praças ou qualquer tipo de lazer, a juventude do entorno passava o dia inteiro em *lan houses*. Ali se tornavam presas fáceis de traficantes e outros bandidos.

Quando fui examinar os arquivos do Instituto Médico Legal de Luziânia (GO), percebi que a situação era muito mais grave. Descobri que 150 jovens haviam sido assassinados nos arredores da Capital Federal em apenas seis meses. Na crônica deste massacre, 41 das vítimas tinham entre 13 e 18 anos. As demais, entre 19 e 26 anos. Era o saldo da carnificina promovida pelo crime organizado e o narcotráfico em uma região distante apenas algumas dezenas de quilômetros da Esplanada dos Ministérios.

Com a ajuda do amigo Idalberto Matias de Araújo, o agente *Dadá*, do Serviço de Inteligência da Aeronáutica (Cisa), consegui respaldo dos policiais para aprofundar ainda mais as investigações. E chegou às minhas mãos um relatório da P2, o serviço secreto da Polícia Militar de Goiás. Nele, o traficante João Carlos dos Santos, o *Negão*, é responsabilizado pela administração do tráfico e pela maioria das execuções de crianças e jovens. Ele montara uma central de distribuição de cocaína e merla, uma versão do *crack* em pasta, que tomou conta da periferia do Distrito Federal. No teledroga de *Negão*, o *crack* e a merla eram entregues em domicílio por meio de uma rede de meninos recrutados pelo tráfico. A primeira reportagem da série Tráfico, Extermínio e Medo foi publicada no dia 4 de setembro pelo *Correio Braziliense*. Nela, está o relatório da P2. E uma foto de *Negão*.

No dia seguinte, o então governador do Distrito Federal, José Roberto Arruda (DEM), propôs a convocação da Força de Segurança Nacional. Arruda queria que a unidade federal auxiliasse as polícias do DF e de Goiás a controlar a área. A proposta, no

TRÁFICO, EXTERMÍNIO E MEDO

Repórter é baleado na barriga em Cidade Ocidental, a 48km do Plano Piloto. Autor de reportagens sobre a violência no Entorno publicadas no **Correio**, ele precisou ser operado no hospital do Gama e passa bem

PM MOSTRA UM DOS LOCAIS ATINGIDOS POR BALAS NA PAREDE DO BAR: ATENTADO CONTRA A LIBERDADE DE IMPRENSA

TRÁFICO TENTA MATAR JORNALISTA

GUILHERME GOULART E ADRIANA BERNARDES
DA EQUIPE DO **CORREIO**

O tráfico de drogas no Entorno desafiou a sociedade mais uma vez. Bandidos tentaram executar o jornalista do *Estado de Minas* Amaury Ribeiro Jr., 44 anos, que há duas semanas realiza para o **Correio** uma série de reportagens sobre a ação dos traficantes na região. O crime ocorreu por volta das 19h, em Cidade Ocidental, a 48km de Brasília. O repórter estava em um bar na Quadra 8, do Setor Colina Verde, distante 4km do centro do município. Um rapaz disparou três tiros contra ele.

Uma testemunha disse que o autor dos disparos é um jovem moreno. Na hora do atentado, o criminoso usava bermuda branca, camisa preta e um gorro na cabeça. "O rapaz disse que era um assalto, mas imediatamente apontou um revólver para o jornalista e disparou três vezes", afirmou um policial militar, que pede para ter o nome preservado.

Um dos três tiros acertou a barriga do jornalista, nas proxi-

O tráfico de drogas no Entorno desafiou a sociedade mais uma vez. Bandidos tentaram executar o jornalista do *Estado de Minas* Amaury Ribeiro Jr., 44 anos, que há duas semanas realiza para o **Correio** uma série de reportagens sobre a ação dos traficantes na região. O crime ocorreu por volta das 19h, em Ci-

[...] outros dois disparos atingiram a parede do bar. A dona do estabelecimento, que também pediu para não ser identificada, afirmou que minutos antes do crime serviu um caldo de galinha para o jornalista. Em seguida, Amaury pediu que ela aumentasse o volume da televisão para que pudesse assistir a um telejornal. A comerciante seguiu para os fundos do bar. "Ou-

[...] da barriga dele. Estou horrorizada. Nunca vou esquecer essa cena", desabafou a mulher. O bandido fugiu em seguida.

Levado por uma ambulância do Serviço de Atendimento Móvel de Urgência (Samu) para o Hospital Regional do Gama (HRG), Amaury foi submetido às 21h30 a uma cirurgia para retirada da bala, que estava alojada entre a cintura e a púbis. Durante a operação, os médicos identificaram que o projétil entrou de cima para baixo e seguiu em di- [...]

[...] agentes da Delegacia de Operações Especiais (DOE) da Polícia Civil do Distrito Federal vasculhavam bairros do município atrás do criminoso. Eles trabalham com três linhas de investigação, todas ligadas ao tráfico de drogas. Um suspeito foi detido à meia-noite de ontem.

COLABORARAM JORGE DE CASTRO E MARCELA DUARTE

LEIA MAIS SOBRE O ATENTADO CONTRA O JORNALISTA NAS PÁGINAS 38, 39, 40, 41, 42, 43, 44 E 46

Jornalista baleado após denunciar o tráfico.

primeiro momento, não foi bem recebida pelo governo de Goiás. Para o governador Alcides Rodrigues (PP), bastaria a liberação de recursos da União para solucionar o problema. Porém, no dia 11 do mesmo mês, o Ministério da Justiça colocou 374 homens da Força de Segurança Nacional à disposição dos dois governos. E informou o repasse de R$ 10 milhões para que as duas administrações investissem em segurança pública.

No dia 16, nova matéria, agora adicionando outros cinco nomes à listagem dos mortos. Apesar das advertências que me alertavam para o desagrado da bandidagem diante da iminência da chegada de tropas federais ao entorno da Capital, resolvi prosseguir a investigação. Uma colega da redação havia me relatado o drama dos familiares de outra adolescente executada. Então, retornei à Cidade Ocidental. Foi a maior besteira.

Eu e o motorista do jornal, Francisco Oliveira, o *Carioca*, estávamos na varanda de um bar. A gente tomava uma cerveja enquanto eu aguardava a fonte que poderia trazer informações sobre o assassinato mais recente. Ali por volta das sete da noite chegaram dois sujeitos. Um deles usava um casaco com capuz e um boné e quase não se via seu rosto. Era o dia 19.

Foi tudo rápido demais. Um dos homens começou a atirar, e num impulso, minha primeira reação foi me atracar com o desconhecido. Caímos no chão quando ele efetuou outro disparo. O motorista tentou tomar-lhe a arma, mas também foi recebido com um tiro. O bandido errou o disparo e ação de *Carioca* acabou provocando a fuga da dupla.

— Você está ferido? — perguntei ao *Carioca* enquanto ele me ajudava a levantar.

— Eu não, mas você levou um tiro. O cara não anunciou assalto. Foi um atentado — respondeu.

Como não sentia dores, demorei alguns segundos para acreditar. Só tive a certeza ao ver as marcas de sangue espalhadas no chão do bar.

Levado para o posto de saúde local para estancar o sangue, logo fui removido para o Hospital Regional do Gama, onde Arruda, diretores do *Correio Braziliense*, políticos, jornalistas e parentes já me aguardavam. Depois de muita discussão com políticos ligados à área de saúde, o cirurgião Giuliano Trompetta resolveu me operar para detectar uma possível hemorragia.

— Embora não haja sinais de hemorragia, eu sou o responsável e vou operar para evitar problemas — disse às autoridades que o questionavam sobre a necessidade da cirurgia.

O atentado comoveu muita gente. Ministros, políticos e organizações de direitos humanos condenaram a agressão. Durante quase dois anos, o incidente foi citado nas páginas da imprensa internacional, que enviaram equipes de reportagem à região do entorno. A história ganhou espaço em jornais das mais diferentes linhas editoriais. Na Inglaterra, por exemplo, foi destaque em diários tão distintos entre si como o circunspecto *Financial Times* e o tabloide *The Mirror*, mais focado na descoberta de escândalos da família real e de outras celebridades.

Na apuração, a polícia de Goiás — contrária à presença de tropas federais na região — levantou a tese de que não teria havido tentativa de homicídio e sim um assalto malsucedido. Três suspeitos foram apresentados à imprensa. Embora tenha apontado várias contradições na investigação, a imprensa não teve o cuidado de checar os dados dos suspeitos. Nunca foi dito, por exemplo, que o suposto autor do disparo, um adolescente conhecido como *Pitéu*, é sobrinho em primeiro grau da então prefeita da cidade, Sonia Melo (PSDB), e primo do traficante Amadeu Soares, o *Sérgio*. Numa interceptação telefônica da Polícia Federal com autorização judicial, os familiares de *Pitéu* aparecem comentando a participação de *Sérgio* no crime. "Precisamos esconder a bicicleta do Sérgio", afirma uma parente de *Pitéu* sem saber que estava sendo monitorada pela PF.

Apesar das divergências entre os governos do DF e de Goiás, uma semana depois do atentado — enquanto eu deixava a Capital sob escolta da polícia até o aeroporto — agentes da Força de Segurança Nacional começaram a chegar a Brasília. Acompanhado de meu pai, segui para Belo Horizonte para me recuperar ao lado da família. A Força de Segurança Nacional permanece até hoje na região. O governo federal montou um quartel para formação e treinamento em Luziânia. *Negão* e os principais traficantes denunciados pela reportagem estão presos. Mas as crianças e adolescentes continuam sendo assassinados pelas facções criminosas da região.

Quando saí do hospital, mergulhei fundo na depressão. Não podia me expor, não podia trabalhar em Brasília. Minha vida pessoal também sofreu muito com isso. Foram tempos duros. O panorama começou a mudar quando retomei o trabalho. Fui transferido do *Correio Braziliense* para o *Estado de Minas*, diário de Belo Horizonte do mesmo grupo. Longe de Brasília, troquei as pautas de polícia em favor das de política. Agora, o confronto não era entre os bandidos e a lei no faroeste caboclo do entorno. Não havia tiros, cadáveres ou sangue nas ruas. O embate era silencioso e sorrateiro nos desvãos da política e, principalmente, da baixa política. Esta coreografia de punhais no interior do ninho tucano envolvia as pré-candidaturas de José Serra e de Aécio Neves à Presidência da República. Brasília, de novo, entrava na minha vida. E começava uma outra história.

2.

BRIGA DE FOICE NO PSDB

Arapongas no encalço de Aécio.
"Pó pará, governador", provoca o Estadão.
"São Paulo, não mexa com Minas", ouve Serra.
Ricardo Sérgio dá o exemplo. E os tucanos seguem atrás.

Encravado na Serra de Itatiaiuçu, interior de Minas Gerais, o povoado de Medeiros é o meu refúgio. É ali que, depois do episódio do tiro, começo a cultivar a vinífera Syrah. Escolhi a área para o experimento com o auxílio do i2-Analyst's Notebook, programa de inteligência utilizado por investigadores de todo o mundo para rastrear dinheiro sujo do crime e da corrupção. Como demonstração das suas múltiplas virtudes, o i2-Analyst's indicou graficamente os municípios de Minas com potencial para a elaboração de vinhos de qualidade.

No caso de Medeiros, a altitude de cerca de 1.100 metros acima do nível do mar significaria, em tese, um clima temperado com muito sol e noites frias, que permitem a liberação das substâncias das cascas das uvas como o tanino, o que empresta maior complexidade ao vinho. Mas o que definiu a escolha foi o fato de que, ao contrário dos vizinhos Santa Teresinha e Rio São João, Medeiros não é castigado por geadas durante o inverno. A ausência de geadas permite a inversão da poda e da colheita.

De setembro a dezembro de 2007, enquanto convalesço dos ferimentos e da cirurgia, o plantio das videiras funciona como uma válvula de escape. Serve para encarar a depressão pós-traumática, resultado da violência sofrida. O desafio de plantar ainda em 2007 e durante o período de chuvas ajuda a superar a letargia.

Mas, no mês de dezembro, a profissão me chama de volta. Recuperado das lesões, fui para Belo Horizonte. Ao me apresentar ao *Estado de Minas*, jornal do mesmo conglomerado do *Correio Braziliense*, recebo uma pauta desafiadora. O que não imagino é que ela servirá para me situar, três anos depois, sob os holofotes da mídia. Irá contribuir para me colocar, a contragosto, entre os personagens da eleição presidencial de 2010.

O que me pedem é o seguinte: descobrir quais são os arapongas que estariam no encalço do governador de Minas, Aécio Neves, durante seus discretos roteiros sentimentais pelo Rio de Janeiro. Segundo o relato, Aécio é vigiado e tem seus movimentos seguidos por agentes arregimentados por seu adversário na disputa dentro do PSDB pela pré-candidatura à Presidência da República. O então governador paulista, José Serra, trabalhava nos bastidores para alijar o concorrente mineiro do páreo.

De posse de um dossiê, Serra teria mandado um recado, por intermédio de seus emissários, para que Aécio jogasse a toalha. Ou seja, Serra, com seu estilo inconfundível, estaria chantageando o neto de Tancredo Neves. O conteúdo do suposto dossiê nunca me foi revelado. Mas vale acentuar que a pauta não nasceu de um boato qualquer. Ao contrário, surgiu de informações dignas de todo o crédito transmitidas pela assessoria do governo mineiro ao *Estado de Minas* que, aliás, nunca negou sua condição de aecista de corpo e alma.

Ao receber a pauta, retomei logo o contato com "Dadá". Queria que ele apurasse dentro da comunidade de informações quem eram os agentes engajados e atuando na pré-campanha serrista para detonar Aécio. "Dadá" levantou que o trabalho de campo era liderado pelo funcionário da Agência Brasileira de Inteligência

(Abin) Luiz Fernando Barcellos. Conhecido como "agente Jardim", Barcellos teria sido levado para o grupo de inteligência de Serra pelo deputado Marcelo Itagiba (PSDB/RJ), também delegado da Polícia Federal e casado com uma prima do tucano Andrea Matarazzo, amigo de Serra há muitos carnavais.

Dadá recebeu a informação por meio do delegado aposentado da Polícia Federal Onézimo das Graças Sousa, outra figura que, por vias transversas, também desfrutaria de seus 15 minutos de glória no embate eleitoral de 2010.

Ainda de acordo com Dadá, a informação, confirmada posteriormente por outros agentes enviados pessoalmente para falar com Barcellos, era quentíssima. Sousa sabia das coisas. O delegado teria trabalhado com Barcellos no núcleo de inteligência montado por Serra, então ministro da Saúde, dentro da Agência Nacional de Vigilância Sanitária (Anvisa). Com o nome de Gerência Geral da Secretaria de Segurança da Anvisa, o núcleo, comandado por Itagiba, nasceu com o propósito anunciado de esquadrinhar os laboratórios acusados de fraudar os medicamentos genéricos. Era, porém, apenas um pretexto. Serra dissolveu o agrupamento um ano depois que a imprensa revelou que funcionários públicos estavam tendo suas vidas bisbilhotadas dentro do Ministério. A nomeação e a demissão de um agente do extinto Serviço Nacional de Informação (SNI) por Serra estão documentadas no *Diário Oficial da União.*

Ao fechar a primeira fase da apuração, entreguei ao *Estado de Minas* um relatório explicando como funcionava a inteligência da campanha de Serra. Mas, usando da liberdade conferida aos repórteres especiais da diretoria, resolvi aprofundar as averiguações. Aproveitei a oportunidade para retomar um tema que sempre me fascinou: a Era das Privatizações, sob a égide do presidente Fernando Henrique Cardoso, particularmente os negócios que se deram na área das telecomunicações. Comecei a investigar o caso no início deste século quando ainda trabalhava na sucursal paulista de *O Globo*.

Fiz uma varredura em cartórios de títulos e documentos, além de juntas comerciais de São Paulo e do Rio, e consegui mapear o *modus operandi* do ex-diretor da área internacional do Banco do Brasil, Ricardo Sérgio de Oliveira, e de seus muitos pupilos, ou seja, aqueles que observam a mesma metodologia para lidar com empresas e dinheiro no Brasil e nos paraísos fiscais do Caribe. Entre os alunos, uma presença expressiva de tucanos paulistas.

Encontrei a primeira transação de Ricardo Sérgio nas Ilhas Virgens Britânicas, paraíso fiscal do Caribe. Os papéis atestavam que o ex-tesoureiro das campanhas eleitorais de Serra e de FHC pilotava, no final da década de 1980, a empresa *offshore* Andover. Com endereço em Road Town, capital das Ilhas Virgens Britânicas, a Andover servia para injetar dinheiro que estava no estrangeiro em outra empresa de sua propriedade em São Paulo, a Westchester.

A princípio, ainda inexperiente na época no rastreamento de dinheiro, supunha que o objetivo era enviar dinheiro para o exterior. Percebi que estava equivocado ao consultar, por sugestão de fontes do serviço de inteligência da Receita Federal e do Banco Central, o jurista Heleno Torres. Uma das maiores autoridades do Brasil na análise jurídica de movimentações de valores, Torres atesta que o método servia para trazer e não para mandar recursos para fora. "É uma operação clássica de internação de dinheiro", afirmou ao examinar a documentação que eu levantara.

O dinheiro entrava no país por meio de aumentos sucessivos do capital da empresa brasileira. Tais valores eram integralizados pela empresa caribenha. À primeira vista, parecia um investimento de uma empresa estrangeira em outra empresa sócia no Brasil, já que a manobra permitia que o dinheiro chegasse ao país por meio de uma operação de câmbio autorizada pelo Banco Central (BC). Porém, os documentos deixavam o rastro grosseiro da fraude.

Ricardo Sérgio assinava nos dois lados da operação: como dono da empresa brasileira e procurador da *offshore* do Caribe. Tratava-se exatamente do mesmo sistema usado pela quadrilha da advogada Jorgina de Freitas, que ganhou notoriedade por fraudar a Previdência Social em mais de R$ 1 bilhão.[1]

No início de 2008, ao analisar os primeiros papéis recolhidos na Junta Comercial de São Paulo, na Justiça e nos cartórios de títulos e documentos da cidade, percebi que outro personagem entrava na história e, do mesmo modo, vinculado a Serra. O corretor Alexandre Bourgeois, genro do então governador de São Paulo, usara a mesmíssima metodologia bolada pelo ex-tesoureiro do sogro. Ao focar minhas investigações no 3º Cartório de Títulos e Documentos, da Capital paulista, onde também havia encontrado a Andover, acertei em cheio o alvo. Descobri que, logo após a privatização das teles, Bourgeois abriu no mesmo paraíso fiscal, duas *offshores*: a Vex Capital e a Iconexa Inc., ambas operando no mesmo escritório utilizado por Ricardo Sérgio nas Ilhas Virgens Britânicas, o do Citco Bulding.

Ao flagrar as transações de Bourgeois, cometi uma tolice quase do mesmo tamanho daquela de retornar à Cidade Ocidental após ter denunciado o assassinato de adolescentes pelo narcotráfico. Telefonei para a assessoria de imprensa do governador paulista. Queria um pronunciamento dele sobre o assunto. A resposta não tardou. Serra agiu para tentar barrar a matéria ainda em fase de apuração. Telefonou em seguida para o então editor de política do *Correio Braziliense*, Alon Feuerwerker. Ao ouvir de Feuerwerker que a matéria estava sendo tocada por Minas Gerais e para o *Estado de Minas*, Serra quis falar com a direção do jornal e com a irmã do governador Andrea Neves, sem sucesso.

---

[1] A quadrilha integrada por Jorgina de Freitas foi condenada por desviar R$ 1,2 bilhão do Instituto Nacional do Seguro Social (INSS). Condenada em 1992, foi libertada em junho de 2010. Do total subtraído do INSS, apenas R$ 69 milhões foram recuperados.

Pó pará, governador?

Mauro Chaves

Em conversa com o presidente Lula no dia 6 de fevereiro, uma sexta-feira, o governador Aécio Neves expôs-lhe a estratégia que iria adotar com o PSDB, com vista a obter a indicação de sua candidatura a presidente da República. Essa estratégia consistia num ultimato para que a cúpula tucana definisse a realização de prévias eleitorais presidenciais impreterivelmente até o dia 30 de março – "nem um dia a mais". Era muito estranho, primeiro, que um candidato a candidato

rio paulista despencar feito um viaduto? Que informações essenciais haveria, para se transmitirem aos cerca de 1 milhão e pouco de militantes tucanos – supondo-se que estes fossem os eleitores das "exigidas" prévias, que ninguém tem ideia de como devam ser –, para que pudesse ocorrer uma formidável inversão de avaliação eleitoral, que desse vitória a Aécio sobre Serra (supondo que o governador mineiro pretenda, de fato, vencê-las)?

Vejamos o *modus faciendi*

ta falta de crítica em relação a tudo o que se relacione, direta ou indiretamente, ao governo ou ao governador.

O caso do "mensalão tucano" só foi publicado pelos jornais de Minas depois que a imprensa do País inteiro já tinha dele tratado – e que o governador se pronunciou a respeito. É que em Minas imprensa e governo são irmãos xifópagos. Em São Paulo, ao contrário, não só Serra como todos os governos e governadores anteriores

Serra ataca por meio do *Estadão* e Aécio retruca pelo *Estado de Minas*: "Minas a reboque, não!"

Decidiu então ligar diretamente para Aécio, buscando acertar as arestas. Aparentemente, funcionou.

Faltava, no entanto, acalmar o comando do jornal mineiro, inconformado com a arapongagem de Itagiba e com o artigo "Pó pará, governador", plantado pela *entourage* de Serra em *O Estado de S. Paulo*, para desgastar o governador mineiro. Publicado em 28 de fevereiro de 2009, e assinado pelo colunista Mauro Chaves, já falecido, o libelo antiaecista ironizava o desejo do governador mineiro de definir logo, por meio de prévias, o candidato do PSDB ao Planalto. No tucanato paulista, a intenção foi interpretada como um crime de lesa-majestade. Sem nunca ter ocultado seu serrismo, o *Estadão* dispensou o protocolo e disparou um torpedo

EDITORIAL

Minas a reboque, não!

Indignação. É com esse sentimento que os mineiros repelem a arrogância de lideranças políticas que, temerosas do fracasso a que foram levados por seus próprios erros de avaliação, pretendem dispor do sucesso e do reconhecimento nacional construído pelo governador Aécio Neves. Pior. Fazem parecer obrigação do líder mineiro, a quem há pouco negaram espaço e voz, cumprir papel secundário, apenas para injetar

Editorial do jornal *Estado de Minas*, em 03/03/2010.

visando atingir a pré-candidatura de Aécio abaixo da linha-d'água. Contrastando a linha conservadora do jornal, instilou uma insinuação pesada, uma suposta ligação de Aécio ao "Pó", ou seja, cocaína para atingir dois objetivos: expor publicamente, de modo vulgar e dissimulado, o comportamento do rival de Serra e enviar-lhe um recado muito claro.

Para o *Estado de Minas*, havia ainda outra razão para detestar o "Pó pará, governador": o sarcasmo com que eram abordadas as relações entre os jornais mineiros e o comando político estadual. "Em Minas, imprensa e governo são irmãos xifópagos", gracejava o articulista. Para, pitorescamente, agora em tom de seriedade, comparar Minas com São Paulo, onde Serra e seus antecessores seriam "cobrados com força, cabresto curto" pelos jornalões paulistanos. Era, enfim, difícil digerir Serra e o serrismo. Mas a vingança estava a caminho.

"Indignação. É com esse sentimento que os mineiros repelem a arrogância de lideranças políticas que, temerosas do fracasso a que foram levados por seus próprios erros de avaliação, pretendem dispor do sucesso e do reconhecimento nacional construído pelo governador Aécio Neves." Assim começa o editorial "Minas a reboque, não!", do *Estado de Minas*, em 8 de março de 2010, que rejeita o papel subalterno de Minas e de Aécio numa eventual composição com Serra para enfrentar Dilma Rousseff.

Não era a primeira vez que o Estado de Minas trombava com o tucanato paulista. Antes, aconselhado por Aécio, Serra foi a Belo Horizonte para participar, no dia 7 de março de 2008, das homenagens aos 80 anos do jornal ao lado de outros caciques tucanos. Ao chegar à festa, porém, o então governador paulista acabaria surpreendido pelo famoso discurso do presidente dos *Diários Associados*, Álvaro Teixeira da Costa. "São Paulo, não mexa com Minas, que Minas sabe dar o troco", advertiu o orador para constrangimento de Serra. Dois mil convidados estavam presentes. Teixeira da Costa já havia lido o relatório parcial das minhas investigações.

O discurso recebeu várias críticas. Mas, pela minha experiência no jornal, tenho a convicção é de que foi menos anti-Serra do que em favor daquilo que o jornal acreditava ser o interesse de Minas. A participação do *Estado de Minas* no episódio Serra termina aí.

Após relatar o assalto ao patrimônio público do país por meio das privatizações, este livro pretende desnudar as muitas e imaginativas maneiras de ganhar dinheiro que se sucederam. Entre elas, os processos de internação de valores de origem suspeita.

São operações realizadas pelo clã Serra — sua filha Verônica Serra, seu genro Alexandre Bourgeois, seu primo político Gregório Marín Preciado, seus muitos sócios, seus amigos e seus colaboradores. E outros tucanos de altos poleiros. Em muitos casos, são transações envolvendo empresas brasileiras e empresas *offshore* no paraíso fiscal das Ilhas Virgens Britânicas, escoradas no anonimato.

Muita gente, além dos Serra, agiu assim. Alguns, em vez de comprar cotas de suas próprias empresas no Brasil, adquirem imóveis, fazem os recursos rodarem em fundos de investimentos ou compram automóveis, como o ex-presidente do Tribunal Regional do Trabalho, de São Paulo, Nicolau dos Santos Neto, que investiu parte dos R$ 169,5 milhões de reais desviados da construção da sede do TRT/SP em uma frota de carros importados.

Fiquei pasmado com a voracidade de alguns grupos e a disposição de levar vantagem a qualquer custo. E, após anos de trabalho, percebi que o volume do material que havia levantado, a necessidade de explicar os artifícios empregados nas fraudes, a profusão de personagens e seus laços com terceiros implicados, o desdobramento dos fatos ao longo de vários anos e a contextualização exigida para melhor compreensão dos acontecimentos impunham outro formato. Matérias de jornal não bastariam para descrever o que tinha em mãos. Seria preciso mais para melhor contar o caráter de uma época e dos seus protagonistas. Será gratificante se, depois da última página, o leitor mantiver seus olhos bem abertos. É uma boa maneira de impedir que aqueles que já transformaram o público em privado para seu próprio proveito tentem reprisar algum dia o que foi feito na era da privataria.

3.

COM O MARTELO NA MÃO E UMA IDEIA NA CABEÇA

Vender tudo o que der para vender. FHC, Serra e a Vale. Os planos para privatizar o Banco do Brasil e a Caixa. Petrobrás na linha de tiro. Pagando para vender.

Serra e o martelo, uma relação amistosa e frequente a serviço da máxima de FHC: "vender tudo o que der para vender".

Não é um riso aberto, caricatural, mas um sorriso quase íntimo, derramado para dentro. Observa-se um repuxar dos lábios, que expõem os dentes e esgarçam a pele das bochechas e do pescoço. É uma composição introspectiva, coadjuvada pelos olhos baixos, espreitando o martelo em sua descida vigorosa conduzido por sua mão direita. Quando se ouve o som da madeira contra a madeira, mais uma empresa pública foi vendida. A mão, a face e o sorriso pertencem a José Serra. A Light do Rio pertencia à Eletrobrás. Na foto histórica, os gestos e as emoções estão congelados, mas o patrimônio público moveu-se: passou a ser privado.

O leilão, no dia 21 de maio de 1996, dava continuidade ao programa federal de desestatização. Fernando Henrique Cardoso deflagrara o programa em 1995. Estreou com a venda da Excelsa, a companhia de eletricidade do Espírito Santo. E a mão de Serra também brandiu o martelo.

Nenhum político, mesmo os que privatizaram ou pretendem privatizar, recebe de bom grado a fama de privatizador. Mas, nos anos 1990, o que hoje é estigma era então condição inexorável para ser aceito na modernidade. O discurso tucano, hoje omisso quanto ao passado, possuía a arrogância dos donos da verdade. Mas está tudo registrado.

As lamúrias da revista *Veja*[2] quanto à lentidão na venda das estatais receberam uma resposta rápida e reconfortante. O ministro José Serra, do Planejamento, anunciou "um ritmo mais veloz na venda das estatais" e encaixou as empresas de energia elétrica na lista das privatizáveis — prometeu e cumpriu, vibrando ele próprio o martelo na Excelsa, no mesmo ano, e na Light, no ano seguinte. E o presidente FHC expressou-se com tal ênfase que merece um parágrafo inteiro:

— É preciso dizer sempre e em todo lugar que este governo não retarda privatização, não é contra nenhuma privatização e vai vender tudo o que der para vender.

Em 1996, a Companhia Vale do Rio Doce estava na relação das empresas a serem privatizadas, mas a descoberta de uma jazida de ouro no Pará ameaçava melar a futura negociação. Ficaria mais difícil torrar a segunda maior mineradora do mundo, com 40 empresas e faturamento de US$ 2 bilhões/ano. Entrevistado,[3] Serra mandou seu recado:

— A descoberta dessa mina não altera em nada o processo de privatização. Só o preço que poderá ser maior — avisou o ministro do Planejamento de FHC.

---

[2] *Veja*, edição de 03/05/1995.

[3] *Veja*, edição de 07/02/1996.

Como se ainda fosse necessário algum esclarecimento, o ex--presidente, em entrevista recente à Veja.com, que ganhou popularidade inesperada via You Tube, testemunhou: "O Serra foi um dos que mais lutaram em favor da privatização da Vale. Muita gente diz o Serra é isso e aquilo... Não! E (da privatização) da Light também. O Serra!", acrescentou o ex-presidente para que não pairasse dúvida.

Pensando "vender tudo o que der para vender", o governo do PSDB projetou tocar adiante, por exemplo, o Banco do Brasil e a Caixa Econômica Federal. Ou apequená-los, deixando-os do tamanho de bancos de "segunda linha". Registrado nos anais do Ministério da Fazenda, o Memorando de Política Econômica, de 8 de março de 1999, no alvorecer do segundo mandato de FHC, descreve um plano de privatização parcial do BB e da CEF. Está no item 18 do documento e consiste na "venda de componentes estratégicos" ou na transformação das duas instituições em "bancos de segunda linha".

Atualmente líder no seu setor e dona de um patrimônio de R$ 200 bilhões, a distribuidora de títulos e valores imobiliários do banco — BB/DTVM — seria privatizada. No item 27, trata-se da venda de Furnas, incluída na entrega a particulares das empresas federais geradoras de energia. O governo ainda planejava vender todas as suas ações sem direito a voto na Petrobrás.

Independentemente do juízo que cada um possa fazer sobre a eficácia ou ineficácia do Estado ao gerir os bens públicos, ninguém precisa ser um inimigo do mercado para perceber que o modelo de privatização que assolou o Brasil nos anos FHC não foi, para ser leniente, o mais adequado aos interesses do país e do seu povo. Nem mesmo a Nossa Senhora Aparecida do fundamentalismo neoliberal, a primeira-ministra britânica Margaret Thatcher, teve o atrevimento de fazer o que foi feito na desestatização à brasileira. Nos anos 1980, Thatcher levou ao martelo as estatais inglesas, pulverizando suas ações e multiplicando o número de acionistas.

Contrapondo-se a essa "democratização", o jeito tucano de torrar estatais envolveu "doação de empresas estatais, a preços baixos, a poucos grupos empresariais".[4]

Antes, porém, as estatais e seus servidores passaram a ser perseguidos e linchados diariamente nas manchetes. O *Estado* passou a ser o Grande Satã, semeando-se uma ira santa contra sua presença na economia e um fogo constante dirigido aos seus serviços. Seus erros foram escancarados e seus acertos, subtraídos. Era preciso preparar o clima para vender as estatais, fossem quais fossem. As pessoas precisavam entender que leiloar patrimônio público "seria um benefício" para todos. O Estado reduziria suas dívidas interna e externa e receberia um aporte de dólares que permitiria que se dedicasse somente à saúde, à educação e a um ou outro setor. E todos se livrariam daqueles trastes que não se sabia, afinal por que ainda continuavam existindo.

Na prática, a teoria acabou sendo outra. O torra-torra das estatais não capitalizou o Estado, ao contrário, as dívidas interna e externa aumentaram, porque o governo engoliu o débito das estatais leiloadas — para torná-las mais palatáveis aos compradores — e ainda as multinacionais não trouxeram capital próprio para o Brasil. Em vez disso, contraíram empréstimos no exterior e, assim, fizeram crescer a dívida externa.[5] Para agravar o quadro, os cofres nacionais financiaram a aquisição das estatais e aceitaram *moedas podres*, títulos públicos adquiridos por metade do valor de face, na negociação.

Alguns *cases* clássicos do processo ajudam a esclarecer o que se passou. Na privatização da Companhia Siderúrgica Nacional (CSN) dos R$ 1,05 bilhão pagos pela maior siderúrgica da América Latina e marco da industrialização nacional no pós-guerra, R$ 1 bilhão era formado de *moedas podres*. Nos cofres públicos só in-

[4] *O Brasil privatizado — Um balanço do desmonte do Estado*, de Aloysio Biondi — Editora Fundação Perseu Abramo, 1999.

[5] Idem.

gressaram, de verdade, R$ 38 milhões... E, como se o incrível habitasse o inacreditável, as *moedas podres* foram leiloadas pelo Banco Nacional de Desenvolvimento Econômico e Social, o BNDES. Nesta *matrioshka*,[6] na qual as aberrações brotam uma do interior da outra, o BNDES ainda financiou a aquisição das *moedas podres* com prazo de 12 anos para pagá-las.

Na privatização da Ferrovia Paulista S.A. (Fepasa), o governo de São Paulo, sob o PSDB de Mário Covas, demitiu dez mil funcionários e assumiu a responsabilidade pelos 50 mil aposentados da ferrovia! No Rio, o também tucano Marcelo Alencar realizou proeza maior: vendeu o Banerj para o Itaú por R$ 330 milhões, mas antes da privatização demitiu 6,2 mil dos 12 mil funcionários do banco estadual. Como precisava pagar indenizações, aposentadorias e o plano de pensões dos servidores, pegou um empréstimo de R$ 3,3 bilhões, ou seja, dez vezes superior ao que apurou no leilão. Na verdade, 20 vezes superior, porque o Rio só recebeu R$ 165 milhões, isto porque aceitou *moedas podres*, com metade do valor de face.

A temporada de bondades com dinheiro público ultrapassou os preços baixos, os financiamentos, as prestações em 12 anos e as *moedas podres*. Nos anos que antecederam a transferência das estatais para o controle privado, suas tarifas sofreram uma sequência de reajustes para que as empresas privatizadas não tivessem "de enfrentar o risco de protesto e indignação do consumidor". No caso das tarifas telefônicas, aumentos de até 500% a partir de 1995 e, no caso da energia elétrica, de 150%. Tais custos ficaram com o Estado e o cidadão. Mas a cereja do bolo foram os empréstimos do BNDES. Quem adquiria uma estatal imediatamente se habilitava a contratar financiamentos oficiais com juros abaixo dos patamares do mercado. Comprada com *moedas podres*, a CSN

---

[6] Conjunto de bonecas típicas russas, de madeira pintada, que se sobrepõem umas às outras, encaixando-se. (Cf. Aulete Digital.)

foi contemplada com R$ 1,1 bilhão. E a Light, onde Serra bateu seu martelo, ganhou R$ 730 milhões.

O resultado de tudo isso é que, em dezembro de 1998, quando já haviam sido leiloadas grandes empresas como a Vale, Embraer, Usiminas, Copesul, CSN, Light, Acesita e as ferrovias, havia um descompasso entre expectativa e realidade. Enquanto o governo FHC afirmava ter arrecadado R$ 85,2 bilhões no processo, o jornalista econômico Aloysio Biondi publicava no seu *best-seller O Brasil Privatizado* que o país pagara para vender suas estatais. Este pagamento atingira R$ 87,6 bilhões, portanto R$ 2,4 bilhões a mais do que recebera. Reunindo sete itens que conseguiu calcular — vendas a prazo com dinheiro já contabilizado, mas fora dos cofres públicos; dívidas absorvidas; juros de 15% sobre dívidas assumidas; investimento nas estatais antes do leilão; juros sobre tais investimentos; uso de moedas podres e mais R$ 1,7 bilhão deixados nos cofres das estatais privatizadas — Biondi chegou ao seu valor. Mais cinco itens, entre eles custo de demissões e compromissos com fundos de pensão, considerados incalculáveis, não integram a coluna das despesas.

Por tudo isso, não foi graciosamente que o Prêmio Nobel de Economia (2001) Joseph Stiglitz cunhou um neologismo ácido ao definir a onda privatista que avassalou as economias do Terceiro Mundo. Ex-economista chefe do Banco Mundial, Stiglitz interpreta o que ocorreu como "*briberization*" e não "*privatization*", sendo que "*bribery*" constitui-se crime e significa "oferecer, dar, receber ou solicitar qualquer bem ou valor para influenciar as decisões de funcionário público ou outra pessoa em cargo de confiança". A raiz da palavra, *bribe*, é discutível, mas vincula-se à "coisa roubada" desde o século 14, sendo percebida como "jargão de ladrões" e, com a acepção de favores adquiridos por meio de corrupção desde 1530.[7]

[7] Online Etimology Dictionary.

De forma mais clara, o que houve no Brasil não foi privatização mas "propinização". A versão local da práxis foi batizada como privataria pelo jornalista Elio Gaspari, ao casar, com felicidade, os vocábulos "privatização" e "pirataria".

A luta travada pelo butim das estatais reuniu empreendedores, aventureiros e predadores. De um e do outro lado do balcão e, até mesmo, nos dois lados simultaneamente. A trajetória de alguns deles está neste livro. Nele, estão as passadas largas dos grandes predadores. No parque jurássico dos usos e costumes republicanos movem-se como o *Tiranossauro Rex* e, com o poder do dinheiro e o dinheiro do poder, devoram as principais presas. E há os pequenos, como o *Velocirraptor*. Pequenos, porém não menos vorazes. Astuciosos, agindo em bandos, usam repetidamente o mesmo método de ataque para engolir sua fatia dos despojos. Como as páginas que vêm pela frente se encarregarão de demonstrar.

As caixas postais do Citco Building,
em Tortola, nas Ilhas Virgens Britânicas.

© Gustavo Terra

4. A GRANDE LAVANDERIA

As ilhas que lavam mais branco.
As mudanças no mundo que revelaram
os caminhos do dinheiro da corrupção,
do terror, do contrabando e do narcotráfico.
Introdução ao Citco, o navio pirata
que lava a grana do tucanato no Caribe.

© Gustavo Terra

Fachada do escritório do Citco, nas Ilhas Virgens Britânicas, um dos locais onde o dinheiro da corrupção era internado.

Um paraíso fiscal é, quase sempre, um pedaço de terra cercado por água e povoado por mais pessoas jurídicas do que por gente de carne e osso. É onde o dinheiro sujo, como ave migratória, pousa, repousa e segue adiante, com as impurezas originais já removidas. Lá, acontecem outras bizarrices: as empresas são do tamanho de uma caixa postal, e as contas bancárias ocultam seus titulares. São paraísos para o narcotráfico, o terrorismo, o tráfico de mulheres e o contrabando de armas. Lavam o dinheiro de todas as máfias e, também, aquele que provém da corrupção política. "A lavagem de dinheiro é a espinha dorsal do crime organizado", garante o ministro Gilson Dipp, do Superior Tribunal de Justiça (STJ). "Hoje — diz — 70% do dinheiro lavado no país vem da corrupção e não mais do tráfico internacional de entorpecentes e do contrabando de armas e munição, como ocorria antigamente."[8]

[8] Artigo publicado no *site* Consultor Jurídico.

Desses centros financeiros mundiais, 38 são ilhas. É mais da metade dos países ou regiões autônomas que se dedicam à hospedagem *vip* da dinheirama de procedência desconhecida ou imprecisa. Os valores transitam por empresas *offshore*, um termo que presta reverência aos velhos tempos dos corsários que saqueavam os mares e depositavam a pilhagem *off-shore* ou *fora da costa*. Os tempos mudaram, mas os modos operantes continuam os mesmos. Dificilmente uma *offshore company* movimenta milhões no mesmo paraíso em que está situada. Um exemplo: as contas dos doleiros do Banestado e de outros escritórios de lavagem de Nova York eram abertas sempre em nome de *offshores* nas ilhas Virgens Britânicas e em outros paraísos fiscais. Ou seja, embora situadas no Caribe, essas empresas centralizavam suas operações em bancos dos Estados Unidos.

O mesmo acontece com as contas movimentadas por políticos da América do Sul na Suíça e em outros refúgios fiscais da Europa. E qual o motivo que leva uma pessoa a abrir uma conta em um desses lugares? A isenção de impostos é algo tentador, mas os donos de *offshores* usam os paraísos fiscais principalmente como um biombo para proteger, manter suas identidades e ocultar dinheiro sem procedência. Como lembra o delegado federal Rodrigo Carneiro Gomes,[9] a principal característica de uma *offshore* é a portabilidade de títulos de propriedade (o cotista aparece apenas como portador das cautelas da empresa), o que mantém os verdadeiros donos em uma zona de sombra. Como veremos exaustivalmente ao longo deste livro, quando querem operar clandestinamente, principalmente em operações de repatriamento de dinheiro, os reais sócios das *offshores* aparecem apenas como procuradores de suas próprias firmas.

No submundo da lavagem de dinheiro, as *offshores* funcionam como empresas-ônibus. São chamadas assim porque, grosso

[9] Do livro *O Crime Organizado na Visão da Convenção de Palermo*, de Rodrigo Carneiro Gomes.

modo, só exercem a função de enviar e trazer dinheiro do exterior. Geralmente as procurações, em que os donos simulam serem somente representantes de suas próprias *offshores*, são assinadas pelos diretores dos escritórios especializados em abrir e operar esses empreendimentos. As escrituras são lavradas quase sempre em consulados brasileiros nos Estados Unidos ou no Panamá. Lá, o documento recebe o selo dos paraísos fiscais, que mantêm em segredo a identidade de quem está verdadeiramente por trás do negócio. As empresas são identificadas apenas pelo número de uma *P.O. box*, simplesmente uma caixa postal.

Com frequência, tais procurações são empregadas em operações nas quais os *lavadores* internam dinheiro de suas *offshores* em suas próprias empresas instaladas no Brasil. Disfarçadas como investidores estrangeiros, as *offshores* passam a adquirir cotas de firmas de seus próprios donos no Brasil. Como tudo não passa de um jogo de cena, a compra e venda pode ser marcada por aberrações e esquisitices. Não são raros os casos em que uma mesma pessoa assina, ao mesmo tempo, nas duas pontas dessas transações: como procuradora da *fora da costa* e na condição de dona da empresa situada no Brasil, que passa a receber recursos de sua sócia no paraíso fiscal.

Quando quer pincelar o negócio com mais capricho e certo verniz de legalidade — a mesma ética, porém com um requinte a mais de estética — o proprietário vale-se de outra máscara: em vez dele mesmo, nomeia advogados ou parentes como representantes das suas *offshores*. É o modo mais utilizado, por exemplo, pelo presidente da Confederação Brasileira de Futebol (CBF), Ricardo Teixeira. Em 2010, a rede de televisão britânica BBC acusou Teixeira, junto com seu ex-sogro, João Havelange, ex-presidente da Fifa, de utilizar a *offshore* Sanud Etablissement para receber uma propina de R$ 15 milhões (US$ 9,5 milhões). Segundo a televisão britânica, a grana teria pingado na conta da

Sanud, situada no principado de Liechtenstein, conhecido paraíso fiscal europeu, por obra de uma empresa de *marketing* esportivo em troca de contratos assinados com a Fifa.

Em junho de 2011, ao seguirmos as pistas da BBC, eu e os colegas da Rede Record Luiz Carlos Azenha e Tony Chastinet conseguimos obter documentos inéditos na Junta Comercial e em cartórios do Rio de Janeiro e na Suíça. Além de comprovarem a veracidade da denúncia, eles elucidam o percurso da propina. A papelada revela, por exemplo, que a Sanud havia se tornado sócia de Teixeira na empresa RJL Participações Ltda. Que, aliás, funciona no escritório de João Havelange no centro do Rio. Mais grave ainda: o procurador da Sanud na sociedade é o ex-bancário Guilherme Teixeira, irmão do manda-chuva da CBF. Ficou bem claro que a Sanud servia para lavar dinheiro em negócios de Teixeira. Essa tese foi reforçada quando obtivemos a listagem trazendo as datas dos pagamentos da propina, que revelaram as coincidências já esperadas.

A relação demonstra que o primeiro um milhão de dólares foi pago à Sanud em agosto de 2002, um mês antes de a *offshore* tornar-se sócia da RJL. Imediatamente, a Sanud injeta R$ 2,8 milhões na empresa de Teixeira. O dinheiro, justificado como aumento de capital integralizado pela Sanud, é investido numa fazenda do presidente da CBF em Piraí, interior do Rio. Um ano depois, a RJL coloca mais R$ 1 milhão em uma transportadora dos irmãos Ricardo e Guilherme Teixeira no mesmo município. Em 1994, quando a Sanud continuava recebendo dinheiro em Liechtenstein, sua sócia no Brasil continuava apostando nos negócios de Teixeira. Documentação registrada em cartório atesta que, nesse período, a RJL colocou mais R$ 1,8 milhão no restaurante El Turf, aberto por Teixeira no bairro carioca do Jardim Botânico. Outros papéis, levantados pela CPI da Nike, da Câmara Federal, que investigou em 2001 os negócios suspeitos da CBF e de Ricardo Teixeira, provaram que a integralização de capital da Sanud na RJL de fato nunca existiu. No balanço contábil, a RJL justifica R$ 1,8 milhão como empréstimo concedido pela Sanud. O problema é que o empréstimo nunca foi pago e tampouco cobrado.

Por mais bizarro que possa parecer, até pouco tempo transações desse tipo, maquinadas em famosos escritórios de advocacia tributária, movimentaram grande parte da lavanderia montada para clarear e trazer ao país o dinheiro sujo escondido no exterior. Viraram-se uma febre porque emprestavam uma faceta legal ao serem registradas no Banco Central. Quando se associavam às empresas brasileiras, as *offshores*, além de receberem um CPF, tornavam-se aptas a trazer dinheiro do estrangeiro por meio de operações cambiais. E, nesse caso, o controle sobre tais operações é feito apenas por meio de amostragem...

As transações eram justificadas como investimentos em empresas brasileiras. Em outras palavras, uma fatia graúda dos recursos introduzidos no Brasil como sendo investimentos estrangeiros — em operações como essas ou transações casadas na Bolsa de Valores — não eram nada disso. Era tão somente o retorno, devidamente lavado, do dinheiro sujo da corrupção e do crime organizado, antes hospedado nos paraísos fiscais.

A exemplo das *offshores* empregadas para branquear a fortuna do homem forte do futebol brasileiro, as operações acabam deixando suas pegadas pelo caminho. Ocorre que, seja na simulação de compra de ações de empresas nas juntas comerciais ou nas bolsas de valores, de uma forma ou de outra as mesmas pessoas ou grupos aparecem nos dois lados das transações. O entendimento dessa premissa é passaporte indispensável para seguir no encalço dos corsários que lavaram o tesouro dos Privatas do Caribe.

Nos últimos anos, a pressão do G20 — o grupo das maiores economias do mundo — sobre os paraísos fiscais e operações dessa natureza cresceu, mas não exatamente por uma questão moral. Após constatarem que os diamantes provenientes das chamadas "minas de sangue" de Serra Leoa, na África Ocidental, e de outros países administrados por governantes corruptos estariam financiando o terrorismo, os países ricos exigiram a flexibilização do sigilo bancário para rastrear o paradeiro do dinheiro suspeito. Iniciado na década de 1990, o cerco aumentou ainda mais com o lançamento de dois aviões contra as torres gêmeas do World Trade Center no dia 11 de setembro de 2001 e, após, com os atentados deflagrados por grupos fundamentalistas em estações ferroviárias de Madri e no metrô de Londres.

A garantia de anonimato na abertura de *offshores* e de contas bancárias em paraísos fiscais sofreu significativo abalo em 1995 com a criação do chamado Grupo de Egmont.[10] Esse agrupamento internacional congrega representantes das chamadas Unidades de Inteligência Financeira (Fius), abertas pelos governos de vários países para rastrear operações de lavagem de dinheiro. Em linhas gerais, os bancos passaram a ser obrigados a comunicar movimentações atípicas de seus correntistas aos bancos centrais e à unidade financeira de cada país. Protegido há séculos pelo sigilo, o correntista viu-se, de repente, obrigado a explicar a origem dos valores sob suspeita aos gerentes dos bancos em paraísos fiscais. Mesmo os correntistas *vips* não demoraram a perceber que, se suas explicações não fossem satisfatórias, estariam em apuros junto ao Ministério Público e outras autoridades locais que certamente produziriam um relatório e o encaminhariam ao país de procedência do dinheiro suspeito.

A unidade de inteligência no Brasil recebeu o nome de Conselho de Controle de Atividades Financeiras (Coaf). É um órgão subordinado ao Ministério da Fazenda, que passou a integrar o grupo de Egmont a partir de 1999. As atividades do Coaf foram

[10] O grupo ganhou esta denominação após encontro de representantes de unidades de inteligência financeira de diversos países no palácio de Egmont Arenberg, em Bruxelas, Bélgica. Da reunião, surgiu um grupo informal para estimular a cooperação internacional no setor.

respaldadas pela carta circular número 2.852, de 03/12/1998, do Banco Central, que obriga os bancos e instituições financeiras a informarem as chamadas atividades atípicas de seus clientes no prazo de 24 horas. Como acontece nos paraísos fiscais, a clientela dos bancos tem a oportunidade de oferecer sua versão antes que o Coaf produza um relatório e peça a abertura de investigações ao Ministério Público e à Receita Federal.

As mudanças nas regras pegaram muitos figurões da América Latina com as calças curtas. No final da década de 1990, a unidade de inteligência financeira e as autoridades da Suíça — paraíso fiscal por excelência — entregaram de bandeja as contas do ex-presidentes do Peru, Alberto Fujimori, e da Argentina, Carlos Menem.

No Brasil, onde a rapinagem dos cofres públicos costuma andar lado a lado com a abertura de contas nesses céus particulares, descobriu-se que os R$ 169,5 milhões que o juiz Nicolau dos Santos Neto desviou das obras de construção do prédio do Tribunal Regional do Trabalho (TRT), em São Paulo, estavam veraneando em bancos da Suíça, do Paraguai e do Panamá. Antes, logo depois que o banco Marka quebrou, em 1999, seu dono Salvatore Cacciola fez R$ 20 milhões se refugiarem nas Bahamas antes dele próprio fugir. Há mais gente. O banqueiro Daniel Dantas, segundo o relatório final da Operação Satiagraha, da PF, teria lavado dinheiro nas Ilhas Cayman por meio do Opportunity Fund. Um esquema de doleiros e empresas de fachada, operando à margem do Banco Central, enviou R$ 19,4 milhões ao fundo do Opportunity no paraíso fiscal. Outra investigação descobriu a fortuna do ex-governador paulista Paulo Maluf (PP), depositada da Ilha de Jersey, sétimo céu financeiro no Canal da Mancha. No caso de Maluf, com base nesses relatórios, as autoridades públicas encontraram elementos para investigar a origem da bolada que foi parar em bancos suíços.

Atento a essas mudanças no início do século atual, quando já investigava o dinheiro das privatizações, obtive furos de reportagem ao apurar situações de evasão de divisas e lavagem de dinheiro. Com a jornalista Sônia Filgueiras, colega de trabalho na *IstoÉ*, revelei com exclusividade, em janeiro de 2003, o escândalo da "Máfia dos Fiscais", do Rio. A reportagem[11] mostrou com detalhes como o ex-subsecretário de Administração Tributária do Rio de Janeiro, Rodrigo Silveirinha Correa, e um grupo de auditores estaduais e federais, encarregados de fiscalizar empresas de grande porte, conseguiram remeter para a Suíça US$ 33,6 milhões desviados dos cofres públicos durante a administração Anthony Garotinho. Ao seguirmos os passos do doleiro Dario Messer, que ajudou a quadrilha de Silveirinha a enviar os recursos para o exterior, nos deparamos com um escândalo ainda maior: o caso Banestado, que expunha a gigantesca lavanderia montada por um consórcio de doleiros latino-americanos dentro da agência do banco estatal de Nova York.

Publicada em fevereiro de 2003, a reportagem sobre esse megaesquema de lavagem de dinheiro revelava que os doleiros haviam despachado US$ 30 bilhões ao exterior via agência nova-iorquina do Banestado. A reportagem provocou a abertura de duas CPIs — uma mista, no Congresso e no Senado; e outra na Assembleia Legislativa do Paraná — e resultou na prisão dos principais doleiros do país durante a Operação Farol da Colina, desencadeada pela Polícia Federal em agosto de 2005. A revelação levou também a Receita Federal a desencadear várias diligências e investigações que possibilitaram a recuperação, por meio de multas e autos de infração, de US$ 10 bilhões ao erário.

Em agosto de 2005, após o então deputado Roberto Jefferson (PTB-RJ) revelar à *Folha de S. Paulo* o que foi definido como "Mensalão", usei o mesmo raciocínio para encontrar o dinheiro da

---

[11] A reportagem sobre a "Máfia dos Fiscais" recebeu várias premiações, entre elas o Grande Prêmio Embratel de Jornalismo.

mesada que o publicitário Marcos Valério pagava à base política do governo no Congresso. Parti do pressuposto de que se existissem mesmo saques para o pagamento do "Mensalão", com certeza haveria registro no Banco Central e o Coaf já deveria ter produzido um relatório sobre essas movimentações atípicas. Demoramos menos de cinco dias para localizar o relatório, que confirmava que assessores e pessoas ligadas ao propinoduto haviam sacado dinheiro em espécie das contas das empresas do publicitário mineiro.

Apesar das mudanças e das medidas adotadas em todo o mundo, no Brasil o combate à lavagem de dinheiro ainda é dificultado pela fragilidade da legislação. A Lei 9.613/98, que tipifica o crime, relacionando-o à ocultação de bens, direitos e valores oriundos de crimes anteriores com o intuito de legalizar tal patrimônio, foi aprovada pelo Congresso em 1998. O texto legal classifica como lavagem de dinheiro "ocultar ou dissimular a natureza, origem, localização, disposição, movimentação ou propriedade de bens, direitos ou valores provenientes, direta ou indiretamente de crimes antecedentes" como narcotráfico, terrorismo, contrabando ou tráfico de armas e munições. Aponta ainda delitos antecedentes, aqueles que nos interessam aqui, realizados contra a administração pública e o sistema financeiro nacional, visando à obtenção de vantagens e praticados por quadrilhas ou indivíduos.

Seja qual for a natureza dos crimes, o Ministério Público e a Polícia Federal têm encontrado um grande obstáculo para colocar seus autores atrás das grades. O problema reside no entendimento jurídico de que o réu só pode ser condenado após a comprovação do crime antecedente. A tese parte do pressuposto de que somente é possível condenar alguém por lavagem de dinheiro oriundo do tráfico de drogas após a comprovação desse crime. Ou melhor, depois de firmada a vinculação do suspeito com o tráfico. Uma jurisprudência criada com base em decisão da 8ª Turma do Tribunal Regional Federal da 4ª. Região, publicada no *Diário Oficial da União* no dia 3 de maio de 2006 acabou aliviando um pouco o trabalho desses investigadores. O TRF/4ª. Região acatou o parecer do relator, desembargador Luiz Fernando Wowk Penteado, de que, para a caracterização da lavagem de dinheiro não é necessária a prova cabal do delito antecedente, bastando os indícios de sua ocorrência.

Todo o *imbroglio* jurídico acontece porque a legislação específica do país já nasceu ultrapassada. É uma norma de segunda geração, aquela que só considera dinheiro sujo aquele originado dos crimes expressamente citados na lei. Só não consegue ser mais ineficaz do que a lei de primeira geração, que interpreta como contaminados apenas os valores oriundos exclusivamente do narcotráfico.

Países como França, Itália e Bélgica são regidos por uma lei de terceira geração. Sob esta legislação, são resultado de lavagem todos os recursos obtidos de qualquer tipo de crime. No Brasil, enquanto o Congresso Nacional não vota e aprova uma nova legislação, as operações em paraísos fiscais e de evasão de divisas têm sido punidas com base na Lei 7.492, de maio de 1986, ainda durante a presidência de José Sarney. Conforme o artigo 22 da chamada Lei do Colarinho Branco constitui-se crime, com pena de reclusão de dois a seis anos, efetuar operação de câmbio não autorizada com o objetivo de promover evasão de divisas do país. A mesma lei estabelece que incorre na mesma penalidade quem, a qualquer título, promover, sem autorização legal, a saída de moeda ou divisa para o exterior ou nele mantiver depósitos sem declarar à repartição federal competente. Foi apoiado nessa legislação que o procurador da República Luiz Francisco de Souza logrou a condenação do empresário e ex-senador peemedebista Luiz Estêvão, acusado de participar do esquema que desviou R$ 169 milhões das obras do edifício do Tribunal Regional do Trabalho (TRT), de São Paulo. Curiosamente, o STJ absolveu parcialmente o ex-senador da acusação de evasão de divisas, mas manteve a condenação pela manutenção de depósitos não declarados no exterior.

Os manuais do ramo notam que a lavagem de dinheiro têm três fases: colocação, cobertura e integração. Na primeira, é preciso reduzir a visibilidade do dinheiro do crime, fracionando-o e convertendo-o em outros valores por meio do sistema financeiro, bancos, bolsas de valores e casas de câmbio. É remetido para fora do país, transformado em cheques administrativos, mercadorias e empresas. Em um segundo momento, pratica-se uma cascata de operações financeiras intensas, complexas e rápidas, da qual participam pessoas físicas e jurídicas e paraísos fiscais. O propósito é afastar o máximo o dinheiro de sua procedência real. Tudo culmina, na terceira etapa, com o retorno do dinheiro ao circuito financeiro normal. Removido de suas impurezas, ganha o *status* de capital lícito, servindo para compra de bens e constituição de empresas. As *offshores* servem de ferramenta nos três estágios. Permitem as remessas ilegais ao exterior por meio de uma rede de doleiros e depois atuam na camuflagem e na limpeza por intermédio de operações de repatriamento de dinheiro.

Uma breve história da lavagem de dinheiro não pode dispensar um nome: Al Capone. Na vigência da Lei Seca (1920-1933), o rei dos gângsteres faturava US$ 100 milhões ao ano com bebidas alcoólicas e prostituição. Tanto dinheiro precisava de uma fachada legal para justificar tamanha fortuna diante do Fisco. Capone, então, teria montado uma rede de lavanderias, de onde derivaria o termo "lavar dinheiro". É uma tese sedutora, mas de pouca credibilidade. O certo é que Capone lavava seu dinheiro em muitos negócios-tapume. Certo também é que o crime organizado, em algum momento, aproximou-se de economistas, administradores, contadores, altos funcionários de bancos e homens de negócio para branquear a procedência suja de suas fortunas.

A sentença por evasão fiscal que fulminou Capone em 1931 alertou outro colega de profissão, Meyer Lanski,[12] que o sistema deveria ser aperfeiçoado. Lidando com jogo, prostituição, drogas e extorsão, Lansky foi o criminoso pioneiro no uso de contas externas e *offshores*, remetendo fortunas para a Suíça e outros paraísos fiscais. Com isso teve início esta prática — a lavagem de dinheiro — e um tipo específico de empreendimento — as *offshores* — que com tantas virtudes na arte de iludir a Polícia e o Fisco, seduziram até a Máfia.

Mais de um terço dos paraísos fiscais está na América Central. É a maior concentração do planeta. Além do sigilo bancário e do desinteresse sobre a origem do dinheiro, a legislação complacente e a baixa tributação são iscas para fisgar riquezas bem ou mal havidas. Por esta razão, em especial, calcula-se que 22% dos investimentos globais trafeguem através destes édens do dinheiro sob suspeição. Uma estimativa da Organização para Cooperação e Desenvolvimento Econômico (OCDE) indica que a soma dos recursos escondidos nos paraísos fiscais alcança os 5,5 trilhões de euros.

As Ilhas Virgens Britânicas são um desses paraísos. Quando Cristóvão Colombo tornou-se o primeiro homem branco a avistá-las, em 1493, na sua segunda viagem à América, batizou-as exoticamente como "Santa Úrsula e suas 11 mil Virgens" que o tempo e a praticidade abreviaram para Ilhas Virgens.

Depois de Colombo, as ilhas passaram pelas mãos de espanhóis, holandeses, franceses, dinamarqueses, ingleses e norte-americanos. Sempre foram um refúgio dos corsários que infestavam o Caribe. Um deles, o holandês Joost Van Dyke, fundou a primeira povoação na Ilha de Tortola em 1615, uma comunidade de piratas holandeses,

[12] Parceiro de Bugsy Siegel na transformação de Las Vegas na cidade do jogo, Lansky inspirou o personagem de Hyman Roth, interpretado por Lee Strasberg, em "O Poderoso Chefão II", de Francis Ford Coppola. No cinema, foi também protagonizado por Dustin Hoffmann, Richard Dreyfuss e Ben Kingsley.

franceses e ingleses. Sete anos depois, reconhecido pela Companhia das Índias Ocidentais como o poderoso chefe local, Van Dyke fundou outra aldeia que viria a se tornar Road Town, hoje a capital das Ilhas Virgens Britânicas.

Atualmente, metade da arrecadação do governo local provém das taxas de licenciamento para as *offshores*. Extraoficialmente, mais de meio milhão delas já foram abertas nas Ilhas Virgens Britânicas. Essas pequenas empresas de fachada são administradas por escritórios ou instituições financeiras que nada mais são do que navios piratas encarregados de levar pelos continentes, por meio de suas *offshores*, o dinheiro da corrupção, do narcotráfico e do contrabando. Entre essas instituições, uma merecerá atenção especial neste livro: a Citco Building, em Wickams Cay, P.O. Box 662, Road Town, Tortola, Ilhas Virgens Britânicas, ligada ao Citco, grupo financeiro presente em 37 países e com 16 escritórios no Caribe. A cidade de Road Town e a Ilha de Tortola evocam o seu fundador e povoador, o bucaneiro Van Dike. Nota-se que a História, às vezes, gosta de observar sua própria marcha com certo humor irreverente...

Nas últimas duas décadas o escritório da Citco, em Road Town, atuou como um navio corsário que ajudou a chusma de doleiros que infestavam o Banestado no leva e traz de dinheiro sujo. Como já foi dito, as contas eram abertas em nomes de *offshores* administradas pelo banco estatal. O mesmo endereço na pátria adotiva de Van Dike acolheu também a grande lavanderia tucana. De certa forma, a Citco Building, por meio de suas *offshores*, ajudou os privatas do Caribe a repatriar o dinheiro da propina das privatizações.

Quem ensinou o caminho da Citco foi o ex-tesoureiro de campanhas de José Serra e de FHC, Ricardo Sérgio de Oliveira, artesão dos consórcios que disputaram as estatais. Escritório especializado em abrir, acolher e operar *offshores*, a Citco é representada nos Estados Unidos por David Eric Spencer. Advogado norte-americano, casado com uma brasileira e fluente em português, Spencer trabalhou com Ricardo Sérgio no Citibank.

Com o exemplo dado pelo tesoureiro do pai, Verônica Serra também rumou para a Citco. E também seu marido, Alexandre Bourgeois. E mais o ex-assessor de Ricardo Sérgio no Banco do Brasil e seu braço direito na Previ, o fundo de previdência do BB, João Bosco Madeiro da Costa.

Todos mandaram dinheiro para o mesmo escritório. A grande maioria enriqueceu pós-privataria... Uma década depois da avalanche privatista, são proprietários de empresas no Brasil e no exterior, possuem gordas contas bancárias, moram em mansões e são donos de terras. Fecharam empresas, sofreram processos judiciais e devassas fiscais, mas permanecem empresários de sucesso. Não é para qualquer um.

Tudo gente de fino trato, que jamais comete gafe na hora de escolher o vinho ou o talher. Lástima que tenham que conviver com outros clientes da Citco nas Ilhas Virgens Britânicas, caso de João Arcanjo Ribeiro, alcunhado "O Comendador". Chefão do crime organizado em Mato Grosso, Arcanjo Ribeiro é acusado de sonegar R$ 840 milhões em tributos e de ter ordenado sete assassinatos. O que não tolheu a iniciativa da Assembleia Legislativa mato-grossense de obsequiá-lo com o título de "Comendador".

A mesma lavanderia prestou serviços ao narcotraficante Fernandinho Beira-Mar. E também, é claro, ao banqueiro Daniel Dantas e a Ricardo Teixeira. Os documentos levantados pela CPI da Nike evidenciam que o presidente da CBF valeu-se da *offshore* caribenha Ameritch Holding para encobrir a compra de uma casa de luxo na Praia de Búzios. Dessa vez, além dos parentes, Teixeira usou os serviços de ex-sócios e advogados. Inicialmente, Otávio Koeper, um dos donos da Swap, corretora que operava para a CBF, simula a venda da residência para a *offshore* caribenha por míseros US$ 14,5 mil. Um ano depois, o mesmo imóvel foi repassado para uma corretora de familiares do megacartola do futebol brasileiro por R$ 500 mil. O uso das duas empresas — a *offshore* e a corretora — além de tentar sonegar a informação de que Teixeira era o feliz proprietário da mansão, ajudou a esconder a provável origem do dinheiro da compra: a própria corretora que prestava serviços para a CBF. O interminável presidente da CBF sempre negou ter empresas em paraísos do gênero, mas por causa de um ato falho, acabou pagando uma dívida de R$ 18 mil em impostos contraída pela Ameritch. Isso prova o óbvio: ele é o verdadeiro dono da *offshore* caribenha.

5.

APARECE O DINHEIRO DA PROPINA

Dois depósitos para Ricardo Sérgio.
Revelado o dono da Infinity Trading.
Justiça impõe a entrega do documento.
R$ 2 milhões se desmancham no ar.
"Quem é amigo mesmo dele é o Serra."

Após sucessivas prorrogações, a CPMI do Banco do Estado do Paraná, ou CPMI do Banestado,[13] encerrou seus trabalhos no final de 2004. A ocasião foi saudada gastronomicamente com uma imensa e suculenta *pizza* que delimitou a área de ataque da situação e da oposição. E segurou o ímpeto de uma e de outra. Os dois lados, então, optaram por um providencial *acordão*, que acabou abafando as movimentações financeiras no exterior por parte de caciques das duas tribos. Mesmo assim, um assessor do PSDB na CPI não conseguia esconder sua irritação. "Essa sua revista (*IstoÉ*) está dando trabalho. Tem um juiz maluco de São Paulo que está ameaçando mandar a polícia invadir a CPI se a gente não entregar toda a movimentação do Ricardo Sérgio", desabafou ao me receber no gabinete.

[13] A Comissão Parlamentar (Mista) de Inquérito (CPI) de Evasão de Divisas, ou CPMI do Banestado, realizada pelo Congresso Nacional, foi instaurada em junho de 2003. Teve como motivação uma reportagem de capa, assinada pelo autor e por sua colega Sônia Filgueiras, no dia 5 de fevereiro de 2002, na revista *IstoÉ*. A reportagem sustenta que US$ 30 bilhões teriam sido remetidos ilegalmente para paraísos fiscais via Banestado, por meio das chamadas contas CC5. Esta modalidade ganhou este nome por estar prevista na Carta-Circular nº 5, editada em 1969 pelo Banco Central, que regulamentava as contas em moeda nacional mantidas no país por residentes no exterior.

Originator Bank Info: ; Bank to Bank: :::: Intermediary Bank: ::::
account_number: 00030101301 post_date: 1999-09-28 value_date: 1999-09-28 currency: USD dollar_amount: $299.970,00 out: I
reference: 19990928B1Q8021C0 Originator: X;UNKNOWN;;; Original Bank: AC10938027;PICTET + CIE;.;CASE POSTALE 5130;CH 1211 G
Instructing Bank: :::: Beneficiary Bank: ::::
Beneficiary Info: AC030101301;KUNDO;;; bene_account_number:
senders_aba: 21000089 senders_name: CITIBANK receivers_aba: 26012894 receivers_name: MTB BANK
imad_num: 19990928B1Q8021C0 Other Bank Info: ON BEHALF OF FRANTON INTERPRIS Beneficiary Bank2: :::
Originator Bank Info: ; Bank to Bank: :::: Intermediary Bank: ::::

Originator Bank Info: ; Bank to Bank: :::: Intermediary Bank: ::::
account_number: 00030101301 value_date: 2000-01-18 currency: USD dollar_amount: $246.137,00 out: I
reference: 20000118B1Q8021C0 Originator: INFINITY TRADING;UNKNOWN;;; Original Bank: AC10926392;DRESDNER BANK LATEINAMERIKA AG;FORMER
Instructing Bank: :::: Beneficiary Bank: ::::
Beneficiary Info: AC030101301;KUNDO;;; bene_account_number:
senders_aba: 21000089 senders_name: CITIBANK receivers_aba: 26012894 receivers_name: MTB BANK
imad_num: 20000118B1Q8021C0 Other Bank Info: ON BEHALF OF: FRANTON ENTERPRI Beneficiary Bank2: :::
Originator Bank Info: ; Bank to Bank: :::: Intermediary Bank: ::::

A comprovação de que a *offshore* Infinity Trading (leia-se Carlos Jereissati) depositou centenas de milhares de dólares na conta da Franton Interprises (ou seja, Ricardo Sérgio), por meio do MTB Bank, de Nova York.

O desconforto do assessor, que acabara de envelopar um relatório com os dados que evisceravam as movimentações financeiras do ex-caixa de campanha de José Serra e de Fernando Henrique Cardoso, tinha lá suas razões. Em suas quase 50 páginas, o documento revira as entranhas das atividades do ex-tesoureiro tucano. Mostra que a *offshore* Infinity Trading depositou US$ 410 mil em favor da Franton Interprises no MTB Bank, de Nova York. Dito desta maneira ninguém se dá conta do que estes muitos milhares de dólares significam, de onde vieram e para onde foram. É que os nomes das empresas servem como biombo para seus controladores. O homem atrás da Franton[14] é Ricardo Sérgio de Oliveira. E agora se sabe que quem se esconde atrás da Infinity Trading é o

[14] Ricardo Sérgio declarou à Receita Federal uma doação de R$ 131 mil reais à Franton, em 2008. A declaração aparece em processo movido na Justiça de São Paulo pela Rhodia contra a Calfat, empresa de Ricardo Sérgio.

account_number: 00030101301 post_[illegible] 1999-05-17 value_date: 1999-05-17 curren[illegible]USD dollar_amount: $500.000,00 in_out: I
reference: 19990517B1Q8161C0 Originator: ONE OF OUR CLIENTS;;;; Original Bank: AC000608203300;REPUBLIC NATIONAL BANK OF NEW YORK;
Instructing Bank: AC030101301;KUNDO;;; Beneficiary Bank: ;;;
Beneficiary Info: bene_account_number:
senders_aba: 21004823 senders_name: REPUBLIC NYC receivers_aba: 26012894 receivers_name: MTB BANK NYC
imad_num: 19990517B1Q8161C0 Other Bank Info: /RFB/FRANTON INTERPRISES INC.; Beneficiary Bank2: ;;;
Originator Bank Info: ; Bank to Bank: ;;;; Intermediary Bank: ;;;;

Originator Bank Info: ; Bank to Bank: ;;;; Intermediary Bank: ;;;;
account_number: 00030101301 post_date: 1999-08-17 value_date: 1999-08-17 currency: USD dollar_amount: $200.000,00 in_out:
reference: 19990817B1Q8452C0 Originator: AC000009262162;REACENDER?;/;; Original Bank: ;;;
Instructing Bank: ;;;; Beneficiary Bank: AC030101301;KUNDO;;;
Beneficiary Info: ON BEHALF OF FRANTON INTERPRISES;INC.;;; bene_account_number:
senders_aba: 26009768 senders_name: ISRAEL DISC. BANK receivers_aba: 26012894 receivers_name: MTB BANK
imad_num: 19990817B1Q8452C0 Other Bank Info: ; Beneficiary Bank2: ;;;
Originator Bank Info: ; Bank to Bank: ;;;; Intermediary Bank: ;;;;

Offshores de doleiros com contas no MTB Bank, como a Kundo, eram usadas como intermediárias na transação.

megaempresário Carlos Jereissati, dono do grupo La Fonte, e irmão do cacique tucano e ex-senador Tasso Jereissati (PSDB/CE).

A conexão entre Infinity Trading e Jereissati ratifica, pela primeira vez, aquilo que sempre se suspeitou, mas que nunca havia sido comprovado: que o ex-tesoureiro das campanhas do PSDB recebeu propina de Jereissati, um dos vencedores no leilão da privatização da Telebrás. Por meio do consórcio Telemar, Jereissati adquiriu a Tele Norte Leste e passou a controlar a telefonia de 16 estados. O Telemar pagou R$ 3,4 bilhões pelo sistema, ágio de 1%, em 1998.

A comprovação de que Jereissati é o dono da Infinity Trading está estampada em documento oficial. Consta do Relatório 369, da Secretaria de Acompanhamento Econômico, do Ministério da Fazenda, também encaminhado à Justiça. Oculto até agora nos porões do Tribunal de Justiça de São Paulo, o relatório e outros papéis inéditos da CPMI do Banestado confirmam a vinculação. A Infinity Trading, de Jereissati, favoreceu a Franton, de Ricardo Sérgio, com dois depósitos. O primeiro, de 18 de janeiro de 2000, somou precisamente US$ 246.137,00. E o segundo, no total de US$ 164.085,00, aconteceu em 3 de fevereiro do mesmo ano.

Sigiloso, o documento saiu das sombras depois que o senador Antero Paes de Barros (PSDB), presidente da CPMI do Banestado, foi instado pela Justiça a permitir o acesso aos papéis devido a uma ação de exceção da verdade[15] movida pela Editora Três contra Ricardo Sérgio, que processava a empresa e o autor deste livro por danos morais. Buscando evitar uma eventual ação da Polícia Federal, munida de ordem judicial, contra a CPMI do Banestado para apreender o relatório, o senador tucano não teve outra saída senão entregá-lo.

A Infinity foi aberta pelo grupo Jereissati nas Ilhas Cayman, conhecido paraíso fiscal caribenho. Quanto à Franton, o próprio Ricardo Sérgio declarou em 1998 à Receita Federal uma doação de R$ 131 mil à empresa. A cópia da declaração foi anexada ao processo movido na Justiça Estadual de São Paulo pela Rhodia contra a Calfat, empresa de Ricardo Sérgio.

O dono do grupo La Fonte sempre deu a entender que seu relacionamento com o então diretor da área internacional do Banco do Brasil era algo eventual. Mas a convivência entre os dois não foi tão esporádica quanto Jereissati quis fazer acreditar. A trajetória de Ricardo Sérgio nos anos FHC, seu poder e sua audácia ao mover-se nos bastidores do poder tucano com frequência o aproximaram das grandes fortunas do país. Naquele ponto privilegiado e nebuloso em que o interesse particular prevalece sobre o público, ele articulou, manobrou e formatou os

[15] Ação que possibilita ao acusado por crime de calúnia ou injúria comprovar que é verídica a conduta por ele atribuída à pessoa que se julga ofendida e o processou por isso.

consórcios de empresas para arrematar estatais durante os anos dourados da privataria.

Para Ricardo Sérgio, a vida muda para valer quando Clóvis Carvalho, futuro ministro da Casa Civil, apresenta-o a José Serra e Fernando Henrique Cardoso. É o ponto zero a partir do qual principia a construir sua saga de coletor de contribuições milionárias para o PSDB. Corria o ano de 1990 e Serra, candidato a deputado federal, estava com dificuldades para levantar dinheiro para a campanha. Ricardo Sérgio era o homem certo. Virou tesoureiro, papel de que também se incumbiria em 1994, na eleição de Serra ao Senado. Para Fernando Henrique, arrecadou dinheiro nas campanhas presidenciais de 1994 e 1998.

Sob FHC, o caixa de campanha, que já lidava com poderosos cifrões, passou a manusear quantias espetaculares. Mais ainda após sua indicação — por Serra — para dirigir a área internacional do Banco do Brasil. Desde o seu gabinete, articularia a sucção dos recursos dos fundos de pensão estatais — Previ, Petros, entre outros — para a ciranda das privatizações. Era o homem de Serra quem orquestrava a montagem de grupos para disputar os leilões e garantia o aporte do dinheiro do BB e dos fundos para cada consórcio. Nesta modalidade dois-em-um da privataria, o dinheiro público financiava a alienação das empresas públicas. Leiloadas as estatais, a gratidão expressava-se zelosamente nas campanhas eleitorais do PSDB.

Uma gratidão, porém, que extravasava o limite do estrito financiamento dos gastos eleitorais. E que promoveria um primeiro contato explícito entre Ricardo Sérgio e Jereissati. Em 1994, Jereissati entregou R$ 2 milhões a Ricardo Sérgio para incrementar o caixa de Serra. A soma teria sido paga em quatro ou cinco parcelas. Foi o que o empresário declarou à revista *Veja*, em março de 2001. No entanto, a prestação de contas de Serra ao TRE/SP contabilizou tão somente a entrada de um cheque de R$ 50 mil. E duas ajudas de serviço totalizando mais R$ 45 mil. Ao todo, portanto R$ 95 mil. Entre a mão do empresário e o cofre da campanha, os R$ 2 milhões volatilizaram-se, chegando menos de cinco por cento ao destino final. Ignora-se onde a bolada se materializou mais tarde.

O que se sabe é que as declarações de Jereissati desencadearam um festival de bate-cabeças em 2002, ano eleitoral. O próprio empresário apareceu com um *remake* da versão anterior. Nesta reengenharia semântica, não teria doado R$ 2 milhões, mas somente R$ 700 mil, dos quais R$ 600 mil em serviço — pagara o aluguel do jatinho de Serra durante cinco meses. Apesar do remendo, o problema persistia: os R$ 600 mil também estavam ausentes da prestação de contas do PSDB. E complicou-se ainda mais. Foi quando Serra surgiu, então, brandindo a terceira versão: negou toda a revelação de Jereissati e acrescentou — pior — que não usara nenhum avião do empresário. O que era insatisfatório ficou ainda mais grave depois de uma checagem na documentação oficial da campanha: ali aparece o cheque 642487, da agência 0564 do Unibanco, no valor de R$ 50 mil. E nada mais.

A proximidade entre Jereissati e Ricardo Sérgio ficaria mais evidente em 1998, ano notável em que todo o sistema de telefonia do Brasil, a Telebrás, é vendido por pouco mais de R$ 22 bilhões. É uma quantia tão impressionante quanto aquela que a União investira na Telebrás nos dois anos e meio anteriores à privatização: R$ 21 bilhões. Na oportunidade, o negócio foi vendido pela imprensa hegemônica aos seus leitores como algo maravilhoso para o Brasil e os brasileiros. Hoje, mesmo alguns tucanos desconfiam — ou têm certeza — que não foi nada disso. "Só um bobo dá a estrangeiros serviços públicos como as telefonias fixa e móvel", opinou o ex-ministro de FHC, Luiz Carlos Bresser Pereira.[16] Um bobo ou um esperto...

[16] "O menino tolo", artigo de Bresser Pereira, *Folha de S. Paulo*, em 18/07/2010. Ministro da Fazenda no governo José Sarney, Bresser Pereira foi titular das pastas de Administração Federal e Reforma do Estado e de Ciência e Tecnologia nos dois governos FHC. É um dos fundadores do PSDB.

Impressiona também que dos R$ 8 bilhões exigidos como entrada na aquisição da Telebrás, um ente público, o Banco Nacional de Desenvolvimento Econômico e Social (BNDES) tenha aportado a metade. É quando o Telemar, de Jereissati, vai levar a melhor sobre o grupo adversário, e desponta o banco Opportunity, de Daniel Dantas.

Padrinho de Dantas, o senador Antonio Carlos Magalhães (PFL) chiou com o resultado. Acusou o diretor da área internacional do BB de ter embolsado propina de 3,4% do valor da Tele Norte Leste, contribuição pela ajuda ao Telemar. ACM chegou a dizer que disporia até de "uma prova testemunhal". Dantas foi lacônico: "Não confirmo nem desminto", disse. Financiado parcialmente pelo grupo de Jereissati, o consórcio[17] levou a tele desejada. Dantas acabou não adquirindo a Tele Norte Leste, porque já havia arrematado a Tele Centro-Sul e, de acordo com a regra do leilão, o consórcio que adquirisse uma tele estava automaticamente alijado da disputa pelas demais. Assim, no bater do martelo, a Tele Norte Leste foi transacionada com apenas 1% de ágio. Jereissati e seus aliados passaram a comandar a telefonia fixa do Rio ao Amazonas. Porém, como entrou na briga achando que iria perder, o Telemar não tinha dinheiro para pagar o presente. Foi salvo pelo dinheiro público, a mão amiga de Ricardo Sérgio e o cofre do Banco do Brasil.

Arrematada a telefônica, começou um compra e vende frenético de ações. De posse de 14,5% do Telemar, Jereissati vendeu parte deste percentual para três parceiros de consórcio — Andrade Gutierrez, Inepar e Macal. Para isso, valeu-se de uma empresa de fachada, a Rivoli, aberta providencialmente quatro meses antes do leilão por uma sócia do advogado de Ricardo Sérgio, Luis Rodrigues Corvo. Em março de 1999, Jereissati tornou-se o dono da Rivoli, e

[17] Em balanço do grupo La Fonte consta que os participantes nacionais de capital privado do consórcio Telemar receberam financiamento da empresa de Jereissati em troca de opções de compra das ações ordinárias adquiridas.

parte de suas ações rumaram para a empresa. No carrossel financeiro que se instalou, Jereissati vendeu suas ações por preço acima da tabela aos demais parceiros do consórcio. Ao final do processo, a Rivoli embolsou o incrível lucro de R$ 31 milhões. E, imediatamente, encerrou suas atividades. A suspeita é de que toda esta prestidigitação acionária tenha sido apenas um estratagema para borrar a trilha dos cheques no rumo da carteira de Ricardo Sérgio.

Ele, porém, sempre negou qualquer recebimento e até processou ACM pela acusação de cobrar R$ 90 milhões pela montagem do consórcio que levou a Tele Norte Leste. É um tipo de acusação que nunca foi propriamente novidade para Ricardo Sérgio enquanto pilotou a área internacional do BB e modelou os consórcios da privatização. Dois ministros de FHC — Mendonça de Barros, das Comunicações; e Paulo Renato de Souza, da Educação — em diferentes ocasiões, ouviram o empresário Benjamin Steinbruch queixar-se de ter de pagar comissão a Ricardo Sérgio em troca da sua *expertise* na operação que resultou na venda da Companhia Vale do Rio Doce.

O controle acionário da Vale foi vendido em maio de 1997, com direito a financiamento oficial subsidiado aos compradores e uso de moedas podres... Custou a bagatela de US$ 3,3 bilhões. Hoje, o mercado lhe atribui preço 60 vezes maior, ou seja, rondando os US$ 200 bilhões. A companhia foi privatizada de forma perversa, atribuindo-se valor zero às suas imensas reservas de minério de ferro, capazes de suprir a demanda mundial por 400 anos. Além disso, a matéria-prima registrou elevação substancial de preço na primeira década do século 21.

Diretor do grupo Vicunha, Steinbruch arrematou a Vale por meio do consórcio Brasil, que contava ainda com o Bradesco e a valiosíssima presença da Previ, o fundo de pensão dos funcionários do BB, dono de um patrimônio de R$ 37 bilhões. A ajuda de Ricardo Sérgio foi essencial no aporte da Previ ao consórcio de Steinbruch.

Foi tão importante, que o empresário Antônio Ermírio de Moraes, do grupo Votorantim, que tocava o único consórcio até então na disputa, perdeu o apoio do Bradesco e da Previ e acabou batido no leilão. "Saí limpo disso e durmo em paz no travesseiro todas as noites", consolou-se na ocasião o dono da Votorantim.[18]

Qual o custo desta vitória? O então ministro da Educação de FHC ouviu Steinbruch falar em R$ 15 milhões. À revista *Veja* declarou que o dinheiro era exigido por Ricardo Sérgio "em nome de tucanos". FHC foi comunicado e negou ter conhecimento do assunto, desautorizando qualquer cobrança. Executivos da área financeira, ministros e empresários afirmaram a outra publicação, com a condição de que suas identidades não fossem reveladas, que a propina, realmente, era de R$ 15 milhões e foi, pelo menos, parcialmente paga. Segundo a apuração, os intermediários da negociação com Steinbruch seriam os empresários Miguel Ethel e José Braffman, ambos parceiros do então diretor do BB.

As imagens históricas do leilão revelam o estado de espírito e a convicção da fina flor do tucanato sob a regência de Fernando Henrique Cardoso. Mas nada mostram da tarefa subterrânea, a cargo de Ricardo Sérgio de Oliveira, que tornou possível as privatizações do período.

Para se ter uma ideia do que foi feito — e como foi feito — é preciso acompanhar a retórica dos porões da privataria, captada nos famosos grampos do BNDES. Então presidente do BNDES — depois seria ministro das Comunicações — Luiz Carlos Mendonça de Barros teve os telefones de seu gabinete grampeados. Seus inimigos políticos visavam flagrar conversas entre Mendonça de Barros e seus filhos Marcello e Daniel. Donos da corretora Link, que havia pouco começara a atuar na Bolsa de Mercadorias & Futuros (BM&F), os dois experimentavam um

[18] *Época*, edição de 13/05/2002.

sucesso de velocidade alucinante operando com ações da Telebrás, cuja privatização era articulada pelo pai. As conversas de pai para filhos não apareceram nas fitas, mas afloraram inconfidências mais eloquentes do que a maioria dos discursos sobre privatização. Sempre é saudável rememorar o elevado espírito público que norteou as operações de modelagem dos consórcios das privatizações expondo suas entranhas:

— O negócio *tá* na nossa mão, sabe por que, Beto? Se controla o dinheiro, o consórcio. Se faz aqui esses consórcios borocoxôs, são todos feitos aqui, (...) —argumenta Mendonça de Barros, ao telefone com o irmão José Roberto, secretário executivo da Câmara de Comércio Exterior.[19]

A corrida para comprar as estatais havia rachado o governo. De uma parte, o grupo de Mendonça de Barros e do presidente do BNDES, André Lara Resende. De outra, Ricardo Sérgio e sua turma. A primeira facção operando em benefício do consórcio integrado pelo banco Opportunity e a Telecom Itália. A segunda, junto ao Telemar, de Jereissati, mais Andrade Gutierrez, Brasil Veículos, Macal e Aliança do Brasil. Os dois litigantes almejam a adesão da Previ.

E adiante:

— Temos que fazer os italianos na marra, que estão com o Opportunity. Combina uma reunião para fechar o esquema. (...) Fala *pro* Pio (Borges, vice-presidente do BNDES) que vamos fechar (os consórcios) daquele jeito que só nós sabemos fazer.

É Mendonça de Barros novamente, aqui transmitindo orientações para Lara Resende. Para Mendonça de Barros, Jereissati e os seus parceiros são a "ratada" ou a "telegangue", reportando-se ao suposto aventureirismo dos rivais. A promiscuidade entre público e privado é tão evidente que, sócio do Opportunity, o economista

19 Idem.

Pérsio Arida aparece em diálogos com Lara Resende. Em dado momento, Mendonça de Barros, que tentava convencer o presidente da Previ, Jair Bilachi, a aportar o dinheiro do fundo ao consórcio do próprio Opportunity informa ao interlocutor: "Estamos aqui eu, André, Pérsio e Pio...".[20]

Mendonça de Barros liga para Ricardo Sérgio e explica que o Opportunity está com "um problema de fiança" para participar do leilão das teles. E propõe: "Não dá para o Banco do Brasil dar (a fiança)?".

— Acabei de dar — responde Ricardo Sérgio, que alcançou R$ 874 milhões para o consórcio de Dantas. E agrega, cometendo a frase síntese do processo de privatização à brasileira. "Nós estamos no limite da nossa irresponsabilidade." E emenda outra, mais tosca e premonitória:

"Na hora que der merda, estamos juntos desde o início."

Vale relembrar um telefonema de FHC para Mendonça de Barros. Queria saber a quantas andava a preparação do leilão das teles. Recebe, como resposta, que "estamos com o quadro praticamente fechado". À vontade, os dois comentam o tom apologético adotado pela mídia para saudar as privatizações, que catapultariam o Brasil ao concerto das grandes nações. Não era ingenuidade. Se, de um lado, os grandes conglomerados propagandeavam as benesses que a venda do patrimônio público traria ao país, de outro, sonegavam aos seus leitores, ouvintes e telespectadores a condição de integrante de consórcios que disputavam a aquisição das teles.

— A imprensa está muito favorável, com editoriais — comenta Mendonça de Barros.

— Está demais, *né* — diz FHC. — Estão exagerando até... — acrescenta, mordaz com seus áulicos midiáticos.

---

[20] "Sob suspeita", matéria de Bob Fernandes em *Carta Capital*, edição de 25/11/1998.

No interior do governo, finalizada a queda de braço e leiloadas as teles, todos voltaram às boas. À revista *Veja*, falando sobre sua afinidade com Ricardo Sérgio, Mendonça de Barros declarou: "Eu não vou ficar irritado com um amigo meu", disse. "Mas quem é amigo dele mesmo é o Serra e o Clóvis."

O relatório da CPMI do Banestado, que comprova pagamento de propina durante as privatizações é embasado por, entre outros documentos, um CD contendo informações do MTB Bank, o malfadado banco fechado pela Promotoria Distrital de Nova York por lavagem de dinheiro. Os arquivos do MTB Bank, que acabaram sendo absorvidos pelo Hudson Bank, reúnem quase dez mil operações de contas de passagem abertas por um seleto consórcio de doleiros da América do Sul. São conhecidas como contas-ônibus, porque cumprem apenas uma função: levar e trazer para paraísos fiscais dinheiro oriundo do narcotráfico, do terrorismo e da corrupção. A chamada lavanderia do MTB Bank começou a ser desvendada em março de 2003, quando Robert Morgenthau, chefe da promotoria de Nova York, entregou ao delegado da Polícia Federal José Castilho e ao perito Renato Barbosa o CD com as informações secretas. Os policiais federais, que desvendaram a lavanderia do Banestado, foram apresentados a Morgenthau, um ex-oficial da Marinha americana que durante a 2ª Guerra Mundial esteve no Brasil, pelo então correspondente da revista *IstoÉ* em Nova York, Osmar de Freitas Jr, amigo pessoal do promotor.

Os dois federais haviam ouvido falar do MTB Bank pela primeira vez em 1999. Ocorreu quando flagraram um colega, o delegado da PF em Foz de Iguaçu (PR), Davi Makarausky, em uma atitude muito estranha. Makarausky jogara um computador do alto de um edifício na Avenida Paulista. A manobra, porém, não teve o resultado esperado pelo seu autor, mais tarde expulso da corporação e sentenciado a oito anos de prisão. Pacientemente, após juntarem as peças do computador, os peritos da PF conseguiram recuperar arquivos que traziam uma classificação misteriosa: "MTB, Banestado II". Os federais descobririam que o MTB Bank havia sido brindado com esse apelido pelos doleiros, devido ao fato de ter substituído o Banestado no processo de clareamento de dinheiro sujo em 1999. Naquele ano, o banco, crivado de denúncias de corrupção, foi fechado pelo Banco Central.

Em março de 2004, Morgenthau entregou o mesmo CD a uma comissão de deputados da CPMI do Banestado que fora aos Estados Unidos catar evidências sobre a movimentação bancária de brasileiros no exterior. Ao analisarem os arquivos, os assessores depararam-se com material mais explosivo do que aquele contido no antigo Banestado. Esmiuçadas em uma planilha, as operações do MTB Bank apontavam para empresários, traficantes, contrabandistas e políticos. A revelação dos dados do MTB foi determinante para que fosse desencadeada a *operação abafa* na CPMI. Os arquivos ocultavam informações capazes de constranger tanto o governo Lula quanto o de FHC.

As planilhas do MTB Bank e os demais documentos que a CPMI foi obrigada a repassar à Justiça de São Paulo revelam que Ricardo Sérgio de Oliveira movimentava no exterior o dinheiro da propina das privatizações por meio da rede de doleiros chefiada por Dario Messer. É o mesmo duto de dinheiro sujo que o ex-subsecretário de Administração Tributária do Rio de Janeiro Rodrigo Silveirinha Correa e os demais integrantes da chamada Máfia dos Fiscais usaram para remeter à Suíça os quase R$ 20 milhões desviados dos cofres do governo estadual. De acordo com os dados contidos no CD, a mesma rede de doleiros lavou toda a grana proveniente do contrabando de diamantes do país. De acordo com o relatório confidencial da CPMI do Banestado, Ricardo Sérgio movimentou US$ 7,56 milhões na conta Kundo no MTB Bank, operada pelos doleiros Clark Setton e Roberto

Matalon. "Dados dessa CPI indicam haver relação entre Dario Messer por meio da Kundo", diz o relatório.

Ainda de acordo com os dados da CPMI, o ex-tesoureiro do PSDB trazia e mandava valores para o estrangeiro por meio das chamadas operações cabo, criadas pelos doleiros para driblar o rastreamento da PF, da Receita Federal e de outras autoridades policiais e fazendárias. São conhecidas também como operações intercontinentais. Ocorrem dentro de um mesmo país, na maioria das vezes nos Estados Unidos. Então, para que esse tipo de operação aconteça é necessário que o doleiro e o cliente já possuam contas fora do Brasil. Quando deseja enviar dinheiro para o exterior, basta o cliente entregar o montante no escritório do doleiro no país. Em seguida, a rede de doleiros transfere a mesma quantia de sua conta para a conta do cliente no estrangeiro. Quando o objetivo é trazer dinheiro de fora, ocorre o inverso. O cliente faz um depósito de sua conta para a conta do doleiro no exterior e saca a bolada no Brasil.

O relatório secreto da CPMI do Banestado mostra, por exemplo, que no dia 28 de novembro de 2000, Ricardo Sérgio usou a conta número 30010969906, aberta pelo seu sócio e testa de ferro Ronaldo de Souza para trazer US$ 100 mil dos Estados Unidos. Ronaldo de Souza realizou um depósito na conta da Kundo no MTB Bank e, em seguida, Ricardo Sérgio recebeu os recursos dos doleiros no país. A papelada revela que durante o período de 1998 a 2001, o ex--caixa de campanha do PSDB realizou 21 operações desse tipo para internar dinheiro. "Registra-se a necessidade de quebrar o sigilo da conta de Ronaldo de Souza no International Miami Bank", recomenda o relatório assinado pelo relator da CPI, deputado José Mentor (PT/SP).

A maior parte dessas operações a cabo do MTB Bank foram fechadas em escritórios abertos no edifício Di Paolo, no centro do Rio. Por sinal, o nome do prédio serviu de inspiração para Messer criar uma *safi* — nome de *offshore* no Uruguai — batizando-a como Depollo. Além de movimentar milhões de dólares no Banestado e no MTB Bank, a Depollo serviu para transportar para a Suíça o dinheiro desviado pela Máfia de Fiscais do Rio. Os dados do MTB atestam que a Depollo funcionou como lavanderia para limpar mais de US$ 200 milhões em diamantes extraídos ilegalmente do país. Foi por intermédio da conta Depollo no MTB Bank, por exemplo, que os irmãos Gilmar e Geraldo Magela, negociantes de Patos de Minas (MG), conseguiram internar parte do resultado obtido com a venda de um diamante cor-de-rosa. A pedra foi vendida para um comerciante de Hong Kong por US$ 12 milhões. A incrível história do diamante de 80 quilates, publicada pelo autor na *IstoÉ* em 2005, foi contada pelos próprios comerciantes de pedras.[21]

"Durante mais de 50 anos, quando não era possível a exportação de pedras, Messer foi o responsável por trazer para o país todo o dinheiro do contrabando de diamantes para o exterior", disse Gilmar Campos. Ele afirmou ter comprado a pedra de um garimpeiro que explorava um garimpo no rio Abaeté em 1999. Logo em seguida, Gilmar e seu irmão assinaram compromisso de vendê-la por US$ 12 milhões para o italiano Gino Giglio, ex-diretor da Black Swam, empresa canadense que realiza pesquisa de mineração em Minas Gerais. Gilmar e o italiano, que morreu de infarto em 2010, seguiram para Nova York com a pedra escondida em um maço de cigarros.

Mas o plano de comercializar o diamante para o cartel de compradores, controlado por um grupo de judeus, acabou não dando certo. O cartel resolveu fazer um pacto de desvalorização e "queimar" a pedra. Ao perceber que o italiano não tinha condições de cumprir o acordo, os irmãos Magela resolveram trocar a

[21] "A incrível história do diamante cor-de-rosa", em *IstoÉ*, edição de 15 de setembro de 2004.

gema verdadeira, depositada num cofre no Chase Manhattan Bank, por uma falsa.

"Nós estávamos desesperados. Depois da troca, contratamos um intérprete e seguimos para Hong Kong, onde vendemos o diamante que, depois de lapidado, está avaliado em US$ 30 milhões", explicou Gilmar Magela.

Dados do MTB Bank indicam que, em 2002, os Magela trouxeram ao Brasil, via Depollo, US$ 6,5 milhões em valores *lavados* referentes ao diamante rosa contrabandeado para a China. Os mesmos documentos comprovam que a conta foi usada para evitar o rastreamento das autoridades brasileiras e americanas. A exemplo de Ricardo Sérgio, os Magela também recorreram às operações a cabo do MTB Bank para internar toda a dinheirama. O comprador da China depositou o dinheiro numa conta dos Magela no Chase Manhattan Bank de Nova York. Em seguida, os irmãos transferiam recursos em dólares para a Depollo no MTB e sacavam imediatamente o dinheiro em espécie com Messer no Rio. Durante o período de abril a agosto de 2000, deram-se nove operações desse tipo. No dia 12 de abril, por exemplo, há referência nos documentos do MTB de uma transferência da conta nº 635001106 no Chase Manhattan para a conta da Depollo.

"Não fiz nada de errado. Em vez de sair com divisas, eu trouxe divisas para o país. Quando precisava de dinheiro, eu apenas fazia a transferência da conta da Depollo e recebia o dinheiro com o Messer no Brasil", interpreta Gilmar Magela.

O relatório da CPMI do Banestado foi fundamental para que a Justiça de São Paulo considerasse improcedente a ação de danos morais movidas por Ricardo Sérgio contra mim e a *IstoÉ*. O ex-diretor da área internacional do Banco do Brasil teve de pagar R$ 400 mil aos advogados da revista para recorrer da decisão em segunda instância. Só em 2008, quando comecei a recolher documentos para este livro, tive acesso aos documentos, hoje guardados num prédio da Justiça em Jundiaí (SP). Ao contrário do que sugeriu o relator da CPMI, a conta de Ronaldo de Souza em Miami nunca foi investigada. Afinal, o CD do MTB Bank — que primeiro motivou um bangue-bangue e depois um pacto de silêncio — serve a gregos e troianos.

DOC. N.º 27

COMPRA DE PRÉDIOS DA PETROS PELO O SR. RICARDO SÉRGIO E RONALDO DE SOUZA E AS PROCURAÇÕES TROCADAS ENTRE ELES.

6.

MISTER BIG, O PAI DO ESQUEMA

Ex-caixa de Serra e FHC mostra o caminho do paraíso (fiscal) aos tucanos. Ganhando mais em três anos de serviço público do que em 30 na atividade privada. A mãe de todas as evasões de divisas. Longe do poder, mas perto do dinheiro.

Mister Big fuma Romeo y Julieta, cubanos de alta estirpe, desfruta vinhos de quatro dígitos, gosta de jogar tênis e, para alívio do tucanato, é avesso a badalações. Um de seus mais novos mimos é uma importadora de vinhos em sociedade com o restaurante Fasano, tradicional casa de São Paulo. Dois fatos são cruciais no percurso de Mr. Big. Um deles, a pilotagem do processo de privatização das estatais no Brasil dos anos 1990. O outro é sua condição de guia dos tucanos mais coloridos ao pote de ouro no fim do arco-íris, apontando-lhes a trilha dos paraísos fiscais do Caribe. De alguma forma, como se verá a seguir, o dinheiro que orbitou os grupos da privataria no primeiro momento pavimentará a estrada de tijolos dourados do segundo.

Casado, sem filhos, Mr. Big é o apelido que Ricardo Sérgio de Oliveira, 64 anos, recebeu das suas amizades. Entre elas, o ex-ministro das Comunicações de FHC, Luiz Carlos Mendonça de Barros. Outro amigo, o ex-ministro da Casa Civil de FHC, Clóvis Carvalho, foi quem apresentou Mr. Big ao ex-governador de São Paulo, José Serra.

Antes de assumir como o homem do dinheiro de Serra e FHC, Mr. Big trabalhou durante 30 anos na área privada. Serviu ao banco Crefisul e ao Citibank e, mais tarde, estabelecendo-se por conta própria, abriu duas empresas. Sempre teve um confortável padrão de vida, mas tornou-se milionário mesmo depois de três anos no timão da área internacional do Banco do Brasil. Foi o único diretor do BB não indicado pelo presidente do banco, Paulo César Ximenes, e também o único com acesso a FHC.

Em 1995, quando foi empossado na diretoria internacional do Banco do Brasil durante o primeiro mandato tucano na Presidência da República, Mr. Big recebia o módico salário de R$ 8,5 mil.[22] Na atividade privada, tinha duas empresas, a Planefin e a RMC. Coube à sua mulher, Elizabeth, ocupar-se da gestão das duas. Na RMC, um de seus sócios era José Stefanes Ferreira Gringo. A impressão inicial é de que o afastamento de Ricardo Sérgio do dia a dia das suas firmas, inversamente ao que se poderia imaginar, significou uma bênção contábil para ambas. Pilotadas não pelo economista, mas pela novata e de profissão desenhista Elizabeth, a Planefin e a RMC transformam-se em *cases* de sucesso empresarial.

Atuando no mercado acionário, a RMC partiu de um faturamento de R$ 4,2 milhões em 1997, para R$ 21,9 milhões em 1999. Uma performance 500% superior em apenas dois anos. Nada mau. A Planefin também reagiu sob o pulso de Elizabeth. Se em 1996 faturava R$ 60 mil anuais, em 1998 já emplacava R$ 1 milhão por ano.[23] Mas a vida não teria a graça que tem, se as coisas fossem tão simples e lineares assim...

Ocorre que, com Mr. Big no Banco do Brasil, suas empresas aproximaram-se dos fundos de pensão, entre eles a Previ, que administra as economias dos milhares de funcionários do BB. Em 1998, a RMC aventurou-se, com êxito, na área de imóveis. Juntou-se a uma construtora, a Ricci Engenharia, para erguer edifícios de apartamen-

[22] Esses dados constam de processo movido pela Rhodia contra a Calfat, empresa de Ricardo Sérgio, que teve seu sigilo fiscal quebrado pela justiça estadual de São Paulo. Foram publicados pelo autor em 2001, no *Jornal do Brasil* e, no ano seguinte, em *IstoÉ*.

[23] A série de reportagens foi publicada em abril nos jornais *Estado de Minas* e *Correio Braziliense* em abril de 2002.

tos em São Paulo. Logo, a Previ interessou-se em comprar as duas primeiras torres, ainda na maquete. Pagou R$ 62 milhões. No capitalismo tucano de risco zero e resultados imediatos, Mr. Big jogava nas duas pontas da transação. De uma parte, fazia valer sua influência sobre a Previ, o milionário fundo de pensão do Banco do Brasil, no qual o homem-chave era seu amigo João Bosco Madeiro da Costa. De outro lado, operava no casamento da RMC com a Ricci, aliás, propriedade de seu sócio na RMC, José Stefanes Ferreira Gringo...

A Planefin não ficou para trás. A maré era tão propícia, que a empresa, de consultoria financeira, lançou-se à exploração de mares nunca dantes navegados, como a internet. E logo, embora iniciante no setor, atingiu um desempenho estupendo. Em 1999 — ano seguinte ao da venda do sistema de telefonia nacional —, a Planefin recebeu, em um só serviço prestado, R$ 1,8 milhão já abatido o imposto de renda por meio de uma operação isolada, 30 vezes o faturamento que obtivera três anos antes! De onde veio o dinheiro? Bem, teria sido o fruto de um atendimento à empresa Operate, do grupo La Fonte, de Carlos Jereissati, cujo consórcio Telemar adquirira a Tele Norte Leste.[24] A revista *Veja* quis saber o que a Planefin obrara para fazer jus a tal recompensa. Ricardo Sérgio respondeu que a Planefin prestara uma consultoria sobre "esse negócio de *web*". Como se verá adiante, a tabelinha entre Mr. Big e Jereissati funcionará outras vezes no jogo pesado do leilão das estatais.

Em junho de 1999, a Planefin, que já estava bombando, parte para uma jogada mais audaciosa. Por R$ 11 milhões — ou 183 vezes seu faturamento de 1996! — fecha uma aquisição heterodoxa: compra metade de dois edifícios, um situado no Rio e outro em Belo Horizonte, segundo revelou a repórter especial do *Estado de Minas* Ana D'Ângelo.[25] No Rio, trata-se de um prédio de 13 andares

[24] Reportagem "Os fundos de dinheiro sujo" publicada em *IstoÉ*, por Amaury Ribeiro Jr. e Sônia Filgueiras em 02/07/2002.

[25] Reportagem "O elo perdido", de Amaury Ribeiro Jr. *em IstoÉ* em 29/05/2002.

Esta CPMI recebeu, logo no seu início, documentação contendo rastreamento de CPF's elaborado pela Receita Federal, que se refere a **Ricardo Sérgio de Oliveira** e **Ronaldo de Souza**. Tal documento, arquivado sob número 13, na caixa 6(seis), mantido no cofre dessa comissão, traz como assunto mais substancial a aquisição, por parte de Ricardo Sérgio de Oliveira e Ronaldo de Souza, de prédio pertencente à Petros (fundo de pensão dos funcionários da Petrobrás).

Com base nessa informação, a CPMI procedeu a consulta às bases de dados disponíveis e constatou a presença de movimentação financeira. Porém, antes de registrar os montantes, faz-se necessário um breve resumo sobre as associações entre as pessoas de **Ricardo Sérgio** e **Ronaldo de Souza**.

Sucesso empresarial indiscutível, o ex-caixa de campanha do PSDB e eminência parda da privataria comprou metade de dois edifícios por 183 vezes o faturamento de sua empresa, segundo devassa do Fisco entregue à CPMI do Banestado.

na Rua Sete de Setembro, 54, centro histórico da cidade. Na capital mineira, outro edifício de 13 pavimentos, na Rua dos Inconfidentes, 1190, na cara e sofisticada região da Savassi. Aliás, por um capricho dessa pândega senhora chamada história, mesmo endereço onde funciona a agência SPM&B do publicitário Marcos Valério de Souza, personagem que a crônica política projetaria como operador dos mensalões tucano e petista...

E quem compra as outras duas metades? Segundo a escritura de promessa de compra e venda, descoberta por Ana D'Ângelo, a adquirente é a Consultatum, representada por Ronaldo de Souza, que morreu no ano passado. Como Ronaldo de Souza era sócio de Ricardo Sérgio e, tudo indica, seu testa de ferro, outra maneira de entender o negócio é que o comprador dos dois edifícios inteiros é o ex-caixa de campanha de Serra e FHC. Até porque, como atesta o documento do Cartório do 23º Ofício de Notas, do Rio, a Planefin e a Consultatum estão situadas na Alameda Santos, 2441, bairro

No documento citado anteriormente, verifica-se que **Ricardo Sérgio de Oliveira**, juntamente com sua esposa, **Elizabeth Salgueiro de Oliveira**, constavam como sócios da **Planefin** (Planefin – Serviços, Assessoria, Planejamento, Administração e Participações S/C Ltda.). A **Planefin**, por sua vez, em 6 de julho de 1999, constitui como bastante procuradores **Ronaldo de Souza** e **Vera Regina Freire de Souza**, sua esposa, para gerir e administrar quota parte de determinados imóveis. **Ricardo Sérgio** e **Elizabeth Salgueiro de Oliveira** assinam o documento.

CÓPIA EXTRAÍDA NO
TRIBUNAL DE JUSTIÇA DE SÃO PAULO

1/11

Relações e procurações trocadas entre Ricardo Sérgio e o seu testa de ferro Ronaldo de Souza. Também constam no relatório sigiloso da CPMI do Banestado.

Cerqueira César, em São Paulo. A única diferença é que a Planefin ocupa a sala 112 e a Consultatum, a 111. Vizinhas de porta. Tudo fica ainda mais saboroso porque Ricardo Sérgio e Ronaldo de Souza trocaram procurações para administrar os imóveis...

Se quem compra tem praticamente a mesma identidade, do lado de quem vende não é diferente: quem se desfaz do patrimônio, nos dois casos, é a Fundação Petrobrás de Seguridade Social, a Petros, onde o tucanato também manda.

Capitaneada por Ricardo Sérgio, toda a dinheirama que turbina essa megaoperação imobiliária só poderia ter uma origem: a Citco Building, em Road Town, Ilhas Virgens Britânicas. Aquele mesmo éden dos capitais voláteis onde, nos anos 1980, Mr. Big abriu, com a ajuda do advogado norte-americano David Spencer, a *offshore* Andover International Corporation.

Na década seguinte, no pico das privatizações, o economista tucano volta a operar com intensidade no Caribe. É quando deposita em seu ninho nas Ilhas Virgens Britânicas e mais uma vez com a mão amiga de Spencer, outras duas *offshores*: a Antar Ventures e Consultatum Corp. Ambas serão ferramentas muito úteis no processo de internação de dinheiro por meio da compra de cotas de empresas brasileiras.

Em 1999, a Antar Ventures adquire R$ 5 milhões em ações da brasileira Antares Participações Ltda., empresa controlada e operada por Ricardo Sérgio e seu sócio Ronaldo de Souza. O dinheiro será aplicado na aquisição de um terreno no bairro paulistano do Morumbi, por R$ 7,1 milhões, pagos à vista. No local foi construído um condomínio de luxo. Já a Consultatum Corp investe na compra de ações das brasileiras Planefin e Consultatum, controladas também pela dupla Ricardo Sérgio e Ronaldo de Souza. O dinheiro servirá para comprar os edifícios da Petros, como se viu acima. A exemplo das operações da Andover, Ricardo Sérgio e Ronaldo de Souza aparecem nos dois lados do contrato: nas empresas do Brasil e nas *offshores* caribenhas. Esse tipo de processo de internação de valores é facilitado, porque o segredo mantido pelos paraísos fiscais permite a ocultação dos verdadeiros donos dessas firmas de fachada na América Central, que nada mais são do que meras caixas postais. Nas transações em que as empresas do Caribe injetam dinheiro em congêneres brasileiras somente aparece, na maioria das vezes, o nome dos procuradores das *offshores*. Que são, na verdade, os próprios diretores dos escritórios de paraísos fiscais contratados quase sempre para branquear recursos de procedência obscura ou claramente suspeita.

O dinheiro do exterior, utilizado nessas transações, ingressa no país por meio de operações de câmbio, sob a justificativa de investimento. Assim, a menos que haja uma denúncia, dificilmente é rastreado pelo Banco Central. No BC, o controle de entrada e saída de capitais ocorre por amostragem. Para se ter uma ideia dessa facilidade, apenas 15% das aproximadamente 15 mil operações de câmbio que acontecem diariamente no país são fiscalizadas.

Na procura exaustiva e interminável do dinheiro da propina das privatizações, ao conversar com juristas, investidores do mercado financeiro e até mesmo banqueiros, descobri outra modalidade de internação de dinheiro acionada pelo tucanato. A exemplo das operações descritas acima, essa metodologia implica transações casadas em que os operadores atuam nas duas pontas. Com a diferença de que, em vez das juntas comerciais e dos cartórios, o cenário dessas transações é o nervoso mercado financeiro de São Paulo. De acordo com o tributarista Heleno Torres, geralmente os operadores compravam títulos de moedas podres pelos valores (irrisórios) de face e os resgatavam no exterior por valores superfaturados. A defasagem entre os valores de compra e de venda corresponde, geralmente, ao dinheiro do exterior que retorna ao Brasil. Uma tonelada de papéis enviada pela Promotoria Distrital de Nova York comprova que os fundos de investimentos abertos por bancos brasileiros no Caribe abusavam da engenharia financeira instituída para repatriar dinheiro. Integrante do consórcio que agiu e comprou no leilão das telefônicas, o Opportunity Fund, do banqueiro Daniel Dantas, que opera nas Ilhas Cayman, usou dessa artimanha para trazer de volta ao país recursos ocultos em paraísos fiscais.

Uma resolução denominada Anexo 4 iluminou, para mim, o duto de dinheiro arquitetado pelos fundos de investimento, cujas operações somente são registradas nas bolsas de valores. Assinada na década de 1990 durante o governo Fernando Henrique Cardoso, a resolução pretendia estimular a atração de capital estrangeiro. Ainda durante a gestão FHC, suas regras foram mais flexibilizadas. O Anexo 4 mantém o anonimato dos responsáveis pelos fundos estrangeiros que investem no país.

Em 2002, ao vasculhar vários processos da Justiça paulista, não demorei a encontrar documentos que evidenciavam as digitais de Mr. Big em uma dessas transações. Analisados por especialistas, os papéis, encontrados na 5ª Vara Cível de São Paulo e reproduzidos na revista

IstoÉ,[26] mostram que o ex-tesoureiro de Serra e FHC valeu-se de uma indústria de tecidos, a Calfat, então em estado falimentar, e do Banespa, para lavar e trazer do Brasil US$ 3 milhões das ilhas Cayman.

Na época da chamada Operação Banespa, soterrada sob ações judiciais, a Calfat era uma tecelagem de médio porte em processo de liquidação, com sede em São Paulo. Ricardo Sérgio figurava como presidente do seu conselho deliberativo. No final de 1992, o vice-presidente de operações do Banespa, Vladimir Antonio Rioli (ex-sócio de José Serra como será comprovado adiante) autorizou um empréstimo para a Calfat de valor em cruzeiros, a moeda da época, correspondente a R$ 1,7 milhão. O financiamento foi concedido sem qualquer garantia para o banco.

Como se fosse pouco, Rioli, que controlava o comitê de crédito do Banespa, autorizou operações temerárias no exterior que beneficiariam a Calfat. A empresa teria emitido títulos podres no mercado internacional, posteriormente adquiridos por preços estratosféricos pela própria Calfat, possibilitando o *esquentamento* e a internação de dinheiro de procedência suspeita.

Experientes investidores e um banqueiro ficaram assustados ao ler os documentos levantados por mim para a *IstoÉ*. Para todos eles, a transação se resumia simplesmente no seguinte: uma simulação de empréstimo com o único pretexto legal para trazer milhões de dólares do Caribe de volta ao Brasil.

De acordo com os papéis, a operação foi realizada por meio de um instrumento denominado Contrato Particular de Emissão e Colocação de Títulos no Exterior (Fixe Rates Notes). Ao lerem a documentação, alguns especialistas acharam absurdo constatar o envolvimento de uma empresa falida numa operação desse porte. De acordo com eles, esse tipo de transação, de tão sofisticada que é, torna-se exclusividade de empresas de grande porte, como a Vale do Rio Doce e a Petrobrás.

[26] Idem.

Para realizar operações como essas, as empresas devem possuir, antes de tudo, muita credibilidade, equipe especializada e um contingente de interessados para os seus papéis que ficam armazenados numa casa de custódia. Com todo esse suporte, essas empresas conseguem obter empréstimos a juros baixos no exterior por meio da emissão de títulos.

Nada, rigorosamente, a ver com o perfil da Calfat. Além de falida, a Calfat era ignorada no exterior. E tampouco o Banespa, enredado em escândalos, tinha crédito para realizar essas operações. Em outras palavras, o ex-diretor da área internacional do Banco do Brasil conseguiu transformar cascalho de péssima qualidade (títulos podres) em ouro puro (títulos disputados no exterior por empresas de grande porte). Uma missão nada impossível para o mandrake das privatizações, que só conseguia fazer mágicas como essas graças ao trânsito que tinha no alto tucanato.

Acostumado a atuar em transações mirabolantes, Ricardo Sérgio deixou também seu rastro na engenharia que fomentou a lavanderia do Banestado, frequentada por doleiros, para enviar US$ 30 bilhões ao exterior entre os anos de 1998 e 2002, conforme laudo dos peritos criminais Renato Barbosa e Eurico Montenegro, os dois da Polícia Federal. Na condição de diretor da área internacional do Banco do Brasil, Mr. Big baixou, em 1998, uma portaria que permitia a quatro bancos paraguaios abrir contas CC-5 (contas de domiciliados estrangeiros) em quatro bancos brasileiros e vice-versa. A medida pretendia facilitar a vida de comerciantes de Foz do Iguaçu (PR) que mantinham comércio no Paraguai e eram obrigados a atravessar a fronteira com o dinheiro proveniente da venda de seus produtos em carros fortes. Com a portaria, os bancos paraguaios passaram a transferir o dinheiro arrecadado no comércio diretamente para a conta dos comerciantes no país. O dinheiro era depositado no Banco do Paraguai que o repassava para seu destino bancário no país.

Mas o montante movimentado pelo comércio, desde o início do processo, mostrou-se pífio. O grosso da dinheirama era movido mesmo por conta de laranjas contratados por doleiros. Com o detalhe de que, em vez de ingressar no país, o dinheiro tomava outro rumo: as contas abertas por doleiros na agência do Banestado, em Nova York. Geralmente, estas contas estavam em nome de *offshores*, por sua vez abertas pelo nosso conhecido, o advogado David Spencer, nas Ilhas Virgens Britânicas.

Os manuais de lavagem de dinheiro ensinam que, quanto mais o dinheiro roda, mais penoso torna-se seu rastreamento. Os doleiros do Banestado seguiam esse mandamento religiosamente. Ao cair no Banestado, o dinheiro contaminado pela sua origem rodava em várias contas de doleiros no mesmo banco antes de seguir viagem para as contas da Beacon Hill — megaescritório de lavagem de dinheiro em Nova York — e outras contas sujas abertas em outros bancos norte-americanos. Só então todo o butim da corrupção e do narcotráfico seguia para os paraísos fiscais onde permanecia escondido ou voltava para o país, valendo-se das operações descritas acima. Esse foi o roteiro usado pelo banqueiro Daniel Dantas para levar os milhões do Opportunity Fund para o Caribe. E que, depois, retornariam em operações na Bolsa de Valores. Além do banco de Dantas, o Fonte Cindam — cujo nome identifica outro escândalo financeiro — que tinha seus laços com a equipe econômica de FHC, também é acusado de recorrer ao duto comprometedor do Banestado para lavar dinheiro por meio de seu fundo, o Cindam Brazil Fund.

Parceiro de Dantas no processo de privatização, Ricardo Sérgio lançou mão do mesmo estratagema para movimentar recursos no exterior. Com 1.057 páginas, o relatório dos peritos da PF mostra que Mr. Big usava dois doleiros de peso para levar seus recursos até a agência do Banestado em Nova York: Alberto Youssef — que também prestou o mesmo serviço para o contrabandista João Arcanjo Ribeiro[27]

[27] Conhecido como *Comendador Arcanjo*, o criminoso foi preso em abril de 2003 quase dois anos depois de o autor ter publicado em *O Globo* a reportagem "O comendador do bicho". Condenado por vários crimes, Arcanjo, que cumpre pena no presídio federal de Campo Grande (MS), enviou mais de R$ 50 milhões ao exterior por meio do Banestado.

e Dario Messer, acusado de levar para a Suíça os R$ 20 milhões desviados pela "Máfia dos Fiscais" do Rio de Janeiro.

Em quatro anos, entre 1996 e 2000, Mr. Big teria remetido ao exterior uma montanha de dinheiro com a altitude de US$ 20 milhões. Para os peritos federais, todo o dinheiro enviado por Ricardo Sérgio dormia inicialmente em várias contas abertas por Messer e Youssef na agência nova-iorquina do Banestado. Novamente, as contas eram abertas em nome de *offshores*, com o apoio de David Spencer e ancoradas no escritório da Citco nas Ilhas Virgens Britânicas. Era incumbência de Spencer — que opera para Mr. Big desde os anos 1980 — também a abertura das contas dessas *offshores* na agência do Banestado e em outros bancos de Nova York. A documentação expõe, por exemplo, a participação do advogado na abertura da conta da *offshore* June Internacional Corporation, operada por Youssef no Banestado nova-iorquino. Do Banestado, a grana do ex-diretor do banco fazia uma escala em outras contas abertas no MTB Bank e outros bancos operados pelos doleiros da Beacon Hill. Era o último porto do dinheiro antes da revoada para as contas de Ricardo Sérgio, João Madeiro da Costa, o homem de Mr. Big na Previ, e Ronaldo de Souza em Miami ou nas Ilhas Virgens Britânicas.

Os milhões remetidos via Banestado — ou parte deles — desembarcariam no Brasil devidamente lavados e tripulando uma conta-ônibus alimentada por diversas *offshores*. Bafejado por parcela dessa grana, Madeiro da Costa teria adquirido, por US$ 2 milhões, um superapartamento no Rio. Mas quem aparece como adquirente é a Rio Trading, outra empresa das Ilhas Virgens Britânicas, cujo procurador é o próprio advogado do ex-dirigente da Previ.

Madeiro da Costa não demorou a aprender com o mestre Ricardo Sérgio a metodologia tucana de internação de dinheiro por meio de *offshores* abertas em paraísos fiscais. Só que, ao contrário das *offshores* de Ricardo Sérgio e Alexandre Bourgeois, que internavam dinheiro simulando a aquisição de cotas de empresas no Brasil (que, na verdade, eram deles mesmos), as *offshores* do ex-dirigente da Previ tinham outra serventia. Eram usadas na compra de apartamentos, carros e outros bens no país. Embora eficaz, o processo não possui nenhum pioneirismo.

De acordo com os autos judiciais, este era o modo preferido, por exemplo, pelo juiz Nicolau dos Santos Neto, ex-presidente do Tribunal Regional do Trabalho, de São Paulo. Condenado a 26 anos de prisão pelo desvio de R$ 169 milhões das obras do prédio do TRT, era assim que "Lalau" escondia seu patrimônio. Ele abriu diversas *offshores*, conhecidas como *safis*, no Uruguai, paraíso fiscal da América do Sul. Logo depois da abertura, as *safis* tornavam-se sócias de uma agência de carros de "Lalau", que adquiria Porsches e outros carros importados. O Ministério Público Federal (MPF) acredita que a maior parte do montante surrupiado das obras do TRT paulista retornou ao país via Uruguai por meio dessas *safis*.

A trajetória de Ricardo Sérgio na função pública rendeu-lhe dinheiro e sucesso, mas também uma saraivada de processos judiciais. Em março de 2010, por exemplo, sofreu uma derrota no Superior Tribunal de Justiça (STJ). A corte manteve a ação de improbidade administrativa contra ele e o ex-presidente do BB, Paulo César Ximenes. Os dois são acusados de beneficiar indevidamente com empréstimos a empresa Silex Trading, de Roberto Giannetti da Fonseca, ex-integrante da equipe econômica do governo FHC.

Em abril de 2010, o STJ rejeitou mandato de segurança impetrado por Mr. Big em outra ação. Ele pretendia invalidar decisão da 9ª. Câmara do 1º Tribunal de Alçada Civil/SP. A sentença obrigou-o a assumir a dívida da empresa Garance Textile S.A., da qual é sócio. A Garance teria aplicado um golpe na venda de ações da Eletrobrás para a empresa Mar y Mar. Chama a atenção que, no passado, a Garance chamou-se Calfat, aquela mesma empresa que ajudou o ex-diretor do Banco do Brasil a internar US$ 3 milhões que estavam depositados nas Ilhas Cayman. A Calfat foi executada em outro processo movido pela Rhodia em 2000 na Justiça de São Paulo. Mais uma vez, Ricardo Sérgio foi chamado a pagar pelos prejuízos causados, desta vez à Rhodia, pela falida Calfat. A dívida foi executada pela Justiça, que decretou a quebra de sigilo fiscal, exercício de 1998, de Ricardo Sérgio. Ele dizia não ter recursos para quitar o débito. A decisão judicial escancarou os segredos de Mr. Big no exterior. Ficaram expostas, pela primeira vez, no processo, que não correu sob segredo de Justiça, as ligações de Ricardo Sérgio com a Franton Interprise Inc., empresa com sede em Nova York, alimentada por doleiros do Banestado.

Em 2006, Ricardo Sérgio e mais seis ex-diretores do BB foram condenados, na 12ª. Vara Federal de Brasília, a sete anos de prisão, mais pagamento de multa, por gestão temerária. O crime foi aliviar a vida da empreiteira Encol, um nome que, até hoje, provoca calafrios nos adquirentes de apartamentos na planta Brasil afora. Em 1999, a falência da maior construtora do país, comandada pelo empresário Pedro Paulo de Souza, deixou 26 mil compradores de imóveis na rua da amargura, sem casa, sem dinheiro e sem esperança. Cerca de R$ 1,5 bilhão teria sido tragado pelo caixa 2 do grupo. Por coincidência — mais uma neste jardim de coincidências em flor — a Encol possuía cinco empresas no exterior, três das quais nas Ilhas Virgens Britânicas...

Já em 1995, a Encol arfava debaixo de uma dívida multimilionária contraída na praça, sendo o Banco do Brasil um de seus maiores credores. Entretanto, isto não foi suficiente para desestimular a direção tucana do BB a prosseguir enterrando dinheiro público em um poço sem fundo. Na sua sentença, o juiz federal Clóvis Barbosa de Siqueira registrou nove irregularidades, entre elas a liberação da hipoteca de um hotel em construção, que valia R$ 55 milhões, em troca do pagamento de R$ 17,3 milhões pela Encol.

O papel de articulador no consórcio das empresas acabou levando Ricardo Sérgio a tornar-se também réu em duas ações de improbidade administrativa e em um processo criminal que tramitaram na Justiça do Rio e de Brasília. Esses processos eram fundamentados, entre outros documentos, por um relatório do Banco Central. Nele, o ex-tesoureiro de Serra e de FHC, além de outros tucanos, eram acusados de favorecer a entrada do Banco Opportunity em um consórcio para disputar o leilão da Telebrás.

O relato aponta que a carta de fiança do Banco do Brasil, no valor de R$ 847 milhões, que permitiu à Solpart Participações, empresa do Grupo Opportunity, ingressar na disputa, estava crivada de irregularidades. Em suas 50 páginas, os relatores afirmam que a Solpart, além de não oferecer nenhuma garantia ao banco estatal, teria sido fundada um mês antes do leilão com o capital irrisório de R$ 1 mil. Para o BB, isto indicaria que o banco não teria condições de quitar a dívida. O relatório afirma que Ricardo Sérgio mentiu ao dizer que não havia nenhum risco na operação. Na avaliação dos auditores, o ex-tesoureiro de Serra poderia detectar os riscos com uma simples consulta, que indicaria que a conta da empresa havia sido aberta no BB apenas cinco dias antes do leilão. Apesar das evidências contidas em relatórios e outras provas reunidas pelo MPF, as ações de improbidade contra Ricardo Sérgio prescreveram sem que a Justiça ao menos analisasse os autos do processo. O mesmo destino teve uma ação penal em que Ricardo Sérgio e o ex-ministro da Casa Civil, Pedro Parente, eram acusados de gestão temerária. Em novembro do ano passado, Ricardo Sérgio obteve uma vitória no Superior Tribunal de Justiça (STJ) e conseguiu trancar o processo. Segundo a relatora do processo, ministra Maria Thereza de Assis Moura, a ação aponta uma conduta culposa dos réus, que "teriam agido displicentemente e sem a atenção devida". No entanto, de acordo com a mesma ministra, o crime de gestão temerária só prevê a modalidade dolosa. Mr. Big, portanto, continua livre para tocar seus negócios e viver aquilo que a vida tem de melhor.

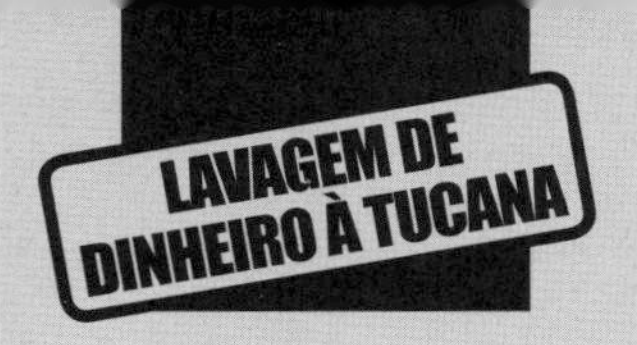

Os documentos que atestam a compra, pela eminência parda das privatizações, Ricardo Sérgio, e por Ronaldo de Souza, dos prédios da Fundação Petrobras de Seguridade Social, a Petros, no centro do Rio e em Belo Horizonte. Pitorescamente, as empresas de Ricardo Sérgio e de Souza são vizinhas de porta e os dois trocaram procurações.

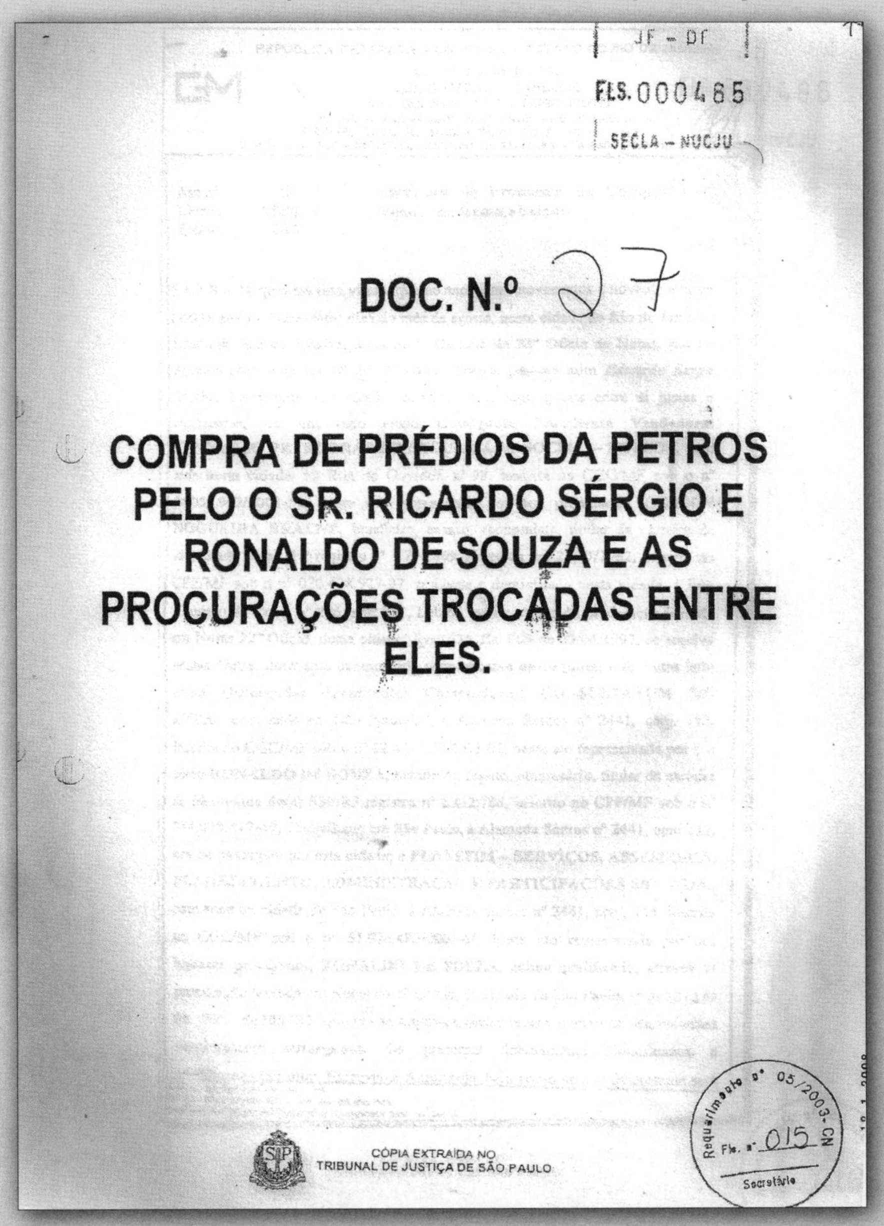

JF - DF
FLS. 000465
SECLA - NUCJU

DOC. N.º 27

COMPRA DE PRÉDIOS DA PETROS PELO O SR. RICARDO SÉRGIO E RONALDO DE SOUZA E AS PROCURAÇÕES TROCADAS ENTRE ELES.

CÓPIA EXTRAÍDA NO
TRIBUNAL DE JUSTIÇA DE SÃO PAULO

Requerimento nº 05/2003-CN
Fls. nº 015
Secretário

REPÚBLICA FEDERATIVA DO BRASIL - ESTADO DO RIO DE JANEIRO

GM

23º OFÍCIO DE NOTAS
GUIDO MACIEL - TABELIÃO
ARY SUCENA FILHO - SUBSTITUTO
MATRIZ: AV. NILO PEÇANHA, 26 - 3º ANDAR - RIO DE JANEIRO - RJ
SUCURSAL TIJUCA: RUA SANTA SOFIA, 40 LOJA A - RIO DE JANEIRO - RJ
SUCURSAL JACAREPAGUÁ: EST. DOS BANDEIRANTES, 209 LOJA C - TAQUARA - RIO DE JANEIRO - RJ

FLS. 000466

Ato nº	80	**Escritura de Promessa de Compra e Venda, na forma abaixo:-**
Livro	7580	
Folhas	085	

SAIBAM quantos esta virem, que no ano de mil novecentos e noventa e nove (1999), aos 17 (dezessete) dias do mês de agosto, nesta cidade do Rio de Janeiro, Estado do Rio de Janeiro, na sede do Cartório do 23º Ofício de Notas, sito na Avenida Nilo Peçanha nº 26, 2º andar, Centro, perante mim *Eduardo Serpa Coelho*, Escrevente Autorizado, compareceram aqui partes entre si justas e contratadas, de um lado como **Outorgante Promitente Vendedora: FUNDAÇÃO PETROBRÁS DE SEGURIDADE SOCIAL – PETROS,** com sede nesta cidade, na Rua do Ouvidor, nº 98, inscrita no CGC/MF sob o nº 34.053.942/0001-50, neste ato representada por seu procurador, **GERSON NOGUEIRA BRAUNE,** brasileiro, casado, economista, titular da carteira de identidade do(a) IFP registro nº 1.791.809, expedida em 26/07/1962, inscrito no CPF/MF sob o nº 020.488.927-87, residente e domiciliado nesta cidade, à Rua Timóteo da Costa nº 276, aptº 301, Leblon, cuja certidão da procuração lavrada em Notas 22º Ofício, desta cidade, livro 735, fls. 069 de 23/06/1997, se arquiva nestas Notas, doravante denominada simplesmente **outorgante**; e de outro lado como **Outorgadas Promitentes Compradoras: CONSULTATUM S/C LTDA.,** com sede em São Paulo/SP, à Alameda Santos nº 2441, conj. 112, inscrita no CGC/MF sob o nº 02.415.328/0001-02, neste ato representada por seu sócio **RONALDO DE SOUZA,** brasileiro, casado, empresário, titular da carteira de identidade do(a) SSP/RJ registro nº 2.412.788, inscrito no CPF/MF sob o nº 384.078.417-49, domiciliado em São Paulo, à Alameda Santos nº 2441, conj 112, ora de passagem por esta cidade; e **PLANEFIM – SERVIÇOS, ASSESSORIA, PLANEJAMENTO, ADMINISTRAÇÃO E PARTICIPAÇÕES S/C LTDA.,** com sede na cidade de São Paulo, à Alameda Santos nº 2441, conj. 111, inscrita no CGC/MF sob o nº 51.974.483/0001-66, neste ato representada por seu bastante procurador, **RONALDO DE SOUZA,** acima qualificado, através da procuração lavrada em Notas do 16º Ofício, da cidade de São Paulo, livro 2371 às fls. 73 de 30.07.99, que ora se arquivam nestas Notas, doravante denominadas simplesmente **outorgadas.** Os presentes devidamente identificados e qualificados por mim, Escrevente Autorizado, bem como de que da presente será

Certidão de cartório do Rio de Janeiro que realizou a venda do prédio da Petros para as empresas de Ricardo Sérgio e de seu cúmplice Ronaldo de Souza.

enviada nota ao competente Ofício de Distribuição, no prazo da lei. E, assim, pelos contratantes, cada um falando de per si, me foi dito o seguinte: **1.0. DA PROPRIEDADE: 1.1.** Que, a outorgante é dona, senhora e legítima possuidora dos seguinte imóveis descritos a seguir, com as suas respectivas matrículas, sendo todas, contendo as respectivas características e confrontações, registradas no 6° Ofício do Registro de Imóveis da Cidade de Belo Horizonte: (1) Loja com área real privativa de 916,54m², mais 367,40m² correspondentes à sobreloja, num total de 1.283,94m², com a fração ideal de 0,134269 do terreno, matrícula n° 70366, do Edifício Empresarial Inconfidentes, situado à Rua Inconfidentes n° 1180; (2) Salão n° 201 (andar corrido), com área privativa global e equivalente de construção de 1.278,21m² e sua fração ideal de 0,169733 do terreno, matrícula n° 70367, do Edifício Empresarial Inconfidentes, situado à Rua Inconfidentes n° 1190; (3) Salão n° 401 (andar corrido), com área real global e área equivalente de construção de 534,62m² e área real privativa e equivalente de construção de 474,98m² e sua fração ideal de 0,063075 do terreno, matrícula n° 70368, do Edifício Empresarial Inconfidentes, situado à Rua Inconfidentes n° 1190; (4) Salão n° 501 (andar corrido), com área real global e área equivalente de construção de 534,62m² e área real privativa e equivalente de construção de 474,98m² e sua fração ideal de 0,063075 do terreno, matrícula n° 70369, do Edifício Empresarial Inconfidentes, situado à Rua Inconfidentes n° 1190; (5) Salão n° 601 (andar corrido), com área real global e área equivalente de construção de 534,62m² e área real privativa e equivalente de construção de 474,98m² e sua fração ideal de 0,063075 do terreno, matrícula n° 70370, do Edifício Empresarial Inconfidentes, situado à Rua Inconfidentes n° 1190; (6) Salão n° 701 (andar corrido), com área real global e área equivalente de construção de 534,62m² e área real privativa e equivalente de construção de 474,98m² e sua fração ideal de 0,063075 do terreno, matrícula n° 70371, do Edifício Empresarial Inconfidentes, situado à Rua Inconfidentes n° 1190; (7) Salão n° 801 (andar corrido), com área real global e área equivalente de construção de 534,62m² e área real privativa e equivalente de construção de 474,98m² e sua fração ideal de 0,063075 do terreno, matrícula n° 70372, do Edifício Empresarial Inconfidentes, situado à Rua Inconfidentes n° 1190; (8) Salão n° 901 (andar corrido), com área real global e área equivalente de construção de 534,62m² e área real privativa e equivalente de construção de agora por esta e na melhor forma de direito, ela outorgante, fiada na certeza e tradição de seu título de propriedade e assim como possui os imóveis acima descritos e caracterizados, promete e se obriga vendê-los às outorgadas, como de fato prometido tem, pelo preço certo e ajustado de R$7.500.000,00 (sete milhões e quinhentos mil reais), por conta do qual, como sinal e princípio de pagamento e para os efeitos contidos nas regras do artigo 1094 do Código Civil, a outorgante recebe neste ato das outorgadas, a importância de R$750.000,00 (setecentos e cinquenta mil reais) através do cheque nº965998 do BAnco nº347, Ag.0408

SECLA - NUCJU

LIVRO N.º 7580 FOLHA Nº 089

REPÚBLICA FEDERATIVA DO BRASIL - ESTADO DO RIO DE JANEIRO
23º OFÍCIO DE NOTAS
GUIDO MACIEL - TABELIÃO
ARY SUCENA FILHO - SUBSTITUTO
MATRIZ: AV. NILO PEÇANHA, 26 - 3º ANDAR - RIO DE JANEIRO - RJ
SUCURSAL TIJUCA: RUA SANTA SOFIA, 40 LOJA A - RIO DE JANEIRO - RJ
SUCURSAL JACAREPAGUÁ: EST. DOS BANDEIRANTES, 209 LOJA C - TAQUARA - RIO DE JANEIRO - RJ

e nº000099 do Banco nº641,Ag. 0132, conferido e achado certo, de cujo recebimento dão a mais plena e rasa quitação; **2.2.** Que, o saldo do preço no valor de R$6.750.000,00 (seis milhões e setecentos e cinquenta mil reais) da seguinte forma: (a) R$750.000,00 (setecentos e cinquenta mil reais) em 17 de dezembro de 1999; (b) R$750.000,00 (setecentos e cinquenta mil reais) em 17 de abril de 2000; e (c) R$5.250.000,00 (cinco milhões, duzentos e cinquenta mil reais) em 05(cinco) prestações anuais e consecutivas no valor de R$1.050.000,00 (hum milhão e cinquenta mil reais), vencendo-se a primeira em 17 de abril de 2001, devendo essas prestações serem pagas na sede da Outorgante, nesta cidade, à Rua do Ouvidor nº 98, 4º andar, Centro, ou em local por ela designado, sempre nesta cidade; **2.3.** Que, as parcelas mencionadas nos itens "A", "B" e "C" da cláusula 2.2. anterior, serão representadas por igual número de notas promissórias emitidas neste ato, pela outorgada em favor dos outorgantes, em caráter pró-solvendo, vinculadas a presente escritura; **2.4.** Que, as parcelas mencionadas, nos itens "A", "B" e "C" da cláusula 2.2 anterior, serão corrigidas desde a data deste instrumento, até os seus efetivos pagamentos, de acordo com a variação do IGPM, divulgado pelo FGV, ou qualquer outro índice, substituto ou equivalente, estabelecido pelo governo, na eventualidade da extinção do índice acima referido, acrescidas de juros de 12%(doze por cento) ao ano; **2.5.** Os comparecentes dão, para efeitos fiscais, os valores de: R$ 1.008.600,00 para o imóvel discriminado no item 1.1 nº(1), R$1.275.000,00 para o imóvel discriminado no item 1.1 nº (2), R$473.000,00 para os imóveis discriminados no item 1.1 nºs. (03) ao (12), R$ 5.000,00 para os imóveis discriminados no item 1.1 nºs. (13) ao (24); e R$ 8.200,00 para os imóveis discriminados no item 1.1 nºs. (25) ao

REPÚBLICA FEDERATIVA DO BRASIL - ESTADO DO RIO DE JANEIRO

23º OFÍCIO DE NOTAS

GUIDO MACIEL - TABELIÃO

ARY SUCENA FILHO - SUBSTITUTO

MATRIZ: AV. NILO PEÇANHA, 26 - 3º ANDAR - RIO DE JANEIRO - RJ

SUCURSAL TIJUCA: RUA SANTA SOFIA, 40 LOJA A - RIO DE JANEIRO - RJ

SUCURSAL JACAREPAGUÁ: EST. DOS BANDEIRANTES, 209 LOJA C - TAQUARA - RIO DE JANEIRO - RJ

Ato nº 57
Livro 7526
Folhas 093

Escritura de Promessa de Compra e Venda, na forma abaixo:-

S A I B A M quantos esta virem, que no ano de mil novecentos e noventa e nove (1999), aos 08 (oito) dias do mês de junho, nesta cidade do Rio de Janeiro, Estado do Rio de Janeiro, na sede do Cartório do 23º Ofício de Notas, sito na Avenida Nilo Peçanha nº 26, 2º andar, Centro, perante mim *Eduardo Serpa Coelho*, Escrevente Autorizado, compareceram aqui partes entre si justas e contratadas, de um lado como **OUTORGANTE PROMITENTE VENDEDORA: FUNDAÇÃO PETROBRÁS DE SEGURIDADE SOCIAL – PETROS**, com sede nesta cidade, na Rua do Ouvidor, nº 98, inscrita no CGC/MF sob o nº 34.053.942/0001-50, neste ato representada por seu procurador, **GERSON NOGUEIRA BRAUNE**, brasileiro, casado, economista, titular da carteira de identidade do(a) IFP registro nº 1.791.809, expedida em 26/07/1962, inscrito no CPF/MF sob o nº 020.488.927-87, residente e domiciliado nesta cidade, à Rua Timóteo da Costa nº 276, aptº 301, Leblon, cuja certidão da procuração lavrada em Notas 22º Ofício, desta cidade, livro 735, fls. 069 de 23/06/1997, se arquiva nestas Notas, doravante denominada simplesmente **outorgante**; e de outro lado como **OUTORGADAS PROMITENTES COMPRADORAS: CONSULTATUM S/C LTDA.**, com sede em São Paulo/SP, à Alameda Santos nº 2441, conj. 112, inscrita no CGC/MF sob o nº 02.415.328/0001-02, neste ato representada por seu sócio **RONALDO DE SOUZA**, brasileiro, casado, empresário, titular da carteira de identidade do(a) SSP/RJ registro nº 2.412.788, inscrito no CPF/MF sob o nº 384.078.417-49, domiciliado em São Paulo, à Alameda Santos nº 2441, conj 112, ora de passagem por esta cidade; e/(PLANEFI) digo, e PLANEFIN – **SERVIÇOS, ASSESSORIA, PLANEJAMENTO, ADMINISTRAÇÃO E PARTICIPAÇÕES S/C LTDA.**, com sede na cidade de São Paulo, à Alameda Santos nº 2441, conj, 111, inscrita no CGC/MF sob o nº 51.974.483/0001-66, neste ato representada por seu bastante procurador, **RONALDO DE SOUZA**, acima qualificado, através da procuração lavrada em Notas do 16º Ofício, da cidade de São Paulo, livro 2350, às fls. 269 e 270, que ora se arquivam nestas Notas, doravante denominadas simplesmente **outorgadas**. Os presentes

Artes Gráficas Agil e Rápida Ltda. - ME
CGC 00.487.047/0001-02 — Insc. Est. 85.568 043
Autorização N.º 152/99 de 06/05/99 da Corregedoria Geral da Justiça

devidamente identificados e qualificados por mim, Escrevente Autorizado, bem como de que da presente será enviada nota ao competente Ofício de Distribuição, no prazo da lei. E, assim, pelos contratantes, cada um falando de per si, me foi dito o seguinte: **1.0. DA PROPRIEDADE: 1.1.** Que, a outorgante é dona, senhora e legítima possuidora dos seguinte imóveis: 1) O 1° e 2° subsolos, loja e sobreloja do Edifício situado à Rua Sete de Setembro n° 54, e a correspondente fração ideal de 4/16 do respectivo terreno; 2) 2°, 3°, 4°, 5°, 6°, 7°, 8°, 9°, 10°, 11°, 12° e 13° pavimentos situados à Rua Sete de Setembro n° 54, e a correspondente fração ideal de 1/16 (para cada pavimento) do respectivo terreno; **1.2.** Que, as medidas, características e confrontantes, acham-se contidas nas matrículas 4977-2-J, 4978-2-J, 4979-2-L, 4980-2-L, 4981-2-G, 4982-2-G, 4983-2-H, 4984-2-H, 13618-2-AF, 4985-2-I, 4986-2-I, 4987-2-J e 4988-2-J,

LIVRO N.º 7526 FOLHA N: 094

REPÚBLICA FEDERATIVA DO BRASIL - ESTADO DO RIO DE JANEIRO
23º OFÍCIO DE NOTAS
GUIDO MACIEL - TABELIÃO
ARY SUCENA FILHO - SUBSTITUTO
MATRIZ: AV. NILO PEÇANHA, 26 - 3º ANDAR - RIO DE JANEIRO - RJ
SUCURSAL TIJUCA: RUA SANTA SOFIA, 40 LOJA A - RIO DE JANEIRO - RJ
SUCURSAL JACAREPAGUÁ: EST. DOS BANDEIRANTES, 209 LOJA C - TAQUARA - RIO DE JANEIRO

preço no valor de R$2.950.000,00 (dois milhões, novecentos e cinquenta mil reais) será pago através de 05 (cinco) prestações anuais, iguais e sucessivas de R$590.000,00 (quinhentos e noventa mil reais) cada uma, vencendo-se a primeira em 08/06/2000, e as demais na mesma data dos anos subsequentes, devendo essas prestações serem pagas na sede da Outorgante, nesta cidade, à Rua do Ouvidor n° 98, 4° andar, Centro, ou em local por ela designado, sempre nesta cidade; **2.3.** Que, as prestações mencionadas no item 2.2. anterior, serão representadas por igual número de notas promissórias emitidas neste ato, pela outorgada em favor dos outorgantes, em caráter pró-solvendo, vinculadas a presente escritura; **2.4.** Que, as prestações oriundas do saldo devedor, serão corrigidas desde a data deste instrumento, até os seus efetivos pagamentos, de acordo com a variação do IGPM, divulgado pelo FGV, ou qualquer outro índice, substituto ou equivalente, estabelecido pelo governo, na eventualidade da extinção do índice acima referido, acrescidas de juros de 12%(doze por cento) ao ano; **3.0.** ***Da Imissão de Posse*****: 3.1.** Que, as outorgadas são imitidas na posse do

PROCURAÇÃO BASTANTE QUE FAZ: 1/2

PLANEFIN- SERVIÇOS, ASSESSORIA, PLANEJAMENTO, ADMINISTRAÇÃO E PARTICIPAÇÕES S/C LTDA

(ML-D6-PLANEFIN-PRO)

Saibam, quantos esta pública procuração bastante virem, que aos 06 (seis) dias do mes de julho do ano de mil, novecentos e noventa e nove (1999), nesta cidade e capital do Estado de São Paulo, Republica Federativa do Brasil, no Cartório do 16º Tabelião de Notas, perante mim escrevente, compareceu como outorgante: PLANEFIN- SERVIÇOS, ASSESSORIA, PLANEJAMENTO, ADMINISTRAÇÃO E PARTICIPAÇÕES S/C LTDA, sociedade regular, inscrita no CNPJ sob nº 51.974.483/0001-66, com sede nesta Capital, na Alameda Santos nº 2.441, 11º andar, conj. 111- CEP nº 01419-000, Bairro Cerqueira César, e o seu contrato social originário foi registrado sob nº 016.641, em 16 de janeiro de 1.980, tendo sido consolidado pela alteração de 01 de fevereiro de 1.999, registrada sob nº 335811, em 08 de fevereiro de 1.999, e a última alteração realizada em 22 de fevereiro de 1.999, registrada sob nº 336602, todos do 3º Oficial de Registro de Títulos e Documentos e Civil de Pessoas Juridicas desta Capital, os quais ficam arquivados nestas notas, na pasta nº 199, fls. 133/139; representada, neste ato, conforme dispõe a cláusula sexta, parágrafo segundo, por seus sócios RICARDO SERGIO DE OLIVEIRA, brasileiro, casado, economista, portador da cédula de identidade R.G. nº 3.133.330-SSP/SP, e do CIC 385.669.408-06 e ELIZABETH SALGUEIRO DE OLIVEIRA, brasileira, casada, desenhista, portadora da cedula de identidade R.G. nº 5.068.813-SSP/SP e do CIC nº 275.777.558-85, domiciliados e residentes nesta Capital, com escritório na sede da mandante; Os presentes reconhecidos como sendo os próprios de que trato diante dos documentos mencionados e ora exibidos no original, do que dou fé. Pela outorgante, na forma representada, me foi dito que por este instrumento e na melhor forma de direito, nomeia e constitui seus bastantes procuradores: RONALDO DE SOUZA, brasileiro, casado, engenheiro, portador da cédula de identidade R.G. nº 2.412.788-SSP/RJ, e do CIC nº 384.078.417-49 e VERA REGINA FREIRE DE SOUZA, brasileira, museóloga, casada, portadora da cédula de identidade R.G. nº 2.589.794-SSP/RJ e do CIC nº 344.727.117-53, domiciliados e residentes nesta Capital, com escritório na Alameda Ministro Rocha Azevedo nº 882- conj. 71; conferindo-lhes os mais amplos, gerais e ilimitados poderes para gerir e administrar a quota parte ideal da qual a mandante é proprietária nos imóveis consistentes no 1º e 2º subsolo, loja e sobreloja e 2º, 3º, 4º 5º, 6º 7º, 8º, 9º, 10º, 11º, 12º e 13º pavimento do Edificio situado na Rua Sete de Setembro nº 54, na Cidade, Comarca e 7ª Circunscrição Imobiliária da Cidade do Rio de Janeiro-RJ, onde são objetos das matriculas nºs 4977-2-J, 4978-2-J, 4979-2-L, 4980-2-L, 4981-2-G, 4982-2-G, 4983-2-H, 4984-2-H, 13618-2-AF, 4985-2-I, 4987-2-J E 4988-2-J, respectivamente podendo para tanto aludidos procuradores, em

Procuração mostra que Ricardo Sérgio concedeu amplo poder para o seu testa de ferro Ronaldo de Souza administrar a Planefim, uma das empresas que comprou um dos prédios da Petros.

conjunto ou isoladamente, independente da ordem de nomeação, alugar, arrendar ou por qualquer outra forma destinar o imóvel ao mercado com a finalidade de obter renda sobre o mesmo; firmar todos e quaisquer contratos, inclusive retificar, ratificar, aditar e distratar; concordando ou impugnando com cláusulas e condições; estipular prazos de locação, valor dos alugueres, forma de pagamento, atualização, correção monetária e juros de mora; prestar declarações, apresentar e exigir documentos; pagar impostos, taxas, contribuições e emolumentos, passar e receber recibos e quitação; representá-la perante as repartições públicas federais, estaduais e municipais, cartórios de qualquer natureza, ali requerendo, alegando, promovendo e peticionando tudo o que seja exigido; representá-la perante assembléias em geral de condomínio, podendo votar se ser votado; propor, deliberar e concordar com contas, pagamentos e outros; apresentar proposta e rejeitar propostas apresentadas, impugnar atas e outros atos; administrar o imóvel, podendo para este fim nomear e demitir empresas administradoras e síndicos, contratar e demitir funcionários ou empresas prestadoras de serviços, contratar obras de reforma ou reparos de qualquer natureza, podendo enfim praticar todo e qualquer ato necessário a administração ou à preservação, manutenção ou melhoria do imóvel; enfim, tudo o mais praticar para o bom e fiel desempenho do presente mandato. Vedado o Substabelecimento. E, de como assim o disse, dou fé. A pedido da outorgante, na forma representada, lhe lavrei o presente instrumento o qual depois de lido em voz alta e clara, foi em tudo achado conforme o outorgou, aceita e assinam, dou fé. (Custas e Emolumentos: Tabelião R$50,34; Estado R$13,59; Ipesp R$10,07; Apm R$0,50; Total R$74,50) Eu, Lucas [illegible] - [illegible] escrevente a lavrei. Eu Claudecir Antonio Pissutto escrevente substituto a subscrevo.

ELIZSBETH SILGUEIRO DE OLIVEIRA

RICARDO SERGIO DE OLIVEIRA

CLAUDECIR ANTONIO PISSUTTO
ESCREVENTE SUBSTITUTO

RECOLH.: 07, 07, 99
AUTENT.: 296 | 297
GUIA 125 BCO: 041

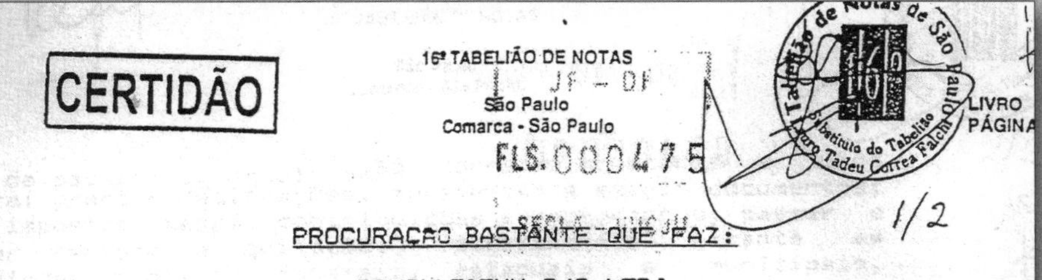

CERTIDÃO
16º TABELIÃO DE NOTAS
São Paulo
Comarca - São Paulo
FLS.000475
LIVRO
PÁGINA

1/2

PROCURAÇÃO BASTANTE QUE FAZ:

CONSULTATUM S/C LTDA

(ML-D6-CONSULT-PRO)

Saibam, quantos esta pública procuração bastante virem, que aos 06 (SEIS) dias do mês de julho do ano de mil, novecentos e noventa e nove (1999), nesta cidade e capital do Estado de São Paulo, República Federativa do Brasil, no Cartório do 16º Tabelião de Notas, perante mim escrevente, compareceu como outorgante: CONSULTATUM S/C LTDA, inscrita no CNPJ sob nº 02.415.328/0001-02, com sede nesta Capital, na Alameda Ministro Rocha Azevedo nº 882, conj. 71, com seu contrato social datado de 15 de fevereiro de 1998, devidamente registrado sob nº 20377 em 10 de março de 1.998 no 5º Serviço de Registro Civil das Pessoas Jurídicas da Capital, o qual fica arquivado nestas notas, na pasta nº 205, fls. 84/87, representada, neste ato, conforme dispõe a cláusula 6º e parágrafos, por seus sócios: RONALDO DE SOUZA, brasileiro, casado, engenheiro, portador da cédula de identidade R.G. nº 2.412.788-SSP/RJ, e do CIC nº 384.078.417-49 e VERA REGINA FREIRE DE SOUZA, brasileira, museóloga, casada, portadora da cédula de identidade R.G. nº 2.589.794-SSP/RJ e do CIC nº 344.727.117-53, domiciliados e residentes nesta Capital, com escritório na Alameda Ministro Rocha Azevedo nº 882- conj. 71; Os presentes reconhecidos como sendo os próprios de que trato diante dos documentos mencionados e ora exibidos no original, do que dou fé. Pela outorgante, na forma representada, me foi dito que por este instrumento e na melhor forma de direito, nomeia e constitui seus bastantes procuradores: RICARDO SERGIO DE OLIVEIRA, brasileiro, casado, economista, portador da cédula de identidade R.G. nº 3.133.330-SSP/SP, e do CIC 385.669.408-06 e ELIZABETH SALGUEIRO DE OLIVEIRA, brasileira, casada, desenhista, portadora da cédula de identidade R.G. nº 5.068.813-SSP/SP e do CIC nº 275.777.558-85, domiciliados e residentes nesta Capital, com escritório na sede da mandante; conferindo-lhes os mais amplos, gerais e ilimitados poderes para gerir e administrar a quota parte ideal da qual a mandante é proprietária nos imóveis consistentes no 1º e 2º subsolo, loja e sobreloja e 2º, 3º, 4º 5º, 6º 7º, 8º, 9º, 10º, 11º, 12º e 13º pavimento do Edifício situado na Rua Sete de Setembro nº 54, na Cidade, Comarca e 7ª Circunscrição Imobiliária da Cidade do Rio de Janeiro-RJ, onde são objetos das matrículas nºs 4977-2-J, 4978-2-J, 4979-2-L, 4980-2-L, 4981-2-G, 4982-2-G, 4983-2-H, 4984-2-H, 13618-2-AF, 4985-2-I, 4987-2-J E 4988-2-J, respectivamente; podendo para tanto aludidos procuradores, em conjunto ou isoladamente, independente da ordem de nomeação, alugar, arrendar ou por qualquer outra forma destinar o imóvel ao mercado com a finalidade de obter renda sobre o mesmo; firmar todos e quaisquer contratos, inclusive retificar, ratificar, aditar e distratar; concordando ou impugnando com cláusulas e condições; estipular prazo de locação, valor dos alugueres,

Em contrapartida Ronaldo de Souza também deu amplos poderes para Ricardo Sérgio controlar a Consultatum, outra compradora do prédio da Petros, no Rio de Janeiro.

forma de pagamento, atualização, correção monetária e juros de mora; prestar declarações, apresentar e exigir documentos; pagar impostos, taxas, contribuições e emolumentos; passar e receber recibos e quitação; representá-la perante as repartições públicas federais, estaduais e municipais, cartórios de qualquer natureza, ali requerendo, alegando, promovendo e peticionando tudo o que seja exigido; representá-la perante assembléias em geral de condomínio, podendo votar se ser votado; propor, deliberar e concordar com contas, pagamentos e outros; apresentar proposta e rejeitar propostas apresentadas, impugnar atas e outros atos; administrar o imóvel, podendo para este fim nomear e demitir empresas administradoras e síndicos, contratar e demitir funcionários ou empresas prestadoras de serviços, contratar obras de reforma ou reparos de qualquer natureza, podendo enfim praticar todo e qualquer ato necessários à administração ou à preservação, manutenção ou melhoria do imóvel; representá-la ainda perante o Banco Itau S/A para gerir e administrar a conta corrente nº 57.890-0 da agência 0196, podendo requerer saldos, extratos e posições financeiras, emitir, assinar e endossar cheques, requisitar talões de cheques, cartões magnéticos e outros documentos; efetuar saques, resgates e retiradas, por meio de cartas, ordens de pagamento e outros documentos de crédito; assinar correspondências endereçadas a mandante, enfim, tudo o mais praticar para o bom e fiel desempenho do presente mandato. Vedado o substabelecimento. E, de como assim o disse, dou fé. A pedido da outorgante, na forma representada, lhe lavrei o presente instrumento o qual depois de lido em voz alta e clara, foi em tudo achado conforme o outorgou, aceita e assinam, dou fé. (Custas e Emolumentos: Tabelião R$50,34; Estado R$13,59; Ipesp R$10,07; Apm R$0,50; Total R$74,50) Eu, ... escrevente, a lavrei. Eu, Claudecir Antonio Pissutto, escrevente substituto, a subscrevi.

RONALDO DE SOUZA

VERA REGINA FREIRE DE SOUZA

CLAUDECIR ANTONIO PISSUTTO
ESCREVENTE SUBSTITUTO

RECOLH.: 07, 07, 99
AUTENT.: 296 | 297
GUIA. 125 BCO: 041

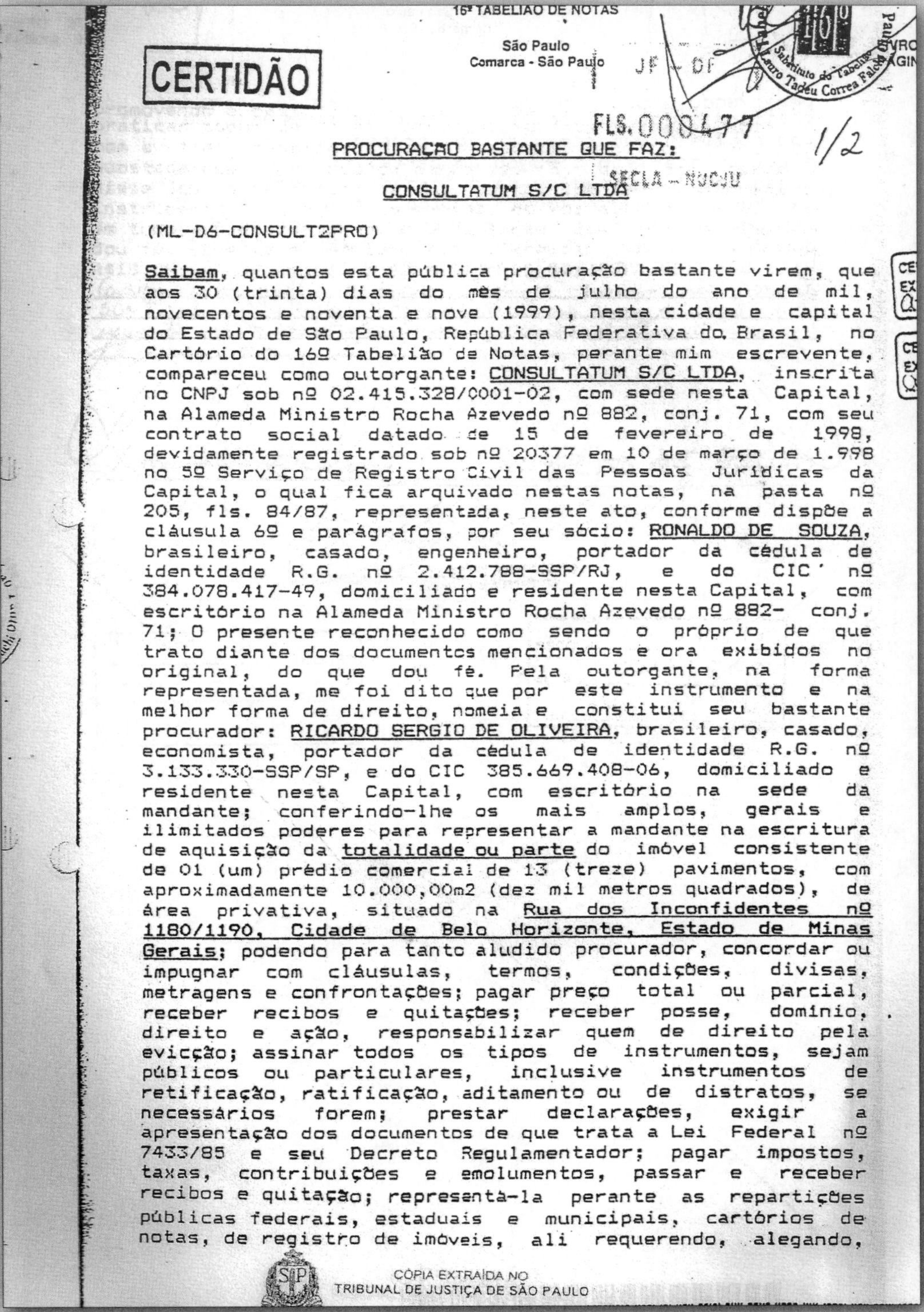

16º TABELIÃO DE NOTAS

São Paulo
Comarca - São Paulo

CERTIDÃO

FLS. 000477

1/2

PROCURAÇÃO BASTANTE QUE FAZ:

CONSULTATUM S/C LTDA

SECLA - NUCJU

(ML-D6-CONSULT2PRO)

Saibam, quantos esta pública procuração bastante virem, que aos 30 (trinta) dias do mês de julho do ano de mil, novecentos e noventa e nove (1999), nesta cidade e capital do Estado de São Paulo, República Federativa do Brasil, no Cartório do 16º Tabelião de Notas, perante mim escrevente, compareceu como outorgante: CONSULTATUM S/C LTDA, inscrita no CNPJ sob nº 02.415.328/0001-02, com sede nesta Capital, na Alameda Ministro Rocha Azevedo nº 882, conj. 71, com seu contrato social datado de 15 de fevereiro de 1998, devidamente registrado sob nº 20377 em 10 de março de 1.998 no 5º Serviço de Registro Civil das Pessoas Jurídicas da Capital, o qual fica arquivado nestas notas, na pasta nº 205, fls. 84/87, representada, neste ato, conforme dispõe a cláusula 6º e parágrafos, por seu sócio: RONALDO DE SOUZA, brasileiro, casado, engenheiro, portador da cédula de identidade R.G. nº 2.412.788-SSP/RJ, e do CIC nº 384.078.417-49, domiciliado e residente nesta Capital, com escritório na Alameda Ministro Rocha Azevedo nº 882- conj. 71; O presente reconhecido como sendo o próprio de que trato diante dos documentos mencionados e ora exibidos no original, do que dou fé. Pela outorgante, na forma representada, me foi dito que por este instrumento e na melhor forma de direito, nomeia e constitui seu bastante procurador: RICARDO SERGIO DE OLIVEIRA, brasileiro, casado, economista, portador da cédula de identidade R.G. nº 3.133.330-SSP/SP, e do CIC 385.669.408-06, domiciliado e residente nesta Capital, com escritório na sede da mandante; conferindo-lhe os mais amplos, gerais e ilimitados poderes para representar a mandante na escritura de aquisição da totalidade ou parte do imóvel consistente de 01 (um) prédio comercial de 13 (treze) pavimentos, com aproximadamente 10.000,00m2 (dez mil metros quadrados), de área privativa, situado na Rua dos Inconfidentes nº 1180/1190, Cidade de Belo Horizonte, Estado de Minas Gerais; podendo para tanto aludido procurador, concordar ou impugnar com cláusulas, termos, condições, divisas, metragens e confrontações; pagar preço total ou parcial, receber recibos e quitações; receber posse, domínio, direito e ação, responsabilizar quem de direito pela evicção; assinar todos os tipos de instrumentos, sejam públicos ou particulares, inclusive instrumentos de retificação, ratificação, aditamento ou de distratos, se necessários forem; prestar declarações, exigir a apresentação dos documentos de que trata a Lei Federal nº 7433/85 e seu Decreto Regulamentador; pagar impostos, taxas, contribuições e emolumentos, passar e receber recibos e quitação; representá-la perante as repartições públicas federais, estaduais e municipais, cartórios de notas, de registro de imóveis, ali requerendo, alegando,

Mais uma vez Ronaldo de Souza concede poderes para Ricardo Sérgio na empresa Consultatum, mas na negociação do imóvel de Minas Gerais.

2/2

promovendo e peticionando tudo o que seja exigido. Enfim, praticar todos os demais atos que se fizerem necessários ao bom e fiel cumprimento do presente mandato, inclusive substabelecer, no todo ou em parte. E, de como assim o disse dou fé. A pedido da outorgante, lhe lavrei o presente instrumento, o qual feito e lido, em voz alta e clara, foi em tudo achado conforme, o outorgaram, aceitaram e assinam dou fé. (Custas e Emolumentos: Tabelião R$50,34; Estado R$13,59; IPESP R$10,07; APAMAGIS R$0,50; TOTAL R$74,50). — Consigno que os poderes conferidos referem-se, somente à aquisição de 50% (cinquenta por cento) do imóvel. Eu, [illegible], escrevente a lavrei. Eu, Claudecir Antonio Pissutto, escrevente substituto a subscrevi.

RONALDO DE SOUZA

CLAUDECIR ANTONIO PISSUTTO
ESCREVENTE SUBSTITUTO

RECOLH.: 02/08/99
AUTENT.: 243 | 243
GUIA: 142 BCO: 041

JF - OF

FLS. 000481

SECLA - NUCJU

5º SERVIÇO DE REGISTRO CIVIL DE PESSOA JURÍDICA

Rua Tabatinguera, 79 - São Paulo - SP
Fone: (011) 3115-5414
CEP 01020-001

REGISTRO de: SOCIEDADE

Denominação: CONSULTATUM S.C LTDA.

Processo nº. 00256

AUTUAÇÃO

Aos dez dias do mês de março do ano de mil novecentos e noventa e oito, autuo, neste Serviço, o requerimento, ato ou contrato constitutivo da pessoa jurídica supra e demais papéis e documentos exigidos.

O Oficial

5º SERVIÇO DE REGISTRO CIVIL DAS PESSOAS JURÍDICAS
Oficial Substituto - Wadih Assady Coury Filho

Requerimento nº 05/2003-CN
Fls. nº 031
Secretário

Ilmo. Sr. Oficial do 5º Serviço de Registro Civil de Pessoas Jurídicas

RONALDO DE SOUZA, abaixo
(Nome completo do representante)

assinado, brasileiro, casado, engenheiro, RG nº 2.412.788 domiciliado
(Qualificação)

nesta Capital onde reside, Rua Batatais, nº 543 - apto. 111
, representante

legal da entidade civil " CONSULTATIM S/C LTDA.
",

com sede nesta Capital, à Alameda Ministro Rocha Azevedo

nº. 882/7º, requer a V.Sª, seja inscrito o (a) incluso (a): CONTRATO SOCIAL.

P. Deferimento,

São Paulo, 05 de março de 1.998

CONTRATO SOCIAL DE
CONSULTATUM S/C LTDA.

RONALDO DE SOUZA, brasileiro, casado, engenheiro, portador da cédula de identidade nº 2.412.788 - SSP/RJ e inscrito no CPF/MF sob o nº 384.078.417/49, residente nesta Capital à Rua Batatais, 543 aptº 111 e

VERA REGINA FREIRE DE SOUZA, brasileira, museóloga, portadora da cédula de identidade nº 2.589.794 - SSP/RJ e inscrito no CPF/MF sob o nº 344.727.117/53, residente nesta Capital à Rua Batatais, 543 aptº 111

têm entre si justo e contratado a constituição de uma sociedade civil por quotas de responsabilidade limitada que reger-se-á pela lei aplicável e pelas cláusulas seguintes:

CAPÍTULO 01 - DA DENOMINAÇÃO, SEDE, OBJETO SOCIAL E DURAÇÃO

Cláusula 1ª - A sociedade exercerá suas atividades sob a denominação social de CONSULTATUM S/C LTDA.

Cláusula 2ª - A sociedade terá sua sede social nesta Capital do Estado de São Paulo, que é seu foro, à Alameda Ministro Rocha Azevedo, nº 882 – conjunto 71, e por resolução dos sócios poderá abrir ou fechar escritórios, filiais, representações ou outras dependências em qualquer ponto do território nacional ou no exterior.

Cláusula 3ª - O prazo de duração da sociedade é indeterminado.

Cláusula 4ª - A sociedade tem por objeto social:

a) a prestação de serviços de informática;
b) a incorporação imobiliária;
c) a compra e venda de empresas;
d) a compra, venda e permuta de imóveis próprios;
e) a participação em negócios ou em outras sociedades.

CAPÍTULO 02 - DO CAPITAL SOCIAL

Cláusula 5ª - O capital social é de R$500.000,00 (Quinhentos mil Reais), sendo R$100.000,00 (Cem mil Reais) subscritos e integralizados neste ato e R$400.000,00 (Quatrocentos mil Reais) subscritos neste ato e a serem integralizados até o dia 31 de Julho de 1998.

O capital social está dividido em 100 (cem) quotas, com valor nominal de R$5.000,00 (Cinco mil Reais) cada uma, distribuídas entre os sócios da seguinte forma:

Sócio	Quotas	Capital Integralizado	Capital a Integralizar	Total
RONALDO DE SOUZA	90	$90.000,00	$360.000,00	$450.000,00
VERA R. FREIRE DE SOUZA	10	$10.000,00	$40.000,00	$50.000,00
TOTAL	100	$100.000,00	$400,000.00	$500,000.00

Parágrafo 1º - A responsabilidade dos sócios é limitada à importância correspondente ao capital social, na forma da Lei.

Parágrafo 2º - As quotas são indivisíveis, reconhecendo a sociedade um só possuidor para cada uma delas, cada quota valendo um voto nas deliberações sociais.

CAPÍTULO 03 - DA ADMINISTRAÇÃO

Cláusula 6ª - A gerência da sociedade será exercida, independentemente de caução, pelos sócios quotistas, que dividirão entre si as funções administrativas da sociedade.

Cláusula 7ª - Além das atribuições necessárias à realização dos fins sociais, os sócios ficam investidos nos poderes para representar a sociedade ativa e passivamente, judicial e extra-judicialmente, transigir, renunciar, fazer acordos, contrair obrigações, celebrar contratos de qualquer natureza, adquirir, alienar ou onerar bens móveis e imóveis, nas condições deste Capítulo.

Parágrafo 1º - A sociedade considerar-se-á obrigada e/ou representada, da seguinte forma:

a) isoladamente pela assinatura de um dos dois sócios, nos atos normais de gestão;

b) isoladamente pela assinatura de um dos dois sócios, nos atos de constituição de procuradores, com excessão do ressalvado no Parágrafo 2º adiante;

c) isoladamente pela assinatura de um procurador, quando assim for designado no respectivo instrumento de mandato, de acordo com os poderes que ele contiver.

Parágrafo 2º - Nos atos de alienação, aquisição ou oneração do patrimônio social, bem como nos atos que exonerem terceiros de obrigações assumidas com a sociedade, a sociedade deverá ser – obrigatoriamente – representada pelo sócio RONALDO DE SOUZA ou por um procurador por este constituído.

CAPÍTULO 04 - DAS DELIBERAÇÕES SOCIAIS

Cláusula 8ª - As deliberações sociais serão sempre tomadas por quotistas que representem a maioria do Capital Social.

CAPÍTULO 05 - DAS CESSÕES E TRANSFERÊNCIAS DE QUOTAS

Cláusula 9ª - A transferência a terceiros, no todo ou em parte, de quotas do Capital Social que sejam de propriedade de um dos sócios somente poderá ser feita com o consentimento prévio por escrito do outro sócio, o qual terá direito de preferência na aquisição das mesmas.

Parágrafo Único – O exercício do direito de preferência de que trata esta cláusula deverá ser notificado por escrito ao outro sócio em um prazo de quinze dias, contados a partir da data do pedido de consentimento para a transferência de quotas.

CAPÍTULO 06 - DA RETIRADA DE SÓCIO

Cláusula 10ª - O sócio que resolver retirar-se da sociedade, deverá notificar seu propósito ao outro sócio, por escrito e contra recibo.

Cláusula 11ª - Imediatamente após a mencionada notificação será feito um balanço geral com base na data da notificação. Os haveres assim apurados serão pagos ao sócio interessado em sair da sociedade à vista, na medida em que a empresa disponha de recursos em caixa que não sejam necessários ao cumprimento de suas obrigações ordinárias.

Parágrafo Único - Os sócios remanescentes tanto poderão adquirir da sociedade as quotas adquiridas por esta como cedê-las a terceiros, sem necessidade de anuência.

CAPÍTULO 07 - DO FALECIMENTO DE SÓCIO E OUTROS EVENTOS

Cláusula 12ª - O falecimento, interdição ou incapacidade de sócio não acarretará a dissolução da sociedade, a qual continuará a operar – sem descontinuidade – com o sócio remanescente e os herdeiros do sócio falecido, interdito ou incapaz.

Parágrafo Único - Ocorrendo o falecimento de sócio, seus herdeiros o substituirão na sociedade em conformidade com o que estiver estabelecido no testamento ou, na falta deste, com o que for determinado na partilha de bens. Antes da leitura do testamento ou da sentença de partilha os herdeiros serão representados na sociedade pelo inventariante ou por quem vier a ser determinado judicialmente.

Cláusula 13ª - As normas previstas neste Capítulo 7 aplicam-se igualmente aos casos de separação judicial ou divórcio de sócio, equiparando-se aos herdeiros, o cônjuge do sócio que venha eventualmente a receber quotas sociais na partilha de bens.

CAPÍTULO 08 - DA EXCLUSÃO DE SÓCIO

Cláusula 14ª - É reconhecido aos sócios que representem a maioria do capital social, o direito de promoverem, mediante simples alteração contratual, a exclusão de sócio.

Parágrafo Único - Os haveres do sócio excluído serão apurados de acordo com o disposto neste contrato, no Capítulo VI.

CAPÍTULO 09 - DO EXERCÍCIO SOCIAL E CONTAS DF

Cláusula 15ª - O exercício social terá início em 1º de Janeiro, encerrando-se em 31 de Dezembro de cada ano. Ao final de cada exercício social será efetuado um balanço geral e o levantamento da conta de lucros e perdas.

Parágrafo 1º - A critério dos sócios, a sociedade poderá levantar – para fins contábeis ou para eventual distribuição de lucros – balanços extraordinários.

Parágrafo 2º - Por deliberação de sócios representando a maioria do capital social, os lucros apurados poderão ser distribuídos na proporção das participações sociais, ou retidos, total ou parcialmente, em conta de lucros em suspenso ou reservas ou ainda capitalizados.

CAPÍTULO 10 - OUTROS

Cláusula 16ª - A sociedade entrará em liquidação, caso ocorra qualquer das hipóteses previstas em Lei, ou por decisão dos sócios quotistas que detiverem a maioria do Capital Social, os quais deverão indicar o liquidante para atuar nesse período.

Cláusula 17ª - Aos casos omissos aplicar-se-ão as disposições do Decreto nº 3.708, de 10 de Janeiro de 1919, e, subsidiariamente, da Lei nº 6.404 de 15 de Dezembro de 1976, bem como outras normas legais que lhe forem pertinentes.

Cláusula 18ª - Os sócios elegem o foro desta Capital do Estado de São Paulo, para dirimir as questões decorrentes deste Contrato.

E assim, justas e contratadas, as partes firmam o presente instrumento em três vias de igual teor, forma e data, na presença de duas testemunhas, que também assinam.

São Paulo, 15 de Fevereiro de 1998.

Ronaldo de Souza

Vera Regina Freire de Souza

Testemunhas:

Ilda Dias Batista
010.384.288-82

Visto

Claudio S. Thompson - Flôres
224.784.341-72

Mario Luis Duarte, Adv
OAB/SP 77.863
Rua Brigadeiro Tobias, 118 - 5.º And Cj. 522
Tels: 229-4928 / 229-6780 / 228-5938
01032-000 - São Paulo - Brasil

Confira a documentação sobre
a Antares e a *offshore*
Antar Venture, *empresas-camaleão*
ligadas a Ronaldo de Souza
e Ricardo Sérgio

FLS. 000489
SECLA – NUCJU

DOC. N.º 28

DOCUMENTOS SOBRE A EMPRESA ANTARES E A OFF SHORE ANTAR VENTURE, LIGADAS A RONALDO DE SOUZA E RICARDO SÉRGIO.

JUNTA COMERCIAL DO ESTADO DE SAO PAULO
FICHA CADASTRAL

JF - DF

OS DADOS DESTA PRIMEIRA PAGINA CONSTANTES DOS QUADROS
CAPITAL - ENDERECO - OBJETO E TITULAR/SOCIO/DIRETORIA
REFEREM-SE A SITUACAO DA EMPRESA NO MOMENTO DE SUA
CONSTITUICAO OU AO SEU PRIMEIRO REGISTRO CADASTRADO
NO SISTEMA INFORMATIZADO

FLS. 000490
SECLA - NUCJU

EMPRESA

ANTARES PARTICIPACOES LTDA

TIPO : LIMITADA

NIRE MATRIZ	DATA DA CONSTITUICAO	EMISSAO
35215323717	09/09/1998	12/04/2002 15:25

INICIO DE ATIV.	C.N.P.J.	INSCRICAO ESTADUAL
01/09/1998	02.721.032 0001-01	

CAPITAL

2.000.000,00 (DOIS MILHOES DE REAIS.**************************)

ENDERECO

LOGR.: AL. SANTOS | NUMERO: 2441
COMPLEMENTO: 11 A. CJ.112 | BAIRRO: CERQUEIRA CESAR
MUNICIPIO: SAO PAULO | CEP: NAO INF. UF: SP

OBJETO

INCORPORACAO E COMPRA E VENDA DE IMOVEIS
ADMINISTRACAO DE IMOVEIS POR CONTA DE TERCEIROS
ALUGUEL DE IMOVEIS

TITULAR/SOCIOS/DIRETORIA

RONALDO DE SOUZA, NAC. BRASILEIRA, CPF 384.078.417-49, RG/RNE 2412788, RJ, RESIDENTE A RUA PE. JOAO MANUEL. 654, 1 ANDAR, SAO PAULO, SP, CEP NAO INF., OCUPANDO O CARGO DE SOCIO GERENTE, ASSINANDO PELA EMPRESA, COM VALOR DE PARTICIPACAO NA SOCIEDADE DE $ 20.000,00.

VERA REGINA FREIRE DE SOUZA, NAC. BRASILEIRA, CPF 344.727.117-53, RG/RNE 2589794, RJ, RESIDENTE A RUA PE. JOAO MANUEL, 654, 1 ANDAR, SAO PAULO, SP, CEP NAO INF.. NA SITUACAO DE SOCIO. ASSINANDO PELA EMPRESA, COM VALOR DE PARTICIPACAO NA SOCIEDADE DE $ 1.980.000,00.

ARQUIVAMENTOS

NUM.DOC	SESSAO	ASSUNTO
183.355/99-4	15/12/1999	CAPITAL DA SEDE ALTERADO PARA $ 5.000.000,00 (CINCO MILHOES DE REAIS.).

PAG 01

18. 1. 2003

05/2003

CÓPIA EXTRAÍDA NO
TRIBUNAL DE JUSTIÇA DE SÃO PAULO

Documento da Junta Comercial de São Paulo mostra que Ricardo Sérgio usou uma *offshore* do Caribe, a Antar Venture, para injetar US$ 4,9 milhões na empresa Antares, aberta em nome do seu cúmplice Ronaldo de Souza, no Brasil.

JUNTA COMERCIAL DO ESTADO DE SAO PAULO
FICHA CADASTRAL

ARQUIVAMENTOS — JF - DF

NUM.DOC	SESSAO	ASSUNTO
		REDISTRIBUICAO DAS COTAS DE RONALDO DE SOUZA, NAC. BRASILEIRA, CPF 384.078.417-49, RG/RNE 2412788, RJ, RESIDENTE A RUA PE. JOAO MANUEL, 654, 1 ANDAR, CERQUEIRA CESAR, SAO PAULO, SP, CEP 01411-000, OCUPANDO O CARGO DE SOCIO GERENTE E COMO PROCURADOR DE ANTAR VENTURE INVESTMENTS LTD., ASSINANDO PELA EMPRESA, COM VALOR DE PARTICIPACAO NA SOCIEDADE DE $ 50.000,00.
		RETIRA-SE VERA REGINA FREIRE DE SOUZA, NAC. BRASILEIRA, CPF 344.727.117-53, RG/RNE 2589794, RJ, RESIDENTE A RUA PE. JOAO MANUEL, 654, 1 ANDAR, CERQUEIRA CESAR, SAO PAULO, SP, CEP 01411-000, NA SITUACAO DE SOCIO, ASSINANDO PELA EMPRESA, COM VALOR DE PARTICIPACAO NA SOCIEDADE DE $ 1.980.000,00.
		ADMITIDO ANTAR VENTURE INVESIMENTS LTD., DOC. 00000000001, NA SITUACAO DE SOCIO, COM VALOR DE PARTICIPACAO NA SOCIEDADE DE $ 4.950.000,00, (ENDERECO: COM SEDE EM: PASEA ESTATE. ROAD TOWN, TORTOLA, NAS ILHAS VIRGENS BRITANICAS.).
		CONSOLIDACAO CONTRATUAL.

AS INFORMACOES NIRE: 35215323717 PAG.0

RÔCIO

FLS. 000491

Método tucano, internação de dinheiro sem procedência vindo do Caribe, por meio da compra de cotas de empresas brasileiras, realizada por *offshores* de paraísos fiscais.

CERTIDÃO

São Paulo
Comarca - São Paulo

LIVRO 25
PÁGINA 2

(MAMD-ANTARES.PRO)

FLS 000492

1/3

PROCURAÇÃO BASTANTE QUE FAZ:
ANTARES PARTICIPAÇÕES LTDA.

SECIA - NUCJU

CERT. 01

S A I B A M, quantos este público instrumento de procuração bastante virem, que aos 09 (NOVE) dias do mês de AGOSTO do ano de dois mil e um (2.001), nesta Cidade e Capital do Estado de São Paulo, República Federativa do Brasil, no Cartório do 16° Tabelião de Notas, perante mim Escrevente, compareceu como **OUTORGANTE**: **ANTARES PARTICIPAÇÕES LTDA**, sociedade regular com sede nesta Capital, na Alameda Santos n° 2.441 – 11° andar, conjunto 112, inscrita no CNPJ sob n° 02.721.032/0001-01, com seu Contrato Social consolidado datado de 08/11/99, registrado na Junta Comercial do Estado de São Paulo – JUCESP, sob n° 183.355/99-4, em sessão de 15/12/99, instrumentos esses que ficam arquivados nestas notas, na pasta n° 312, folhas 135/141, **representada neste ato, conforme preceitua a cláusula 6° do aludido Contrato** Social, por seu sócio, **RONALDO DE SOUZA**, brasileiro, casado, engenheiro, portador da cédula de identidade R.G n°. 2.412.788-SSP/RJ, inscrito no C.P.F. sob n°. 384.078.417-49, residente e domiciliado nesta Capital, com escritório na sede da empresa. O presente reconhecido como sendo o próprio de que trato, à vista dos documentos acima mencionados e ora exibidos nos originais, do que dou fé. Então, pela **OUTORGANTE**, na forma representada, me foi dito, que por este público instrumento e na melhor forma de direito, nomeia e constitui seu bastante **procurador: RICARDO SÉRGIO DE OLIVEIRA**, brasileiro, casado, economista, portador da cédula de identidade RG n° 3.133.330 SSP/SP, inscrito no CPF sob n° 385.669.408-60, residente e domiciliado nesta Capital, na Alameda Santos n° 2.441, 11° andar – conj. 111; ao qual confere os mais amplos, gerais e ilimitados poderes para gerir e administrar todos os negócios e interesses da **OUTORGANTE**, em Juízo ou fora dele, e em geral em suas relações com terceiros, podendo para tanto representá-la perante quaisquer repartições públicas federais, estaduais, municipais e suas autarquias, especialmente a Secretaria da Receita Federal, Ministério da Fazenda, Secretaria da Fazenda do Estado de São Paulo, Tabeliães de Notas, Registros de Imóveis, Prefeituras Municipais, Ministérios, junto às áreas específicas do Imposto de Renda, podendo assinar DIRF - Declaração de Informações da Receita Federal, Dívida Ativa da União - Pessoa Jurídica, GIA - Guia de Informação e Apuração, ICM - Imposto de Circulação de Mercadorias, PIS - Programa de Integração Social, FGTS - Fundo de Garantia por Tempo de Serviço, Livro de Registro de Faturas, das referidas entidades e órgãos públicos, junto ao INSS - Instituto Nacional do Seguro Social, JUCESP - Junta Comercial do Estado de São Paulo, DETRAN, DER, DNER, DERSA, DSV, ELETROPAULO, SABESP, TELESP, COMGÁS e outros órgãos do gênero, mesmo em outros Estados da Federação; requerer certidões, averbações, cancelamentos, desmembramentos, unificações, registros, prestar declarações; fazer, assinar e apresentar plantas, croquis, memoriais

18. 1. 2008

Procuração que Ronaldo de Souza passou para Ricardo Sérgio administrar empresa no Brasil que recebeu capital do Caribe.

de incorporação e especificação de condomínio; assinar, alterar, rescindir, retificar e ratificar contratos particulares e documentos de qualquer natureza, inclusive de constituição de sociedades; aceitar preços, prazos, juros, multas, modo de pagamento, foro, cláusulas, condições, obrigações; receber quaisquer quantias devida a outorgante, por qualquer título ou documento, inclusive aluguéis, prestações, juros, dividendos, princípio de pagamento, sinal de preços, valores, quantias mutuadas e outras, reclamando daquelas cobradas indevidamente, passando recibos e dando quitações; recolher custas, taxas e emolumentos; assinar todo e qualquer documento de natureza fiscal e trabalhista; contratar e demitir funcionários; estipular salários, remunerações, gratificações, férias; representar perante Juntas de Conciliação e Julgamento da Justiça Trabalhista; vender, prometer vender, comprar, prometer comprar, ceder, prometer ceder, hipotecar, permutar, transferir, lotear, dividir, demarcar, dar em pagamento ou por qualquer outra forma, alienar ou onerar bens móveis, imóveis, direitos, ações, veículos, semoventes, créditos, títulos e outros; bem como alugar ou arrendar quaisquer móveis ou imóveis, descrevendo-os e caracterizando-os, dando medidas e confrontações; aceitar, outorgar e assinar escrituras públicas; transmitir e receber posse, domínio, direito e ação, responsabilizá-la pela evicção legal; prestar declarações de estilo; retificar e ratificar instrumentos particulares ou escrituras públicas de quaisquer natureza; dar ou contrair empréstimos e financiamentos; confessar dívidas; apresentar ou recusar fiadores; prestar fianças e avais; pedir, comprar, pagar, devolver e estocar mercadorias de toda natureza; revogar mandatos; representar perante Bancos em geral, inclusive Banco do Brasil S.A., Banco Central do Brasil, Banco Nacional de Desenvolvimento Econômico e Social - BNDES, Banco do Estado de São Paulo S.A., Caixa Econômica Federal e Estaduais, Nossa Caixa Nosso Banco S.A., Carteira do Comércio Exterior - CACEX ou em qualquer outra instituição financeira; podendo abrir, movimentar, transferir e encerrar contas-correntes, de poupança e especiais; depositar e retirar dinheiro, valores, objetos, emitir, endossar, sacar e assinar cheques; verificar saldos e extratos de contas; autorizar pagamentos, inclusive por meio de cartas; emitir, sacar, aceitar, endossar, caucionar, descontar, avaliar, reformar, protestar cheques, duplicatas, letras de câmbio, notas promissórias e quaisquer outros títulos de crédito, com os respectivos avisos, instruções, prorrogações de prazos, abatimentos, baixas; assinar contratos bancários e quaisquer papéis necessários, inclusive contratos de fiança bancária; pleitear financiamentos para execução de seus projetos de incorporação; representar perante quaisquer sociedades das quais ela outorgante faça ou venha a fazer parte, deliberar sobre quaisquer assuntos, assinar alteração, transformação, cisão, fusão, dissolução e rescisão de quaisquer contratos sociais; assinar alterações contratuais de empresas, pela maioria dos quotistas; assinar livros, atas e demais papéis e documentos de competência deles outorgantes; comprar e vender ações nominativas de empresas particulares ou oficiais; subscrever aumento de Capital, receber bonificações, dividendos; retirar cautelas; votar em assembléias de credores; aceitar ou não propostas de

LIVRO
PÁGINA
3/3

concordatas, assim como requerer falências e aceitar a função de síndico; receber restituição do Imposto de Renda e os rendimentos decorrentes de quaisquer aplicações, assinando todo e qualquer documento necessário; representar perante qualquer órgão arrecadador ou fiscalizador do imposto de renda; fazer sua declaração, declarar bens, dívidas e créditos, assim como pagamentos feitos e recebidos; juntar e retirar documentos, prestar declarações, fazer declarações complementares se necessário for, junto a terceiros, particulares ou liberal, companhias seguradoras, transportadoras e outras; constituir advogados com os poderes da cláusula "AD-JUDICIA", para o foro em geral, em qualquer juízo, Instância ou Tribunal, para propor ações contra quem de direito e defender os interesses da outorgante nas contrárias, seguindo umas e outras, até final decisão, usando dos recursos legais, podendo receber citações, ter vistas de processos, prestar declarações, alegar, discordar, transigir, fazer acordos, recorrer, desistir, pagar e receber quantias, receber e dar quitações; representar perante a ECT - Empresa Brasileira de Correios e Telégrafos, receber vales postais e "coliis posteaux", fazer remessa de dinheiro ao exterior; pedir o desembaraço de mercadorias nas alfândegas e assinar despachos e demais documentos aduaneiros; abrir, responder e despachar malotes e correspondências; enfim, praticar todos os demais atos necessários ao bom e fiel cumprimento do presente mandato, o qual é **VALIDO ATÉ O DIA 31 (TRINTA E UM) DE JULHO DE 2.002 (DOIS MIL E DOIS), SENDO VEDADO O SEU SUBSTABELECIMENTO.** De como assim o disse, dou fé, pediu-me e lhe lavrei este instrumento que, feito e lido em voz alta e clara, foi em tudo achado conforme, aceitou, outorgou e assina. (Custas e Emolumentos - Ao Tabelião R$21,60; Estado R$5,83; Ao Registro Civil- R$1,08- Ao Ipesp. R$4,32; A Apamagis. R$0,21; Total R$33,04) Eu, Vitória Bueno Castilho, escrevente, a lavrei. Eu, Lauro Tadeu Correa Falchi, Substituto do Tabelião, a subscrevo.

RONALDO DE SOUZA

LAURO TADEU CORREA FALCHI
SUBSTITUTO DO TABELIÃO

RECOLH.: 10, 08, 01
AUTENT.: 325/326
GUIA. 149 BCO: 0386

ROBERTO JOAQUIM DE OLIVEIRA
TRADUTOR PÚBLICO JURAMENTADO
e INTÉRPRETE COMERCIAL
INGLÊS - ESPANHOL - FRANCÊS - ITALIANO - ROMENO
Matr. JUCEB FLS. 38/38 - Vº
TRADUÇÃO OFICIAL
Rua Augusto F. Schmidt, 156 - 10º And. - Apto. 1002 - Bloco "B"
Ed. "Gov. Luis Viana Filho" - Chame-Chame - CEP: 40140-530 - Salvador - BA

TRADUÇÃO Nº I-16123/98 LIVRO Nº 123 FOLHAS Nº 1

Eu, abaixo assinado, ROBERTO JOAQUIM DE OLIVEIRA, Tradutor Público Juramentado e Intérprete Comercial, certifico que a tradução fiel de um documento, em idioma Inglês para o vernáculo, que me foi apresentado, é do seguinte teor:

PROCURAÇÃO
emitida pela
ANTAR VENTURE INVESTMENTS, LTD.
("a Sociedade")
Uma Sociedade "IBC" das Ilhas Virgens Britânicas ("BVI")

Eu, abaixo-assinado, devidamente autorizado pelo Conselho de Administração da Sociedade, conforme declarado na Ata em apenso, pelo presente, nomeio e constituo o **Sr. Ronaldo de Souza, brasileiro, engenheiro, casado, residente e domiciliado na Alameda Santos 2441, conjunto 112, São Paulo, SP, Brasil 01419-002, portador da Carteira de Identidade Brasileira sob o RG número 2.412.788 SSP/RJ** com Plenos Direitos Signatários Individuais em nome da Sociedade conforme o que segue:

ser nosso legítimo e bastante Procurador e Agente, com plenos poderes tão completos quanto exigidos por lei para adquirir, alienar, transferir, vender, arrendar, penhorar, hipotecar, onerar ou dispor de qualquer forma ou modo, as propriedades móveis ou imóveis, materiais ou imateriais da Sociedade; aceitar, endossar, cobrar, depositar e transferir cheques, notas promissórias e outros instrumentos negociáveis em seu nome; abrir e encerrar quaisquer tipos de contas bancárias; sacar de contas e depósitos bancários da Sociedade, sejam contas bancárias, depósitos a prazo, ou contra saque a descoberto ou quaisquer outros tipos de depósitos. Emitir notas promissórias, assinar letras de câmbio na qualidade de sacador, aceitante, endossante ou fiador; aceitar obrigações, sejam de natureza comercial ou civil; representar a Sociedade em assuntos de disposição e administração, bem como em todos os assuntos de gerenciamento e situações nas quais a Sociedade tenha interesse, outrossim, de modo geral, em sociedades ou *joint ventures*; adquirir ação ou ações de qualquer natureza em outras sociedades; tomar parte em assembléias ou reuniões a fim de realizar quaisquer tipos de acordos, incluindo contratos de constituição, transformação, aumento de capital e dissolução de sociedades; tornar-se o representante legal da Sociedade na qualidade de autor, réu, terceiro ou de qualquer outra forma, seja judicial, administrativa, relativa ao trabalho ou de qualquer outra natureza; substabelecer a presente procuração, no todo ou em parte, e revogar os referidos substabelecimentos; assinar documentos nos quais a Sociedade

10EZ99 2874971

CÓPIA EXTRAÍDA NO
TRIBUNAL DE JUSTIÇA DE SÃO PAULO

Operação casada: Ronaldo de Souza administra ao mesmo tempo a Antar Venture, nas Ilhas Virgens, e a Antares, no Brasil.

CPMI do BANESTADO

DOCUMENTO CONFIDENCIAL

Brasília, 11 de novembro de 2004.

Senhor Presidente,

A investigação desta CPMI é muito ampla e encontra-se ainda em curso. Adicionalmente, esta Comissão permanece há longo período sem que deliberações sejam tomadas. Diante dessas circunstâncias, o relato a seguir possui como base todas as informações de que esta Relatoria dispõe até o presente.

Desnecessário, porém, prudente, destacar o **caráter confidencial** das informações aqui descritas.

Esta CPMI recebeu, logo no seu início, documentação contendo rastreamento de CPF's elaborado pela Receita Federal, que se refere a **Ricardo Sérgio de Oliveira** e **Ronaldo de Souza**. Tal documento, arquivado sob número 13, na caixa 6(seis), mantido no cofre dessa comissão, traz como assunto mais substancial a aquisição, por parte de Ricardo Sérgio de Oliveira e Ronaldo de Souza, de prédio pertencente à Petros (fundo de pensão dos funcionários da Petrobrás).

Com base nessa informação, a CPMI procedeu a consulta às bases de dados disponíveis e constatou a presença de movimentação financeira. Porém, antes de registrar os montantes, faz-se necessário um breve resumo sobre as associações entre as pessoas de **Ricardo Sérgio e Ronaldo de Souza**.

No documento citado anteriormente, verifica-se que **Ricardo Sérgio de Oliveira**, juntamente com sua esposa, **Elizabeth Salgueiro de Oliveira**, constavam como sócios da **Planefin** (Planefin – Serviços, Assessoria, Planejamento, Administração e Participações S/C Ltda.). A **Planefin**, por sua vez, em 6 de julho de 1999, constitui como bastante procuradores **Ronaldo de Souza** e **Vera Regina Freire de Souza**, sua esposa, para gerir e administrar quota parte de determinados imóveis. **Ricardo Sérgio** e **Elizabeth Salgueiro de Oliveira** assinam o documento.

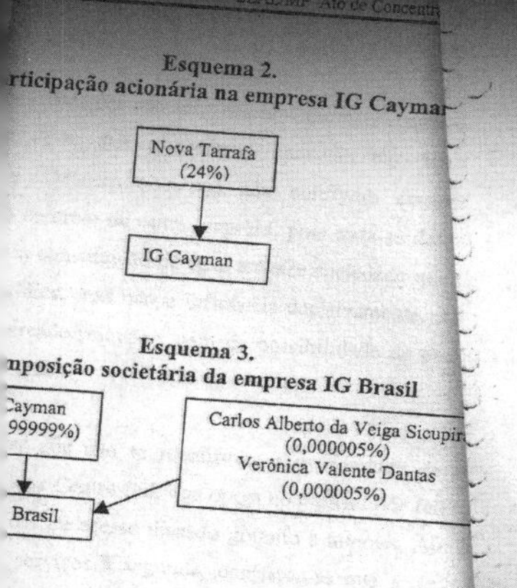

7.

EX-CAIXA DO PSDB RECEBE MAIS US$ 1,2 MILHÃO

E os extratos não mentem:
quem deposita é o primo de Serra!
Jorra ainda mais dinheiro para Ricardo Sérgio
Desta vez, de "clientes ocultos"
O promotor que não acredita em pizza

No final de fevereiro de 2003, logo após a revelação do caso Banestado na *IstoÉ*, presenciei a execução de uma "operação limpeza" em Nova York, obra de doleiros do Panamá. Eles tentavam apagar pistas no sétimo andar de um pequeno escritório que administrava investimentos ao lado do conglomerado Citibank, no coração de Manhattan. Temendo uma ação da polícia e da promotoria distrital de Manhattan, os funcionários se apressavam em dar sumiço em computadores e documentos comprometedores. Era o fim de quase 20 anos de atividade da lavanderia.

Ali, disfarçada de administradora de contas de investimentos, a Beacon Hill operava com apenas 12 funcionários. Mas era o maior centro de lavagem de dinheiro da América Latina. Sob o comando do doleiro panamenho Anibal Contreras, a Beacon Hill montara no escritório de Manhattan uma espécie de consórcio de doleiros de toda a América Latina e até do Oriente Médio, especializado na abertura de *offshores* em paraísos fiscais e das chamadas contas-ônibus ou de passagem — abertas com o único objetivo de levar e trazer dinheiro sem procedência justificada no exterior.

É preciso dizer que o nome Beacon Hill originalmente nada tem a ver com a crônica do crime financeiro. É uma cidadezinha histórica nas vizinhanças de Boston, no estado norte-americano de Massachussetts, há séculos identificada com um estilo raro e sofisticado de viver que seduziu celebridades como a atriz Uma Thurman, o senador Ted Kennedy e a poeta Sylvia Plath. Beacon Hill torna-se sinônimo de movimentação financeira de dinheiro mal havido por conta da Beacon Hill Service Corporation (BHSC), o escritório dedicado a deletar o passado espúrio do dinheiro ali depositado. Movimentava uma conta de passagem com mesmo nome no extinto Chase Manhattan Bank (atual JP Morgan), que se encarregava de administrar inúmeras subcontas cujos titulares não apareciam, ocultos em nomes falsos ou *offshores* abertas em paraísos fiscais ou empresas de fachada.

Apesar da pressa e do empenho dos empregados da Beacon Hill, a destruição de pistas não surtiu o efeito desejado. No Brasil, um arsenal de documentos, já enviados pela Promotoria Distrital de Nova York, deu o respaldo necessário para que uma força-tarefa composta pela Polícia, Receita e Ministério Público, todos federais, desencadeasse em agosto de 2004 a operação Farol da Colina. A empreitada resultou na prisão de 63 doleiros em oito estados do país. A operação, que envolveu 800 policiais, é uma alusão ao nome da lavanderia nova-iorquina. Os doleiros e os correntistas que atuavam na Beacon Hill também foram denunciados pela promotoria distrital de Nova York e condenados pela Justiça americana por lavagem de dinheiro e evasão de divisas.

Sete anos passados da operação, o relatório inédito da CPMI do Banestado, entregue à 23ª. Vara Cível da Justiça de São Paulo, no processo de danos morais movido por Ricardo Sérgio de Oliveira contra o autor e a revista *IstoÉ*, traz consigo algumas revelações. Entre elas, a evidência de que o empresário Gregório Marin Preciado, ex-sócio e primo de José Serra, era cliente do escritório da Beacon

Hill. Mais do que isso: ali, Preciado efetuou pagamentos ao ex-tesoureiro de Serra e de FHC.

O relatório da CPMI descortina uma situação interessante: no período de 1998 a 2002, o primo de Serra depositou US$ 2,5 milhões por meio da Beacon Hill na conta da empresa Franton Interprise, aquela mesma operada por Ricardo Sérgio, em Nova York. É o que consta dos extratos oficiais da Beacon Hill, obtidos pela CPMI.

A papelada evidencia ainda que o ex-caixa de campanha do PSDB valeu-se mais de uma vez da *offshore* uruguaia Rigler, operada pelos doleiros Gabriel Levy e Clark Setton — ligados ao também doleiro Dario Messer — para receber a grana no exterior. Descobriu-se também que, além da Beacon Hill, Preciado usou a lavanderia do MTB Bank para enviar dinheiro para Ricardo Sérgio no exterior. Por meio da subconta Kundo, operada por Messer, no período de março de 1998 a maio de 2005, o ex-diretor da área internacional do Banco do Brasil no período FHC recebeu cinco repasses que totalizaram US$ 345.955,00.

Casado com a prima de Serra, Vicência Talán Marín, Preciado foi também sócio do ex-candidato tucano à Presidência da República em um terreno na capital paulista. Curiosamente, a Franton, acima citada, é a mesma empresa que recebeu os US$ 410 mil da Infinity Trading, do empresário Carlos Jereissati, do grupo La Fonte e principal nome do consórcio Telemar, que arrematou a Tele Norte Leste durante o período das privatizações. Vale lembrar que a Franton também foi beneficiada com depósitos da Consultatum Corp, *offshore* aberta por Ricardo Sérgio e seu sócio Ronaldo de Souza nas Ilhas Virgens Britânicas.

Impressiona também que Preciado tenha favorecido o ex-caixa de seu parente com soma tão vultosa. Ocorre que, enquanto Preciado fazia inchar o saldo das contas de Ricardo Sérgio, suas próprias empresas viviam em dificuldades, com vários títulos protestados na praça. Além disso, o primo de Serra estava inscrito na relação de grandes devedores do Banco do Brasil. Como se verá adiante, Ricardo Sérgio ajudaria Preciado a abater porção substancial de sua dívida com o BB e na compra de três estatais do setor elétrico. Articulador das privatizações, Ricardo Sérgio direcionou recursos do banco estatal e do seu fundo da previdência (Previ) para proporcionar o début do primo de Serra na farra da desestatização por meio do consórcio Guaraniana. É uma façanha que mais à frente será detalhadamente retratada.

A documentação agora revelada radiografa uma estupenda movimentação bancária nos Estados Unidos pelo primo supostamente arruinado do ex-governador paulista. Os comprovantes da Beacon Hill especificam o fluxo da dinheirama. São sete lançamentos identificados. As quantias com que Preciado favorece a Franton oscilam de US$ 17 mil em 3 de outubro de 2001, até US$ 375 mil no dia 10 de outubro de 2002. Os lançamentos presentes na base de dados da Beacon Hill referem-se a três anos. E indicam que o primo de Serra lidou com polpudas somas em dois anos eleitorais — 1998 e 2002 — e outro pré-eleitoral — 2001. Seu período mais prolífico foi 2002 quando o primo disputou a Presidência contra Luiz Inácio Lula da Silva. Foram cinco lançamentos superando o montante de US$ 1,1 milhão.

Seu recorde, porém, ocorreu em 25 de setembro de 2001, quando depositou em favor da Franton — por intermédio de uma subconta da *offshore* Rigler, aberta pela Beacon Hill no Chase Manhattan Bank — o montante de US$ 404 mil. Aberta no Uruguai, a Rigler era controlada por uma rede de doleiros comandada por Dario Messer, figurinha fácil desse universo de transações subterrâneas. Durante a operação Sexta-Feira 13, desencadeada pela PF, Messer aparece como autor do ilusionismo financeiro que movimentou no exterior cerca de US$ 20 milhões oriundos de fraudes praticadas por três empresários em licitações do Ministério da Saúde.

Conforme os documentos, a exemplo do que ocorria no MTB, Ricardo Sérgio recebia os recursos de Preciado por intermédio das operações a cabo. O empresário espanhol depositava a grana na subconta da Rigler, aberta pelos doleiros de Messer no JP Morgan Chase, que se encarregava de entregar toda a bolada no escritório da Franton. Mais audacioso, Preciado inovou nessas operações de repasse de recurso. Em vez de entregar toda a bolada em espécie aos doleiros, o primo de Serra solicitava que uma casa de câmbio espanhola — a Caja de Ahorros Y Pensiones, de Barcelona — depositasse os valores por meio da rede telemática (a internet dos bancos) na conta da Rigler, em Nova York. Em seguida, os doleiros transferiam idêntico montante para a conta da Franton no Citibank, em Nova York.

Além da "Caja de Ahorros", Preciado lançou mão de uma conta no banco suíço UBS, de Zurique — casualmente o mesmo usado na lavagem do dinheiro da Máfia dos Fiscais do Rio de Janeiro — para enviar os recursos ao exterior. Ao contrário das operações do MTB Bank, armazenadas em mídias eletrônicas, as transações da Beacon Hill estão detalhadas em farta documentação em papel, apreendida pela promotoria distrital nova-iorquina.

No jargão dos especialistas em rastrear dinheiro sujo, a Beacon Hill movimentava uma conta de "segunda camada", que era alimentada por contas abertas por doleiros, em nome de *offshores*, na agência do Banestado, em Nova York. As investigações apontam que a megalavanderia do banco estatal paranaense transferiu a bolada de US$ 24 bilhões para a conta Beacon Hill. Ao pousar nas contas do escritório, a grana era distribuída pelas subcontas. Por meio das operações a cabo, as subcontas se encarregavam de trazer para o país ou remeter aos paraísos fiscais toda a bolada que anteriormente havia seguido para o Banestado de Nova York.

Mas por que o dinheiro devia fazer uma escala nos Estados Unidos antes de seguir caminho para os paraísos fiscais? Simplesmente porque, segundo a legislação internacional que rege as casas de custódias, toda operação financeira em dólar entre dois países distintos deve transitar pelos EUA (país da moeda-padrão) antes de seguir viagem. Isso explica porque mesmo as *offshores* abertas no Uruguai ou no Caribe centralizam suas operações financeiras em bancos norte-americanos. Essa é também a razão fundamental para os doleiros terem criado as lavanderias do Banestado, do MTB Bank e da Beacon Hill.

Esmiuçados pelas autoridades policiais e fazendárias brasileiras, os papéis repassados ao Brasil pela promotoria distrital de Nova York apontam que Ricardo Sérgio e Preciado não foram os únicos privatas do Caribe a recorrer à Beacon Hill para remeter e movimentar recursos no exterior.

As investigações detectaram que as contas da Beacon Hill eram utilizadas por praticamente todos os correntistas do Opportunity Fund e por sócios e laranjas de outras empresas do grupo de Daniel Dantas para carrear recursos ao exterior. Mostram que os correntistas do Opportunity enviavam os valores inicialmente para as contas de doleiros do Banestado por meio das contas CC-5 (domiciliados estrangeiros) de laranjas na fronteira do Brasil com o Paraguai. Do Banestado, toda grana circulava pela Beacon Hill até seguir ao destino final: a conta do Opportunity Fund no Midland Bank, nas Ilhas Cayman, ou outros fundos, estes nos Estados Unidos. Apenas em um ano — 1997 — US$ 1,7 milhão do fundo do banqueiro Daniel Dantas trafegou por esse duto de dinheiro sujo. Na família, a irmã e sócia do banqueiro, Verônica Dantas, não demorou a ganhar destaque de cliente especial no escritório de lavagem de dinheiro. Ex-sócia da filha de José Serra, Verônica, em uma empresa em Miami — como também será detalhado mais adiante — Verônica Dantas, além do Opportunity Fund teria movimentado recursos de outras 150 empresas do grupo Opportunity por meio da mesma lavanderia.

Os papéis recolhidos pela Polícia Federal durante a Operação Satiagraha comprovam que o banqueiro Daniel Dantas usou também a Beacon Hill para internar dinheiro em operações na Bolsa de Valores de São Paulo (Ibovespa) nos mesmos moldes de Ricardo Sérgio. Ou seja, em operações casadas em que as empresas dos agentes aparecem nos dois lados do negócio: como compradores e como vendedores.

De acordo com a papelada, a dinheirama do fundo de Daniel Dantas era transportada inicialmente das contas das Ilhas Cayman para outras de vários fundos administrados pelo banco suíço UBS no estado de Delaware — principal paraíso fiscal no território continental dos Estados Unidos. Aproveitando-se do interesse da administração FHC em atrair capital externo, o dinheiro era resgatado a título de investimento por um fundo ligado ao Opportunity. Numa operação concebida nos mesmos moldes da Calfat (a empresa falimentar de Ricardo Sérgio, que trouxe também US$ 3 milhões do Caribe), esse fundo passava a comprar debêntures (títulos mobiliários destinados à atração de recursos do exterior) da Santos Brasil, empresa que pertence ao próprio grupo Opportunity. Vale lembrar que a Santos Brasil funciona dentro de um complexo de contêineres no porto de Santos. Foi arrematada por Dantas em 2002, durante o governo FHC. A operação mostra, que a exemplo do ex-tesoureiro de campanha do PSDB, o banqueiro se tornou um craque em internar dinheiro de origem suspeita e escondido no estrangeiro. Traduzindo o economês, pode-se dizer que, seja na simulação de compra de quotas de empresas brasileiras por *offshores* do Caribe ou em operações casadas na Bolsa de Valores de São Paulo, o banqueiro e o caixa de campanha do PSDB produziram a mágica de, na mesma operação financeira, bater o escanteio e, ao mesmo tempo, cabecear na área.

Os privatas do Caribe podem ser os desbravadores da Beacon Hill, mas não foram os únicos políticos e empresários a usar a megalavanderia para esconder haveres mal havidos. Expostas, as vísceras da Beacon Hill atestam que o megainvestidor Nagi Nahas, o ex-prefeito de São Paulo Celso Pitta, o ex-governador Paulo Maluf e até mesmo o publicitário Marcos Valério, o operador do Mensalão, eram clientes de carteirinha do escritório de lavagem de dinheiro. No período de 1999 a 2000, as empresas do publicitário então dono das agências DNA e SMP&B, de Belo Horizonte, fizeram transitar US$ 1.191.425,00 via Beacon Hill por meio de uma subconta London, operada no JP Morgan Bank pelo doleiro Haroldo Bicalho. A movimentação das agências, encarregadas de distribuir a mesada à base de apoio ao governo, foi abafada na CPMI do Banestado. Mas, ao vir à tona durante a CPI dos Correios, foi fundamental para que o Ministério Público Federal denunciasse o operador do Mensalão por evasão de divisas, sonegação fiscal e lavagem de dinheiro.

A saga de Marcos Valério, Preciado, Ricardo Sérgio e Dantas na Beacon Hill talvez permanecesse oculta para sempre não fosse a paixão confessa de Robert Morris Morgenthau — um herói da II Guerra Mundial — pelo Brasil. Quando assumiu, em 1975, o cargo vitalício de chefe da promotoria distrital de Nova York, antes de se tornar o principal caçador de dinheiro sujo no Caribe, ele já havia travado diversas batalhas por outros mares. Depois de passar uma longa temporada à caça de submarinos alemães, o comandante Morgenthau acabou afundando em 1943 com o destróier USS Lansdale, torpedeado pelo inimigo, o que o obrigou a ficar quatro horas dentro d'água. "Era um banho que não estava programado", contou ao jornalista Osmar de Freitas Jr.[28]

A admiração pelo Brasil foi construída no período de janeiro de 1942 a junho de 1943 quando Morghentau, a bordo do USS Winslow, recebeu a missão de patrulhar o litoral brasileiro. Baseado no Recife,

[28] Entrevista de Morgenthau a Osmar de Freitas Jr. em *IstoÉ*.

onde não demorou a se apaixonar pela cultura local, Morgenthau aprendeu a ler e falar português.

Os laços de familiaridade com o país e a amizade com o jornalista brasileiro Osmar de Freitas Jr. — as mulheres de ambos também são amigas — levaram Morgenthau a embarcar em uma nova batalha: investigar e destruir a megalavanderia que os doleiros haviam criado no Banestado, no MTB Bank e na Beacon Hill. Depois de várias tentativas fracassadas de obter documentos por meio do MLAT[29], um tratado de cooperação assinado entre o Brasil e os Estados Unidos, os peritos Renato Barbosa e Eurico Montenegro e o delegado da PF José Castilho, só tiveram acesso às principais contas de doleiros nos EUA ao serem apresentados ao promotor pelo jornalista brasileiro. De início, os policiais duvidaram que o jornalista pudesse ajudá-los na empreitada. Mas não demoraram a perceber que estavam errados. Morgenthau se prontificou a colaborar com os policiais federais nas investigações. Confesso que eu, que também não estava confiando muito no pedido de ajuda, fiquei impressionado com a velocidade com que o promotor conseguia quebrar o sigilo das contas. Os policiais federais pediam, por exemplo, a conta Campari na Beacon Hill e três dias depois Morgenthau e seu assistente Jonathan Wasburne apareciam com os dados e a movimentação.

Por sorte dos policiais federais, os promotores nova-iorquinos já estavam no encalço do MTB Bank, fechado por lavagem de dinheiro, e da Beacon Hill. Haviam descoberto que os clientes da Beacon Hill usavam cartões de crédito abertos em paraísos fiscais para ingressarem com o dinheiro ilegal no país. O alerta dos policiais federais levou a promotoria a intensificar as investigações contra o escritório.

---

[29] A sigla significa Mutual Legal Assistance Treaty. É um acordo firmado entre duas nações no intuito de intercambiar informações para aprimorar o cumprimento das leis penais.

Cinco meses depois de terem sido apresentados a Morgenthau, os policiais federais testemunharam o chefe da promotoria anunciar em entrevista coletiva o indiciamento de todos os principais operadores da Beacon Hill. Pelos cálculos de Morgenthau, somente em 2001, a Beacon Hill movimentou remessas no valor de US$ 3,2 bilhões. E este valor refere-se a apenas 40 contas que tiveram sigilo quebrado. O promotor não escondia que o ex-governador paulista Paulo Maluf havia se tornado um dos principais alvos da investigação nos EUA.

Morgenthau abriu imediatamente as portas da promotoria de Nova York ao promotor de São Paulo, Silvio Marques, e ao delegado da PF, Protógenes Queiroz, que comandaria, mais tarde, a operação Satiagraha. Que, aliás, resultou na prisão de Dantas, logo liberado, por meio de dois *habeas corpus* desfechados em sequência e com rapidez impressionante, pelo então presidente do Superior Tribunal Federal (STF), ministro Gilmar Mendes.

O promotor e o delegado investigavam Maluf por corrupção e evasão de divisas. Com a ajuda, eles constataram que Maluf usara a lavanderia do Banestado, do MTB Bank e da Beacon Hill e direcionara US$ 450 milhões para paraísos fiscais. Seriam valores desviados dos cofres da prefeitura de São Paulo que tomariam o rumo da Suíça, Jersey (Reino Unido) e outros édens financeiros na Europa. E mais: foi possível rastrear com precisão, centavo por centavo, US$ 11,6 milhões. Seria a propina embolsada por Maluf e paga pelo consórcio de empreiteiras que realizou, nos anos 1990, as obras da Avenida Águas Espraiadas (a atual Avenida Jornalista Roberto Marinho), na Zona Sul de São Paulo, durante a gestão malufista na prefeitura.

Todo o dinheiro seguiu inicialmente para as contas CC-5 (domiciliados estrangeiros) de laranjas no Paraguai. Após baldeação na conta de doleiros na agência do Banestado em Nova York, rumou para a conta da *ofsshore* uruguaia Lespan, no MTB Bank. De lá, encaminhou-se à conta London, administrada pelo doleiro

Vivaldo Alves, o Birigui, no banco Safra, encarregado de distribuir a outras três contas que pagavam as contas de cartão de crédito da família Maluf nos Estados Unidos.

A cooperação da promotoria de Nova York acabou sendo também decisiva para que as autoridades brasileiras flagrassem uma tentativa de internação de US$ 90 milhões dos cerca de US$ 300 milhões que Maluf conseguiu enviar por intermédio de doleiros do Banestado e do MTB Bank para duas contas na Suíça. Os papéis mostram que, desde a Suíça, o dinheiro seguiu em 1977 para o Deutsche Morgan Bank, de propriedade do Deustsch Bank, nas Ilhas Jersey, paraíso fiscal inglês próximo à costa da França. Nesse mesmo ano, essa renomada instituição financeira alemã, por meio de três fundos de investimentos, ajuda a internar parte da bolada ao comprar US$ 91 milhões de debêntures da Eucatex, uma empresa falimentar da família Maluf no Brasil. Ou seja, mais uma operação do mesmo formato daquelas operadas por Ricardo Sérgio e Daniel Dantas.

Os representantes do banco alemão no Brasil confirmaram a operação na Justiça brasileira. Só não conseguiram explicar qual o interesse que uma instituição bancária poderia ter em investir numa empresa falida.

Morgenthau acompanhou, em 2003 e 2004, o desfecho da CPMI do Banestado por meio de jornais e revistas do Brasil. Ao ler que a CPMI caminhava para acabar numa suculenta pizza, intrigou-se: "Eu gosto muito de pizza. O que pizza tem a ver com isso aí?", reagiu. Quando soube que a frase era uma expressão brasileira de cunho satírico, designando um encerramento amigável sem prejuízo para os suspeitos, Morgenthau disse que, pelo menos nos Estados Unidos, as averiguações não terminariam em pizza. Em 2008, a promotoria distrital de Nova York processou Maluf na justiça americana por evasão de divisas e por suposta conspiração "com o objetivo de roubar dinheiro de São Paulo"...

Em 2010, Morgenthau pediu sua aposentadoria após 35 anos no comando da promotoria de Nova York. Mas, antes de limpar as gavetas, teve o cuidado de colocar o nome de Maluf e de seu filho, Flávio Maluf, na lista vermelha de procurados pela Interpol. "Foi um ato irresponsável. Vou processar esse promotor", avisou Maluf.

Os amigos do velho promotor riram da ameaça. Para eles, Morgenthau é, acima de tudo, um sobrevivente. Durante a guerra, quando navegava no Mediterrâneo, Morgenthau viu o navio que estava ao lado do seu, o USS Paul Hamilton, explodir ao ser acertado pelo inimigo, o que resultou na morte dos 580 tripulantes. Em 1945, durante a batalha de Iwojima, no Japão, o comandante levou outro susto quando seu navio foi atingido por um avião camicaze. Por sorte, a bomba do avião não explodiu e Morgenthau pilota sua vida hoje aos 90 anos. Acham graça porque sabem que Maluf corre o risco de ser preso se tentar colocar seus pés nos Estados Unidos e em outros 180 países do mundo que têm acordo com a Interpol. Já com Daniel Dantas e Ricardo Sérgio a história é um pouco diferente.

Na documentação da CPI do Banestado, a comprovação de que 81% dos depósitos recebidos no exterior pela Franton Enterprises – do ex-caixa de campanha de José Serra, Ricardo Sérgio de Oliveira – foram feitos pelo primo político de Serra, Gregório Preciado. Os dados são originários da base de dados da famigerada conta Beacon Hill. Também nos papéis, a turbulenta situação das empresas de Preciado, os pagamentos que fez e a omissão de Serra diante da Justiça Eleitoral sobre sua sociedade com Vladimir Rioli. As suspeitas do MPF sobre os negócios de Serra, Rioli, Ricardo Sérgio e Preciado. E a trama de Preciado com o caixa de Serra para montar o consórcio Guaraniana e arrematar três estatais.

CPMI do BANESTADO

DOCUMENTO CONFIDENCIAL

Brasília, 11 de novembro de 2004.

Senhor Presidente,

A investigação desta CPMI é muito ampla e encontra-se ainda em curso. Adicionalmente, esta Comissão permanece há longo período sem que deliberações sejam tomadas. Diante dessas circunstâncias, o relato a seguir possui como base todas as informações de que esta Relatoria dispõe até o presente.

Desnecessário, porém, prudente, destacar o **caráter confidencial** das informações aqui descritas.

Esta CPMI recebeu, logo no seu início, documentação contendo rastreamento de CPF's elaborado pela Receita Federal, que se refere a **Ricardo Sérgio de Oliveira** e **Ronaldo de Souza**. Tal documento, arquivado sob número 13, na caixa 6(seis), mantido no cofre dessa comissão, traz como assunto mais substancial a aquisição, por parte de Ricardo Sérgio de Oliveira e Ronaldo de Souza, de prédio pertencente à Petros (fundo de pensão dos funcionários da Petrobrás).

Com base nessa informação, a CPMI procedeu a consulta às bases de dados disponíveis e constatou a presença de movimentação financeira. Porém, antes de registrar os montantes, faz-se necessário um breve resumo sobre as associações entre as pessoas de **Ricardo Sérgio** e **Ronaldo de Souza**.

No documento citado anteriormente, verifica-se que **Ricardo Sérgio de Oliveira**, juntamente com sua esposa, **Elizabeth Salgueiro de Oliveira**, constavam como sócios da **Planefin** (Planefin – Serviços, Assessoria, Planejamento, Administração e Participações S/C Ltda.). A **Planefin**, por sua vez, em 6 de julho de 1999, constitui como bastante procuradores **Ronaldo de Souza** e **Vera Regina Freire de Souza**, sua esposa, para gerir e administrar quota parte de determinados imóveis. **Ricardo Sérgio** e **Elizabeth Salgueiro de Oliveira** assinam o documento.

Com base nessa informação adicional, ligando **Ricardo Sérgio** a **Ronaldo de Souza**, voltou-se às bases e foi realizada pesquisa relativa à off-shore **Franton Interprises**, o que resultou, no seguinte:

Lançamentos constantes na base de dados da Beacon Hill referentes à **Franton**

Data	Origem	Destino	Valor US$
02/10/2001	Instructions	Franton Interprises	250.000,00
03/10/2001	Gregório Preciado	Franton Interprises	17.000,00
03/10/2001	Gregório Preciado	Franton Interprises	57.000,00
20/12/2001	Instructions	Franton Interprises	21.583,93
06/06/2002	Gregório Preciado	Franton Interprises	250.000,00
01/07/2002	Gregório Preciado	Franton Interprises	150.000,00
29/07/2002	Gregório Preciado	Franton Interprises	125.000,00
03/09/2002	Gregório Preciado	Franton Interprises	230.000,00
15/10/2002	Gregório Preciado	Franton Interprises	375.000,00
		Total	**1.475.583,93**

Pode-se perceber que dos nove lançamentos encontrados, todos foram referentes a créditos a favor da **Franton**. Outra novidade é o surgimento do nome de **Gregório Marin Preciado.**

Dando prosseguimento às pesquisas, esta Comissão encontrou matérias de jornal indicando que **Preciado** seria casado com a Sra. **Vicência Talan Marin** prima de **José Serra**, e ex-sócio deste último em terreno em São Paulo. A matéria adicionalmente informava que **Gregório Preciado** havia obtido perdão de 74 milhões de reais sobre o saldo de empréstimos realizados junto ao Banco do Brasil, à época que **Ricardo Sérgio** foi diretor daquela instituição. **Marin Preciado** foi, ainda, representante de empresa espanhola durante o processo de privatização de empresas de energia do nordeste.

O procurador **Luiz Francisco de Souza** propôs ação cautelar de improbidade combinada com ação civil pública, com pedidos de liminares, cujo teor pode ser encontrado no endereço eletrônico abaixo:
http://www.prdf.mpf.gov.br/~luizf/acoes/Acao_Cautelar_Improbidade_RICARDO_SeRGIO.doc

Resumidamente, a ação trata dos seguintes assuntos:

1. "Em 1993, as empresas ACETO VIDROS LTDA e GREMAFER COMERCIAL E IMPORTADORA LTDA - de propriedade do Sr. GREGÓRIO MARIN - realizaram empréstimos na agência Rudge Ramos, do Banco do Brasil, em São Bernardo do Campo/SP."
2. "Além das novações ilícitas, houve dois perdões indevidos, totalizando cerca de R$ 73.719 milhões de reais."
3. "E houve também desídia por permitirem a venda de bens com ações de arresto já ajuizadas e desídia por não ajuizarem ação pauliana para recuperar o imóvel." – Sobre o imóvel: **"O Sr. GREGÓRIO MARIN PRECIADO** possuía, em sociedade com o Sr. JOSÉ SERRA, um terreno situado na Rua G.4, lote n. 09, da quadra 46, no Parque Bairro do Morumbi, no 30º. Subdistrito Ibiraquadra, em São Paulo (o endereço depois teve o nome alterado pela Prefeitura para na Rua Coronel Francisco de Oliveira Simões, Parque Bairro Morumbi)"

Relatório que mostra depósito de US$ 1.475.583,93, feito por Preciado, na conta de Ricardo Sérgio, tesoureiro de campanha de Serra.

4. "Este imóvel, com 828 metros quadrados, estranhamente, durante as novas negociações realizadas com as empresas no ano de 1995, escapou de arresto já ajuizado e foi vendido pelo valor de apenas R$ 140.000,00."
5. "O DOC. n. 10 mostra petição do Banco do Brasil, de 11.09.95, afirmando que os executados (GREMAFER e GREGÓRIO MARIN PRECIADO , no fundo, o Sr. PRECIADO) fugiam da Oficiala de Justiça. (...) O Banco do Brasil pediu mais quinze dias - ou seja, até 26 de setembro de 1995 - para o arresto. Ocorre que, no dia 19 de setembro de 1995, o Sr. PRECIADO e o Sr. SERRA registraram o contrato de venda."
6. "No Banespa, operava o Sr. VLADIMIR ANTÔNIO RIOLI, que foi sócio do Sr. SERRA numa firma de consultoria, como vice-presidente de operações. E, novamente, um sócio do Sr. SERRA beneficiou a firma GREMAFER."
7. "O Sr. VLADIMIR ANTÔNIO RIOLI também beneficiou a firma do Sr. GREGÓRIO MARIN PRECIADO, pois o Sr. RIOLI foi Vice-presidente do BANESPA e concedeu à firma GREMAFER empréstimos em valores superiores a R$ 20 milhões"
8. "O Sr. SERRA omitiu na declaração feita à Justiça Eleitoral, em 1994, a existência da firma CONSULTORIA ECONÔMICA E FINANCEIRA LTDA, com sede na Rua Tabapuã, n. 500, 7°. Andar, cj. 704, Bairro Itaim Bibi. Nesta firma, o Sr. SERRA era sócio, de 1986 até 1995, do Sr. VLADIMIR ANTÔNIO RIOLI. Somente houve o distrato comercial em 1995, devidamente registrado. Em 1994, o Sr. SERRA tinha esta empresa e a ocultou à Justiça eleitoral."
9. "As firmas do Sr. RIOLI - como constatou o Sr. AMAURY RIBEIRO - até hoje continuam recebendo recursos públicos. Junto com duas empreiteiras, a Pluricorp, empresa do VLADIMIR RIOLI que atua no mercado financeiro, está construindo nove condomínios em frente a fábrica da Ford, em São Bernardo do Campos, com 1.100 casas e apartamentos. O empreendimento está sendo financiado pela Caixa Econômica Federal. Em seu currículo, o Sr. Rioli faz questão de mostrar aos clientes sua afinidade com o poder público. (...) O mesmo informa, por exemplo, que fez parte da comissão do governo que definiu as regras de privatização. A Pluricorp, que também deu consultoria sobre as regras do processo de privatização, teria operado com fundos de pensão, de empresas estatais, na construção de Shopping Centers. O MPF está verificando o Shopping Iguatemi, ligado ao Sr. JEREISSATI, que parece ter ligações também as pessoas citadas nesta ação."
10. "Há informações de que a firma GREMAFER COMERCIO E IMPORTADORA LTDA efetuou pagamentos a ALCIR AUGUSTINHO CALLIARI, então Presidente do Banco do Brasil, em julho de 1995, usando cheques emitidos justamente pela conta da GREMAFER, conta 0455.00053 (agência RUDGE RAMOS, em São Bernardo de Campo SP, agência n. 0455, pelo cheque n. 373.078)."
11. "Este pagamento pode ter causa justa, mas é suspeito e mostra as relações entre a firma GREMAFER e altos funcionários do Banco do Brasil. ...O relatório da auditoria concluída em agosto de 1995, ou na que está sendo feita, mencionaria que o então Presidente do Banco do Brasil trabalhou para o Sr. GREGÓRIO MARIN PRECIADO , na Espanha"

Relatório da CPI se inspirou em reportagem do autor, na revista *IstoÉ*, para demonstrar as atividades de Vladimir Rioli, ex-sócio de Serra.

12. "O Sr. GREGÓRIO MARIN integrou o Conselho de Administração do Banespa, de 1983 a 1987. (...) O Sr. SERRA foi ouvido pela Folha de São Paulo, nesta reportagem. e disse, por meio de sua assessoria, que GREGORIO MARIN 'participou ativamente' da campanha de Montoro ao governo paulista, em 82."
13. "A firma GREMAFER, apesar de estar em pleno estado de falência, conseguiu trazer em 1995, por exemplo, U$ 1,2 milhão, do Caribe, através da firma Socimer Internacional Bank Limit, instituição financeira que atuava no paraíso fiscal quando foi liquidada pela Corte de Bahamas, depois de prejudicar correntistas espanhóis e chilenos."
14. "A empresa do Sr. RONALDO de SOUZA , a CONSULTATUM S.C Ltda., funcionava numa sala vizinha à da PLANEFIN – Serviços, Assessoria, Planejamento, Administração e Participações S.C Ltda. A PLANEFIN pertence ao Sr. RICARDO SÉRGIO. As duas salas ocupam um andar do luxuoso prédio, na Alameda Santos, nos Jardins, região nobre de São Paulo, adquiridas por R$ 900 mil cada."
15. "No dia 9 de setembro de 1998, dez meses antes de comprar os prédios da Petros, o Sr. RONALDO de SOUZA abriu a empresa ANTARES Participações Ltda., com capital social de R$ 2 milhões, para atuar na área de compra e administração de imóveis. No mesmo dia, o Sr. RONALDO de SOUZA foi nomeado procurador de uma empresa localizada no paraíso fiscal das Ilhas Virgens Britânicas no Caribe, chamada ANTAR Venture, também da área imobiliária."
16. "Como indício de que todas os negócios nebulosos envolvendo a ANTARES e a ANTAR Venture não passam de negócios do SR. RICARDO SÉRGIO DE OLIVEIRA, o Sr. RONALDO de SOUZA passou uma procuração para RICARDO SÉRGIO dando amplos poderes para que o mesmo administrasse os negócios da ANTARES Participações, três anos depois da criação da ANTARES , exatamente no dia 9 de agosto de 2001. (...) Ou seja, o Sr. RICARDO SÉRGIO não aparece nos registros da ANTARES nem da ANTAR Venture, mas é quem de fato administra a empresa, pelos termos de uma procuração lavrada no 16º Ofício de Notas de São Paulo."
17. **"Conforme o documento deste Cartório, o Sr. GREGORIO MARIN PRECIADO assinou um contrato com RONALDO de SOUZA , em que se comprometeu a pagar a este senhor R$ 82,7 mil no dia 1º de agosto de 1995.** A escritura foi assinada no dia 20 de julho de 1995, justamente no período em que as renegociações da dívida do empresário GREGORIO MARIN com o Banco do Brasil estavam sendo decididas, gestadas. E também coincide com a suspeita venda intempestiva do terreno de 828 metros, pertencente ao Sr. GREGÓRIO MARIN PRECIADO e o Sr. JOSÉ SERRA."
18. "A suspeita, que integra a investigação da Polícia Federal no Rio e deste Parquet, e reiteradamente noticiada na imprensa (especialmente em reportagens da revista Veja) é que a propina [Privatização da Telebrás] teria sido paga por meio da empresa Rivoli Participações, pertencente ao empresário Carlos Jereissati. (...) Um elo importante para que sejam desvendadas todas essas operações é o advogado Luiz Rodrigues Corvo, advogado do Sr. Ricardo Sérgio de Oliveira e do grupo Jereissati. Mostra as ligações entre o Sr. Corvo e a empresa Rivoli. (...) A empresa

Relatório sigiloso da CPI do Banestado também investigou relações de Gregório Marín Preciado e Ronaldo de Souza.

Rivoli, por onde supostamente teria escoado a propina da Tele Norte Leste, foi constituída em 16 de dezembro de 1998, tendo como sócias duas empregadas do escritório do Sr. Corvo. (...) Vale a pena lembrar que a empresa ANTARES Participações, do Sr. RONALDO de SOUZA, foi criada três meses antes, no dia 9 de setembro de 1998. A ANTARES é uma subsidiária da firma ANTAR VENTURES, empresa que funcionava nas Ilhas Virgens, um paraíso fiscal do Caribe. A ANTAR VENTURES movimentou, por documentos que podem ser encontrados na Junta Comercial de São Paulo (e que seguem anexo), pelo menos R$ 5 milhões em 1999. (...) Outros fatos suspeitos chamam a atenção. A Rivoli foi comprada pelo Sr. Carlos Jereissati das funcionárias do escritório do Sr. Corvo no dia 5 de março de 1999. No dia 10 de março de 1999, a empresa teve seu capital aumentado de R$ 1.000 para R$ 32,2 milhões. (...) No dia 26 de julho de 1999, o Sr. Corvo, que é procurador do Sr. Ricardo Sérgio, também foi nomeado procurador da Rivoli para administrar todos os negócios da empresa, que suspeita-se, e foi noticiado na imprensa, seria o caminho para o suposto pagamento da propina ao Sr. Ricardo Sérgio. (...) Nesta mesma época, começaram operações estranhas envolvendo uma outra empresa do Sr. Carlos Jereissati, a 141 Participações, adquirida de terceiros no final de 1998 (mesma época da constituição da Rivoli). No dia 12 de julho de 1999, a Rivoli injetou R$ 29,74 milhões – ou seja, quase todo seu capital (então de R$ 32,2 milhões) - na 141 Participações. (...) Três dias depois, no dia 15 de julho de 1999, a 141 Participações recebe mais R$ 60,7 milhões em capital subscritos pelos três sócios privados que integram o consórcio Telemar (a Construtora Andrade Gutierrez, Macal Investimentos e Participações e Inepar Investimentos em Telecomunicações). (...) A assembléia, na qual os três sócios privados - a Construtora Andrade Gutierrez, Macal Investimentos e Participações e Inepar Investimentos em Telecomunicações - injetaram R$ 60,7 milhões na empresa 141 Participações Ltda, foi presidida pelo Sr. Luiz Rodrigues Corvo, no dia 15 de julho de 1999. (...) No dia 26 de julho de 1999, data em que o Sr. Corvo é nomeado representante legal da Rivoli Participações, ocorre uma operação estranhíssima – há a cisão parcial da 141 Participações. (...) Os três sócios privados do consórcio Telemar deixam o quadro societário da 141 Participações levando o capital de R$ 29,7 milhões. A sede da 141 Participações, que fica com capital remanescente de R$ 60,.7 milhões, é transferida do Rio de Janeiro para São Paulo em setembro de 1999. Um mês depois, em outubro de 1999, a Rivoli incorpora a 141 com seu capital de R$ 60,7 milhões. (...) Já a Rivoli teve um destino curioso. Detentora de um capital da ordem de R$ 60,7 milhões em 1999, foi extinta em abril de 2000, com capital zerado. A questão é: onde foram parar os R$ 60,7 milhões da Rivoli que ela herdou da 141 Participações Ltda? (...) O Sr. Carlos Jereissati distribuiu neste ano um documento a diversos órgãos de comunicação, em que responde dúvidas levantadas pela imprensa envolvendo a Rivoli. (...) Sobre o destino do capital de R$ 60,7 milhões, o mesmo sustenta que a empresa Rivoli emprestou R$ 55 milhões a uma empresa coligada do grupo no final de 1999, mas não apresentou nenhuma prova desse empréstimo. O nome desta empresa coligada é LA FONTE TELECOM."

CPI também esmiuçou *offshores* e empresas de Ricardo Sérgio e Carlos Jereissati.

19. "Consta, também, na edição da revista 'Veja' de n.º 1751 de 15/05/2002, pág.46, que em 1996 o RICARDO SÉRGIO (Diretor do B.B) e GREGÓRIO MARIN PRECIADO montaram o consórcio Guaraniana S/A, na qual participava a PREVI, B.B e fundos administrados pelo B.B, além dos espanhóis da IBERDROLA, representada oficialmente por GREGÓRIO MARIN PRECIADO. (...) Na reportagem está dito que em apenas três anos - entre 1997 e 2000 -, esse consórcio, montado por RICARDO SÉRGIO e GREGÓRIO MARIN PRECIADO , arrematou três estatais de energia elétrica – a baiana 'COELBA', a pernambucana 'CELPE' e a potiguar 'COSERN', que juntas respondem por um negócio de quatro bilhões de reais. O Sr. GREGÓRIO MARIN PRECIADO , ao responder à imprensa que o questionava sobre ter sido representante da empresa espanhola Iberdrola durante privatização de empresas estatais de energia elétrica, declarou que sua 'atuação consistiu em ajudar a trazer para o Brasil capitais estrangeiros produtivos'. Confirmou, assim, o teor básico das reportagens."

Retornando às movimentações, 82% do montante de recursos recebidos pela **Franton** "via" Beacon Hill foram originadas por **Marin Preciado**.

No que se refere às movimentações realizadas no MTB Bank de Nova York, a **Franton** é apenas recebedora de recursos, cujo intermediário é a off-shore **Kundo**, conforme abaixo:

X

X

X

X

X

X

X

X

X

X

X

X

Ligação entre Ricardo Sérgio e o primo de Serra no consórcio Guaraniana S/A. durante a privatização da Companhia de Eletricidade do Estado da Bahia foi investigada pela Comissão Parlamentar de Inquérito.

No MTB foram encontrados lançamentos em nome de **Consultatum**

Data	Origem	Destino	Valor US$
01/07/1997	Consultatum Corp.	Kundo:José Maria Carneiro da Cunha	2.550,00
21/10/1997	Consultatum Corp.	Kundo:Ronaldo de Souza	800.000,00
23/10/1997	Consultatum Corp. Kundo	Conta sem nome, de numero 769234 no UBS de Zurich	100.000,00
23/10/1997	Consultatum Corp. Kundo	ENDIVE Conta 9216502 Junto Israel Disc. Bank	177.000,00
23/10/1997	Consultatum Corp. Kundo	Conta sem nome, de numero 769234 no UBS de Zurich	200.000,00
23/10/1997	Consultatum Corp. Kundo	Conta sem nome, de numero 60481 no UBS de Zurich	300.000,00
04/11/1997	Consultatum Corp. International Bank of Miami	Kundo	105.000,00
22/05/1998	Consultatum Corp. International Bank of Miami	Ronaldo de Souza	25.000,00
05/06/1998	Consultatum Corp. Goldrate Corp.	Kundo	33.694,01
05/05/2000	Consultatum Corp. International Bank of Miami	Kundo: Benef. Lorena Point	300.000,00
14/06/2000	Consultatum Corp. International Bank of Miami	Kundo: Benef. Lorena Point	350.000,00
22/08/2000	Consultatum Corp. International Bank of Miami	Kundo: Benef. Lorena Point	150.000,00
05/09/2000	Consultatum Corp. International Bank of Miami	Kundo: Benef. Lorena Point	125.000,00
10/10/2000	Consultatum Corp. International Bank of Miami	Kundo: Benef. Lorena Point	125.000,00
		Total	**2.793.244,01**

Quando houve a divulgação, pela revista Isto é, de reportagem apresentando vazamento de dados referentes à movimentação relativa a **Ronaldo de Souza** e à **Consultatum** junto ao banco MTB, a Comissão tomou conhecimento da relação entre a **Franton Interprises** e **Ricardo Sérgio de Oliveira**.

A reportagem em apreço informa que "No caso do tucano **Ricardo Sérgio**, as operações [registradas no CD do MTB bank] trazem detalhes de duas empresas ligadas ao ex-diretor do BB, investigadas pelo Ministério Público: a **Consultatum** e a **Franton Interprise Inc.**, uma off-shore que movimenta consta milionárias nos EUA."

Uma vez que a CPMI não havia quebrado os sigilos fiscal, telefônico e bancário de **Ricardo Sérgio**, não tinha ciência da doação registrada na declaração de imposto de renda deste último em favor da **Franton Interprises**, conforme anunciado na matéria, no valor de mais de R$ 131 mil reais.

Documentos exibem que Ronaldo de Souza movimentou, por meio de doleiros, US$ 2.793.244,01 em *offshores* no exterior.

Naquela mesma data, no mesmo cartório, e na página seguinte do mesmo livro, a **Consultatum S/C Ltda.**, de propriedade de **Ronaldo de Souza** e **Vera Regina Freire de Souza**, também constitui como procuradores **Ricardo Sérgio** e **Elizabeth Salgueiro de Oliveira**, para gerir e administrar a quota parte, pertencente à **Consultatum**, dos mesmos imóveis da procuração anterior. A diferença entre as procurações é que esta inclui plenos poderes de movimentação da conta corrente de número 57.890-0, mantida na agência 0196 do Banco Itaú, presumidamente uma conta da **Consultatum.**

Registre-se que os endereços da **Consultatum** e da **Planefim** são, respectivamente, Alameda Santos, 2.441-11 andar, conjunto 112, Cerqueira César, São Paulo e Alameda Santos, 2.441-11 andar, conjunto 111, Cerqueira César, São Paulo (conforme consta na Ação Cautelar abaixo referida e, adicionalmente, consulta realizada em 19/10/2004, no endereço enletrônico www.auxilioalista.com.br). Observa-se que os endereços diferem apenas pelo número da sala (111 e 112).

O resultado da consulta às bases de dados aparece conforme abaixo:

No MTB foram encontrados lançamentos em nome de **Ronaldo de Souza**

Data	Origem	Destino	Valor US$
01/07/1997	Kundo	José Maria Carneiro da Cunha	2.550,00
07/08/1997	Banco Mayo	Ronaldo de Souza	70.000,00
18/09/1997	Lorena Point	Ronaldo de Souza	53.245,00
21/10/1997	Consultatum Corp.	Ronaldo de Souza	800.000,00
03/12/1997	Ronaldo de Souza	Kundo	24.000,00
27/03/1997	Lorena Point	Ronaldo de Souza	41.785,00
14/04/1998	Agesse Segurança	Ronaldo de Souza	125.000,00
04/08/1998	Lorena Point	Ronaldo de Souza	47.875,00
28/09/1998	Agesse Segurança	Ronaldo de Souza	198.000,00
28/11/2000	Ronaldo de Souza	Franton Interprises	100.000,00
21/12/2000	Ronaldo de Souza	Franton Interprises	50.000,00
		Total	**1.512.455,00**

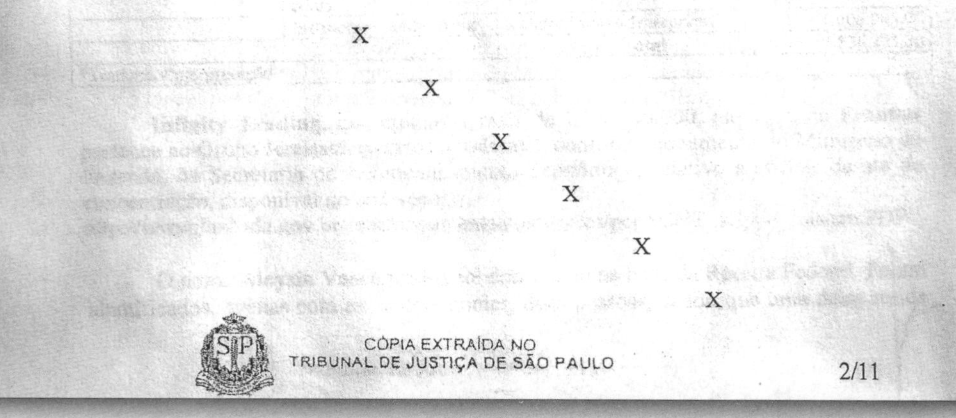
X

X

X

X

X

X

X

X

X

X

CÓPIA EXTRAÍDA NO TRIBUNAL DE JUSTIÇA DE SÃO PAULO

2/11

Outro montante de US$ 1.512.455,00 aparece relacionado ao nome de Ronaldo de Souza, repetindo o esquema com doleiros na empresa de Ricardo Sérgio.

Movimentação da **Franton Interprises** no MTB Bank

Data	Origem	Destino	Valor US$
22/06/1998	Milano Finance	Kundo:Franton Interprises	163.934,00
23/06/1998	Por instruções*	Kundo:Franton Interprises	167.975,00
09/07/1998	Instructions	Kundo:Franton Interprises	70.931,00
01/09/1998	Birmann/Desconh*	Kundo:Franton Interprises	500.000,00
15/10/1998	Banco Brasil Cayman conta 810470116	Kundo:Franton Interprises	50.500,00
15/10/1998	Birmann/Desconh*	Kundo:Franton Interprises	177.301,30
16/10/1998	Instructions	Kundo:Franton Interprises	10.485,00
03/11/1998	Conta 9262162/Reacender? Israel Disc. Bank	Kundo:Franton Interprises	450.000,00
08/01/1999	Conta 101WA100005000-UBS	Kundo:Franton Interprises	565.985,00
23/02/1999	Conta 101WA100005000-UBS	Kundo:Franton Interprises	1.272.485,00
15/03/1999	Conta 9262162/Reacender? Israel Disc. Bank	Kundo:Franton Interprises	120.000,00
15/03/1999	Conta 9262162/Reacender? Israel Disc. Bank	Kundo:Franton Interprises	658.500,00
17/05/1999	Cliente oculto do Republic NY (Safra)*	Kundo:Franton Interprises	500.000,00
17/08/1999	Reacender? – mesma conta	Kundo:Franton Interprises	200.000,00
28/02/1999	Cliente oculto do Citibank*	Kundo:Franton Interprises	299.970,00
18/01/2000	Infinity Trading	Kundo:Franton Interprises	246.137,00
03/02/2000	Infinity Trading	Kundo:Franton Interprises	164.085,00
23/05/2000	Um de nossos clientes*	Kundo:Franton Interprises	57.000,00
20/11/2000	Reacender? – mesma conta	Kundo:Franton Interprises	100.000,00
28/11/2000	Ronaldo de Souza Conta 30010969906 Bco International Miami	Kundo:Franton Interprises	100.000,00
21/12/2000	Ronaldo de Souza – mesma conta	Kundo:Franton Interprises	50.000,00
05/01/2001	Aloysio Vasconcellos	Kundo:Franton Interprises	60.000,00
16/01/2001	Consultatum Corp. Mesma conta de Ronaldo Souza	Kundo:Franton Interprises	50.000,00
12/03/2001	Reacender? – mesma conta	Kundo:Franton Interprises	500.000,00
	Instruções – UBS Bank	Kundo:Franton Interprises	1.000.985,00
		Total	**7.536.273,30**

*Tradução/interpretação

Infinity Trading, que creditou mais de US$ 410.000, na conta da **Franton** pertence ao Grupo Jereissati (**Carlos Jereissati**), conforme documento do Ministério da Fazenda, da Secretaria de Acompanhamento Econômico, relativo a análise de ato de concentração, disponível no endereço:
http://www.fazenda.gov.br/seae/documentos/pareceres/pcrACNT_IGpub_luishen.PDF

O nome **Aloysio Vasconcellos** foi consultado na base da Receita Federal. Foram identificados, apenas com esses dois nomes, duas pessoas, sendo que uma delas reside

Mais uma bolada: US$ 7.536.273,30 movimentados por Ricardo Sérgio, por meio de doleiros no exterior. Relatório detalha os US$ 410 mil que a Infinity Trading, empresa de Carlos Jereissati em paraíso fiscal, depositou na Franton de Ricardo Sérgio.

nos Estados Unidos. Diante desse fato, verificou-se que o residente no exterior é presidente da **Westchester International** (página na Internet: www.westchesterintl.com). Coincidência ou não, **Ricardo Sérgio de Oliveira** também foi sócio de uma empresa denominada **Westchester** no Brasil, segundo a ação mencionada anteriormente. Além disso, **Aloysio Vasconcellos** relata em seu currículo o fato de haver assumido posições importantes no Citibank (tanto no Brasil quanto no exterior), instituição da qual também fez parte o Sr. **Ricardo Sérgio de Oliveira**.

O registro da conta **Kundo** significa, supostamente, haver ligação entre o doleiro Dario Messer, representada pela interposição de **Clark Setton** e **Roberto Matalon** (dado que esta CPMI possui documentos que indicam ligação entre Dario Messer e Clark Setton e Roberto Matalon), na administração das atividades financeiras não-oficiais mantidas pela off-shore **Franton Interprises**.

Algumas movimentações de Gregório Preciado no exterior tiveram como destino a off-shore **Franton Interprises.** Esta off-shore recebeu recursos de Ricardo Sérgio em sua declaração de IR e também de Ronaldo de Souza/Consultatum.

Lançamentos constantes na base de dados da Beacon Hill referentes a Preciado

Data	Origem	Destino	Valor US$
25/09/2001	Gregório Preciado	Rigler	404.000,00
03/10/2001	Gregório Preciado	Franton Interprises	17.000,00
03/10/2001	Gregório Preciado	Franton Interprises	57.000,00
06/06/2002	Gregório Preciado	Franton Interprises	250.000,00
12/06/2002	Gregório Preciado	Rigler	350.000,00
01/07/2002	Gregório Preciado	Franton Interprises	150.000,00
29/07/2002	Gregório Preciado	Franton Interprises	125.000,00
03/09/2002	Gregório Preciado	Franton Interprises	230.000,00
15/10/2002	Gregório Preciado	Franton Interprises	375.000,00
		Total	**1.958.000,00**

Lançamentos constantes na base de dados do MTB Bank referentes a Preciado

Data	Origem	Destino	Valor US$
31/03/1998	Gregório Preciado	Kundo	102.000,00
12/11/1998	Gregório Preciado	Kundo	100.000,00
02/01/2001	Gregório Preciado	Kundo	21.980,00
25/04/2001	Gregório Preciado	Kundo	78.000,00
22/05/2001	Gregório Preciado	Kundo	45.975,00
		Total	**347.955,00**

X

X

X

X

X

X

Primo de Serra também depositou quase US$ 2 milhões na conta de Ricardo Sérgio, ex-tesoureiro do ex-governador.

Na movimentação de **Gregório Marin Preciado** junto à Beacon Hill, surge o nome da off-shore **Rigler**, cujos representantes seriam **Gabriel Lewy** e **Clemente Dana**. O primeiro haveria trabalhado na empresa Stream Tour, de propriedade de **Clark Setton** e **Roberto Matalon**. Há fortes indícios de que esta off-shore também pertence a **Dario Messer**.

Registre-se, por fim, a necessidade de identificar os beneficiários legais (no exterior), das off-shores **Franton** e **Lorena Point**, além da solicitação de quebra de sigilo bancário da conta de **Ronaldo de Souza** na Conta 30010969906 no International Miami Bank.

Atenciosamente,

Dep. José Mentor
Relator da CPMI do Banestado

Relator pede quebra de sigilo de Ronaldo de Souza no International Miami Bank, o que nunca foi feito.

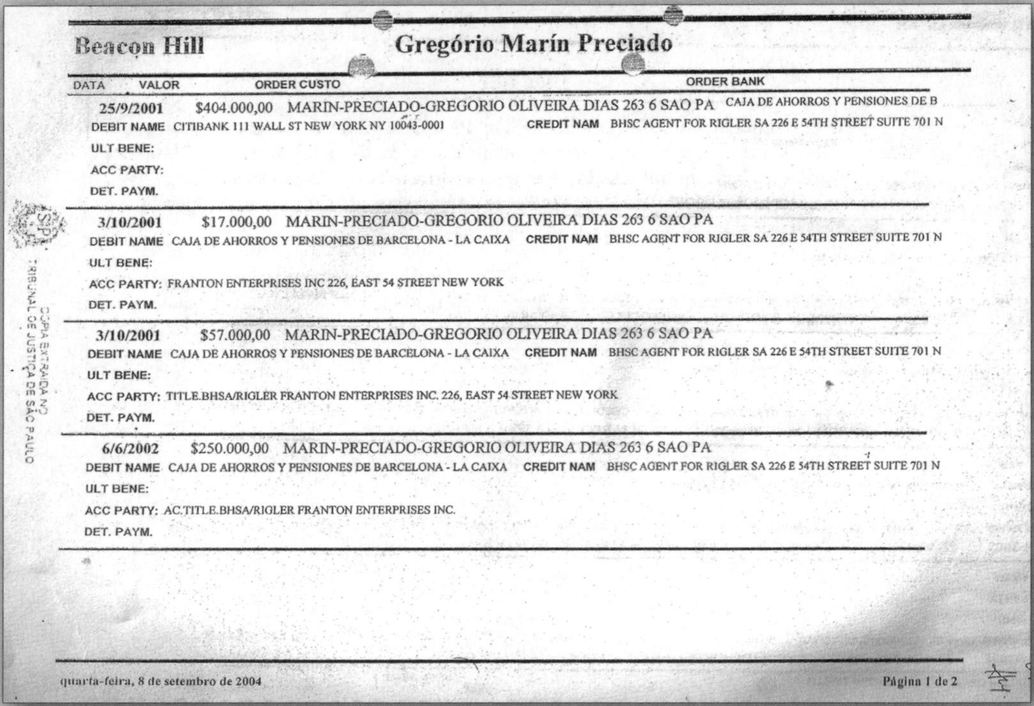

Beacon Hill **Gregório Marín Preciado**

DATA	VALOR	ORDER CUSTO	ORDER BANK
25/9/2001	$404.000,00	MARIN-PRECIADO-GREGORIO OLIVEIRA DIAS 263 6 SAO PA	CAJA DE AHORROS Y PENSIONES DE B

DEBIT NAME CITIBANK 111 WALL ST NEW YORK NY 10043-0001 CREDIT NAM BHSC AGENT FOR RIGLER SA 226 E 54TH STREET SUITE 701 N
ULT BENE:
ACC PARTY:
DET. PAYM.

3/10/2001 $17.000,00 MARIN-PRECIADO-GREGORIO OLIVEIRA DIAS 263 6 SAO PA
DEBIT NAME CAJA DE AHORROS Y PENSIONES DE BARCELONA - LA CAIXA CREDIT NAM BHSC AGENT FOR RIGLER SA 226 E 54TH STREET SUITE 701 N
ULT BENE:
ACC PARTY: FRANTON ENTERPRISES INC 226, EAST 54 STREET NEW YORK
DET. PAYM.

3/10/2001 $57.000,00 MARIN-PRECIADO-GREGORIO OLIVEIRA DIAS 263 6 SAO PA
DEBIT NAME CAJA DE AHORROS Y PENSIONES DE BARCELONA - LA CAIXA CREDIT NAM BHSC AGENT FOR RIGLER SA 226 E 54TH STREET SUITE 701 N
ULT BENE:
ACC PARTY: TITLE.BHSA/RIGLER FRANTON ENTERPRISES INC. 226, EAST 54 STREET NEW YORK
DET. PAYM.

6/6/2002 $250.000,00 MARIN-PRECIADO-GREGORIO OLIVEIRA DIAS 263 6 SAO PA
DEBIT NAME CAJA DE AHORROS Y PENSIONES DE BARCELONA - LA CAIXA CREDIT NAM BHSC AGENT FOR RIGLER SA 226 E 54TH STREET SUITE 701 N
ULT BENE:
ACC PARTY: AC.TITLE.BHSA/RIGLER FRANTON ENTERPRISES INC.
DET. PAYM.

quarta-feira, 8 de setembro de 2004 Página 1 de 2

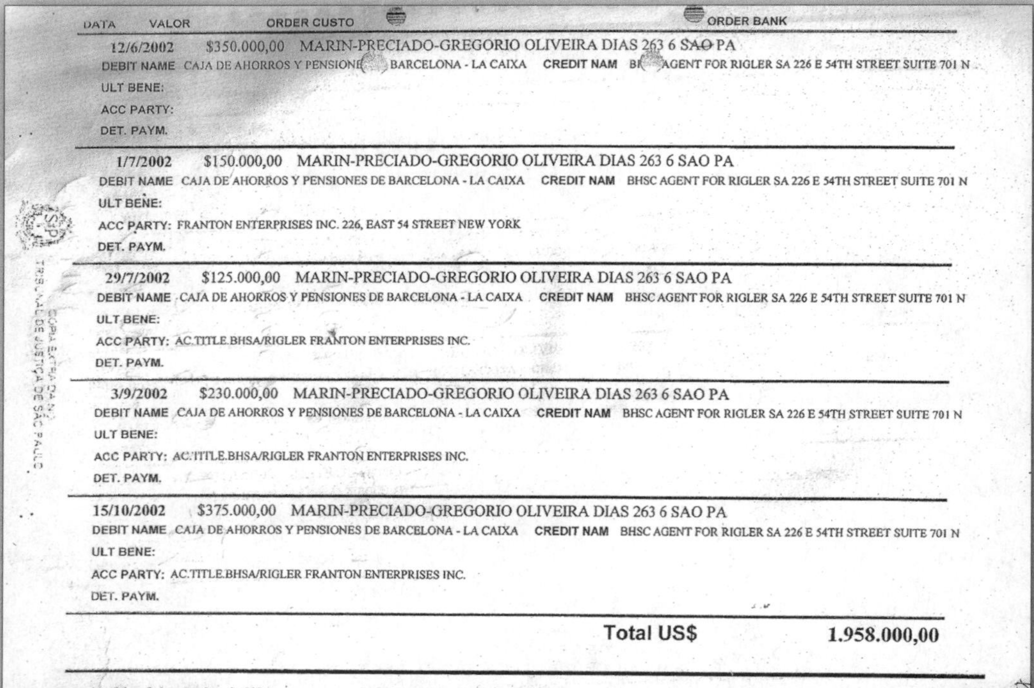

DATA	VALOR	ORDER CUSTO	ORDER BANK
12/6/2002	$350.000,00	MARIN-PRECIADO-GREGORIO OLIVEIRA DIAS 263 6 SAO PA	

DEBIT NAME CAJA DE AHORROS Y PENSIONE[illegible] BARCELONA - LA CAIXA CREDIT NAM B[illegible] AGENT FOR RIGLER SA 226 E 54TH STREET SUITE 701 N
ULT BENE:
ACC PARTY:
DET. PAYM.

1/7/2002 $150.000,00 MARIN-PRECIADO-GREGORIO OLIVEIRA DIAS 263 6 SAO PA
DEBIT NAME CAJA DE AHORROS Y PENSIONES DE BARCELONA - LA CAIXA CREDIT NAM BHSC AGENT FOR RIGLER SA 226 E 54TH STREET SUITE 701 N
ULT BENE:
ACC PARTY: FRANTON ENTERPRISES INC. 226, EAST 54 STREET NEW YORK
DET. PAYM.

29/7/2002 $125.000,00 MARIN-PRECIADO-GREGORIO OLIVEIRA DIAS 263 6 SAO PA
DEBIT NAME CAJA DE AHORROS Y PENSIONES DE BARCELONA - LA CAIXA CREDIT NAM BHSC AGENT FOR RIGLER SA 226 E 54TH STREET SUITE 701 N
ULT BENE:
ACC PARTY: AC.TITLE.BHSA/RIGLER FRANTON ENTERPRISES INC.
DET. PAYM.

3/9/2002 $230.000,00 MARIN-PRECIADO-GREGORIO OLIVEIRA DIAS 263 6 SAO PA
DEBIT NAME CAJA DE AHORROS Y PENSIONES DE BARCELONA - LA CAIXA CREDIT NAM BHSC AGENT FOR RIGLER SA 226 E 54TH STREET SUITE 701 N
ULT BENE:
ACC PARTY: AC.TITLE.BHSA/RIGLER FRANTON ENTERPRISES INC.
DET. PAYM.

15/10/2002 $375.000,00 MARIN-PRECIADO-GREGORIO OLIVEIRA DIAS 263 6 SAO PA
DEBIT NAME CAJA DE AHORROS Y PENSIONES DE BARCELONA - LA CAIXA CREDIT NAM BHSC AGENT FOR RIGLER SA 226 E 54TH STREET SUITE 701 N
ULT BENE:
ACC PARTY: AC.TITLE.BHSA/RIGLER FRANTON ENTERPRISES INC.
DET. PAYM.

Total US$ **1.958.000,00**

quarta-feira, 8 de setembro de 2004 Página 2 de 2

Extratos mostram as movimentações financeiras no exterior.

Beacon Hill **Franton**

DATA VALOR ORDER CUSTO ORDER BANK

2/10/2001 $250.000,00 INSTRUCTIONS UBS AG FMR UNION BK/SWITZERLAND
DEBIT NAME UBS AG BAHNHOFSTRASSE 45 ZURICH SWITZERLAND 8021 - CREDIT NAM BHSC AGENT FOR RIGLER SA 226 E 54TH STREET SUITE 701 N
ULT BENE:
ACC PARTY:
DET. PAYM. F/F/C : FRANTON ENTERPRISES INC.

3/10/2001 $17.000,00 MARIN-PRECIADO-GREGORIO OLIVEIRA DIAS 263 6 SAO PA
DEBIT NAME CAJA DE AHORROS Y PENSIONES DE BARCELONA - LA CAIXA CREDIT NAM BHSC AGENT FOR RIGLER SA 226 E 54TH STREET SUITE 701 N
ULT BENE:
ACC PARTY: FRANTON ENTERPRISES INC 226, EAST 54 STREET NEW YORK
DET. PAYM.

3/10/2001 $57.000,00 MARIN-PRECIADO-GREGORIO OLIVEIRA DIAS 263 6 SAO PA
DEBIT NAME CAJA DE AHORROS Y PENSIONES DE BARCELONA - LA CAIXA CREDIT NAM BHSC AGENT FOR RIGLER SA 226 E 54TH STREET SUITE 701 N
ULT BENE:
ACC PARTY: TITLE.BHSA/RIGLER FRANTON ENTERPRISES INC. 226, EAST 54 STREET NEW YORK
DET. PAYM.

20/12/2001 $21.583,93 INSTRUCTIONS
DEBIT NAME UBS AG BAHNHOFSTRASSE 45 ZURICH SWITZERLAND 8021 - CREDIT NAM BHSC AGENT FOR RIGLER SA 226 E 54TH STREET SUITE 701 N
ULT BENE:
ACC PARTY:
DET. PAYM. F/F/C : FRANTON ENTERPRISES INC.

DATA VALOR ORDER CUSTO ORDER BANK

6/6/2002 $250.000,00 MARIN-PRECIADO-GREGORIO OLIVEIRA DIAS 263 6 SAO PA
DEBIT NAME CAJA DE AHORROS Y PENSIONES DE BARCELONA - LA CAIXA CREDIT NAM BHSC AGENT FOR RIGLER SA 226 E 54TH STREET SUITE 701 N
ULT BENE:
ACC PARTY: AC.TITLE.BHSA/RIGLER FRANTON ENTERPRISES INC.
DET. PAYM.

1/7/2002 $150.000,00 MARIN-PRECIADO-GREGORIO OLIVEIRA DIAS 263 6 SAO PA
DEBIT NAME CAJA DE AHORROS Y PENSIONES DE BARCELONA - LA CAIXA CREDIT NAM BHSC AGENT FOR RIGLER SA 226 E 54TH STREET SUITE 701 N
ULT BENE:
ACC PARTY: FRANTON ENTERPRISES INC. 226, EAST 54 STREET NEW YORK
DET. PAYM.

29/7/2002 $125.000,00 MARIN-PRECIADO-GREGORIO OLIVEIRA DIAS 263 6 SAO PA
DEBIT NAME CAJA DE AHORROS Y PENSIONES DE BARCELONA - LA CAIXA CREDIT NAM BHSC AGENT FOR RIGLER SA 226 E 54TH STREET SUITE 701 N
ULT BENE:
ACC PARTY: AC.TITLE.BHSA/RIGLER FRANTON ENTERPRISES INC.
DET. PAYM.

3/9/2002 $230.000,00 MARIN-PRECIADO-GREGORIO OLIVEIRA DIAS 263 6 SAO PA
DEBIT NAME CAJA DE AHORROS Y PENSIONES DE BARCELONA - LA CAIXA CREDIT NAM BHSC AGENT FOR RIGLER SA 226 E 54TH STREET SUITE 701 N
ULT BENE:
ACC PARTY: AC.TITLE.BHSA/RIGLER FRANTON ENTERPRISES INC.
DET. PAYM.

15/10/2002 $375.000,00 MARIN-PRECIADO-GREGORIO OLIVEIRA DIAS 263 6 SAO PA
DEBIT NAME CAJA DE AHORROS Y PENSIONES DE BARCELONA - LA CAIXA CREDIT NAM BHSC AGENT FOR RIGLER SA 226 E 54TH STREET SUITE 701 N
ULT BENE:
ACC PARTY: AC.TITLE.BHSA/RIGLER FRANTON ENTERPRISES INC.
DET. PAYM.

Total US$ 1.475.583,93

MTB **Franto[illegible]**

account_number: 00030101301 post_date: 2001-01-01 value_date: 1998-06-22 currency: USD dollar_amount: $163.934,00 in_out: I
reference: 19980622B1Q8771C0 Originator: MILANO FINANCE;;;; Original Bank: ;;;;
Instructing Bank: ;;;; Beneficiary Bank: ;;;;
Beneficiary Info: IBK= *BBK=030101301 KUNDO *BNF=;FRANTON ENTERPRISES INC;;; bene_account_number:
senders_aba: 66009029 senders_name: receivers_aba: receivers_name:
imad_num: Other Bank Info: ; Beneficiary Bank2: ;;;
Originator Bank Info: ; Bank to Bank: ;;;; Intermediary Bank: ;;;;

---

account_number: 00030101301 post_date: 2001-01-01 value_date: 1998-06-23 currency: USD dollar_amount: $167.975,00 in_out: I
reference: 19980623B1Q8771C0 Originator: AS PER INSTRUCTIONS ISSUED;;;; Original Bank: ;;;;
Instructing Bank: ;;;; Beneficiary Bank: BBI= *OBI=FEES DEDUCTED $25.00 O;N BEHALF OF:FRAN
Beneficiary Info: IBK= *BBK= *BNF=030101301 KUNDO;;;; bene_account_number:
senders_aba: 21001033 senders_name: receivers_aba: receivers_name:
imad_num: Other Bank Info: ; Beneficiary Bank2: ;;;
Originator Bank Info: ; Bank to Bank: ;;;; Intermediary Bank: ;;;;

---

account_number: 00030101301 post_date: 2001-01-01 value_date: 1998-07-09 currency: USD dollar_amount: $70.931,00 in_out: I
reference: 19980709B1Q8771C0 Originator: INSTRUCTIONS;;;; Original Bank: ;;;;
Instructing Bank: ;;;; Beneficiary Bank: BBI= *OBI=ON BEHALF OF FRANTON E;NTERPRISESINC.$
Beneficiary Info: IBK= *BBK= *BNF=030101301 KUNDO;;;; bene_account_number:
senders_aba: 26007993 senders_name: receivers_aba: receivers_name:
imad_num: Other Bank Info: ; Beneficiary Bank2: ;;;
Originator Bank Info: ; Bank to Bank: ;;;; Intermediary Bank: ;;;;

---

account_number: 00030101301 post_date: 1998-09-01 value_date: 1998-09-01 currency: USD dollar_amount: $500.000,00 in_out: I
reference: 19980901B1Q8024C0 Originator: AC198751000000;BIRMANN;UNKNOWN;; Original Bank: AC09250276;BROWN BROTHERS HARRIMAN CO;NY;;
Instructing Bank: ;;;;NEW YORK, NEW YORK 10022 Beneficiary Bank: AC030101301;MTB BANK NY;ACCOUNT TITLE: KUNDO;;
Beneficiary Info: ON BEHALF OF FRANTON INTERPRISES;INC.;;; bene_account_number:
senders_aba: 21000089 senders_name: CITIBANK receivers_aba: 26012894 receivers_name: MTB BANK
imad_num: 19980901B1Q8024C0 Other Bank Info: ; Beneficiary Bank2: ;;;
Originator Bank Info: ; Bank to Bank: ;;;; Intermediary Bank: ;;;;

account_number: 00030101301 post_d[illegible] 1998-10-15 value_date: 1998-10-15 curren[illegible] USD dollar_amount: $50,500,00 in_out: I
reference: 19981015B1Q8822C0 Originator: AC00081047[illegible]6;BANCO DO BRASIL - GRAND Original Bank: ;;;;
Instructing Bank: ;;;;NEW YORK, NEW YORK 10022 Beneficiary Bank: ;;;;
Beneficiary Info: KUNDO ACCT. NO 030101301;FRANTON INTERPRICE INC;;; bene_account_number:
senders_aba: 26003557 senders_name: BANCO DO BRASIL receivers_aba: 26012894 receivers_name: MTB BANK
imad_num: 19981015B1Q8822C0 Other Bank Info: ; Beneficiary Bank2: ;;;
Originator Bank Info: ; Bank to Bank: ;;;; Intermediary Bank: ;;;;

---

account_number: 00030101301 post_date: 1998-10-15 value_date: 1998-10-15 currency: USD dollar_amount: $177.301,30 in_out: I
reference: 19981015B1Q8024C0 Originator: AC198751000000;BIRMANN;UNKNOWN;; Original Bank: AC09250276;BROWN BROTHERS HARRIMAN CO;NY;;
Instructing Bank: ;;;;NEW YORK, NEW YORK Beneficiary Bank: AC030101301;KUNDO;;
Beneficiary Info: ON BEHALF OF FRANTON ENTERPRISES;INC.;;; bene_account_number:
senders_aba: 21000089 senders_name: CITIBANK receivers_aba: 26012894 receivers_name: MTB BANK
imad_num: 19981015B1Q8024C0 Other Bank Info: ; Beneficiary Bank2: ;;;
Originator Bank Info: ; Bank to Bank: ;;;; Intermediary Bank: ;;;;

---

account_number: 00030101301 post_date: 1998-10-16 value_date: 1998-10-16 currency: USD dollar_amount: $10.485,00 in_out: I
reference: 19981016B1Q8052C0 Originator: INSTRUCTIONS;;;; Original Bank: SAUBSWCHZH80A;UBS AG ZURICH BRANCH;BAHNHOFSTRA
Instructing Bank: ;;;;NEW YORK, NEW YORK Beneficiary Bank: ;;;;
Beneficiary Info: AC030101301;KUNDO;;; bene_account_number:
senders_aba: 26007993 senders_name: SWISS BANK CORP receivers_aba: 26012894 receivers_name: MTB BANK NYC
imad_num: 19981016B1Q8052C0 Other Bank Info: ON BEHALF OF FRANTON ENTERPRI Beneficiary Bank2: ;;;
Originator Bank Info: ; Bank to Bank: ;;;; Intermediary Bank: ;;;;

---

account_number: 00030101301 post_date: 1998-11-03 value_date: 1998-11-03 currency: USD dollar_amount: $450.000,00 in_out: I
reference: 19981103B1Q8452C0 Originator: AC000009262162;REACENDER?;/;; Original Bank: ;;;;
Instructing Bank: ;;;;NEW YORK, NEW YORK 10022 Beneficiary Bank: AC030101301;KUNDO;;
Beneficiary Info: FRANTON ENTERPRISES INC.;;;; bene_account_number:
senders_aba: 26009768 senders_name: ISRAEL DISC. BANK receivers_aba: 26012894 receivers_name: MTB BANK
imad_num: 19981103B1Q8452C0 Other Bank Info: ; Beneficiary Bank2: ;;;
Originator Bank Info: ; Bank to Bank: ;;;; Intermediary Bank: ;;;;

TRIBUNAL DE JUSTIÇA DE SÃO PAULO
CÓPIA EXTRAÍDA NO

account_number: 00030101301 post_[illegible] 1999-01-08 value_date: 1999-01-08 curren[illegible] USD dollar_amount: $565.985,00 in_out: I
reference: 19990108B1Q8052C0 Originator: AC101WA100005000;UBS AG;P.O. BOX;CH-802 Original Bank: ::::
Instructing Bank: :::: Beneficiary Bank: ::::
Beneficiary Info: AC030 101 301;KUNDO;;; bene_account_number:
senders_aba: 26007993 senders_name: SWISS BANK CORP receivers_aba: 26012894 receivers_name: MTB BANK NYC
imad_num: 19990108B1Q8052C0 Other Bank Info: ON BEHALF OF: FRANTON INTERPRI Beneficiary Bank2: ;;;
Originator Bank Info: ; Bank to Bank: :::: Intermediary Bank: ::::

account_number: 00030101301 post_date: 1999-02-23 value_date: 1999-02-23 currency: USD dollar_amount: $1.272.485,00 in_out: I
reference: 19990223B1Q8052C0 Originator: AC101WA100005000;UBS AG;P.O. BOX;CH-802 Original Bank: ::::
Instructing Bank: :::: Beneficiary Bank: ::::
Beneficiary Info: AC030 101 301;KUNDO;;; bene_account_number:
senders_aba: 26007993 senders_name: SWISS BANK CORP receivers_aba: 26012894 receivers_name: MTB BANK NYC
imad_num: 19990223B1Q8052C0 Other Bank Info: FOR FURTHER CREDIT TO:FRANTON Beneficiary Bank2: ;;;
Originator Bank Info: ; Bank to Bank: :::: Intermediary Bank: ::::

account_number: 00030101301 post_date: 1999-03-15 value_date: 1999-03-15 currency: USD dollar_amount: $120.000,00 in_out: I
reference: 19990315B1Q8452C0 Originator: AC000009262162;REACENDER?;/;; Original Bank: ::::
Instructing Bank: :::: Beneficiary Bank: ::::
Beneficiary Info: AC030101301;KUNDO;;; bene_account_number:
senders_aba: 26009768 senders_name: ISRAEL DISC. BANK receivers_aba: 26012894 receivers_name: MTB BANK
imad_num: 19990315B1Q8452C0 Other Bank Info: ON BEHALF OF FRANTON INTERPRIS Beneficiary Bank2: ;;;
Originator Bank Info: ; Bank to Bank: :::: Intermediary Bank: ::::

account_number: 00030101301 post_date: 1999-04-21 value_date: 1999-04-21 currency: USD dollar_amount: $658.500,00 in_out: I
reference: 19990421B1Q8452C0 Originator: AC000009262162;REACENDER?;/;; Original Bank: ::::
Instructing Bank: :::: Beneficiary Bank: AC030101301;KUNDO;;;
Beneficiary Info: FRANTON ENTERPRISES, INC.;;;; bene_account_number:
senders_aba: 26009768 senders_name: ISRAEL DISC. BANK receivers_aba: 26012894 receivers_name: MTB BANK
imad_num: 19990421B1Q8452C0 Other Bank Info: ; Beneficiary Bank2: ;;;
Originator Bank Info: ; Bank to Bank: :::: Intermediary Bank: ::::

account_number: 00030101301 post_[illegible] 1999-05-17 value_date: 1999-05-17 curren[illegible] USD dollar_amount: $500.000,00 in_out: I
reference: 19990517B1Q8161C0 Originator: ONE OF OUR CLIENTS;;;; Original Bank: AC000608203300;REPUBLIC NATIONAL BANK OF NEW YORK;
Instructing Bank: :::: Beneficiary Bank: ::::
Beneficiary Info: AC030101301;KUNDO;;; bene_account_number:
senders_aba: 21004823 senders_name: REPUBLIC NYC receivers_aba: 26012894 receivers_name: MTB BANK NYC
imad_num: 19990517B1Q8161C0 Other Bank Info: /RFB/FRANTON INTERPRISES INC.; Beneficiary Bank2: ;;;
Originator Bank Info: ; Bank to Bank: :::: Intermediary Bank: ::::

account_number: 00030101301 post_date: 1999-08-17 value_date: 1999-08-17 currency: USD dollar_amount: $200.000,00 in_out: I
reference: 19990817B1Q8452C0 Originator: AC000009262162;REACENDER?;/;; Original Bank: ::::
Instructing Bank: :::: Beneficiary Bank: AC030101301;KUNDO;;;
Beneficiary Info: ON BEHALF OF FRANTON INTERPRISES;INC.;;; bene_account_number:
senders_aba: 26009768 senders_name: ISRAEL DISC. BANK receivers_aba: 26012894 receivers_name: MTB BANK
imad_num: 19990817B1Q8452C0 Other Bank Info: ; Beneficiary Bank2: ;;;
Originator Bank Info: ; Bank to Bank: :::: Intermediary Bank: ::::

account_number: 00030101301 post_date: 1999-09-28 value_date: 1999-09-28 currency: USD dollar_amount: $299.970,00 in_out: I
reference: 19990928B1Q8021C0 Originator: X;UNKNOWN;;; Original Bank: AC10938027;PICTET + CIE;.;CASE POSTALE 5130;CH 1211 G
Instructing Bank: :::: Beneficiary Bank: ::::
Beneficiary Info: AC030101301;KUNDO;;; bene_account_number:
senders_aba: 21000089 senders_name: CITIBANK receivers_aba: 26012894 receivers_name: MTB BANK
imad_num: 19990928B1Q8021C0 Other Bank Info: ON BEHALF OF FRANTON INTERPRIS Beneficiary Bank2: ;;;
Originator Bank Info: ; Bank to Bank: :::: Intermediary Bank: ::::

account_number: 00030101301 post_date: 2000-01-18 value_date: 2000-01-18 currency: USD dollar_amount: $246.137,00 in_out: I
reference: 20000118B1Q8021C0 Originator: INFINITY TRADING;UNKNOWN;;; Original Bank: AC10926392;DRESDNER BANK LATEINAMERIKA AG;FORMER
Instructing Bank: :::: Beneficiary Bank: ::::
Beneficiary Info: AC030101301;KUNDO;;; bene_account_number:
senders_aba: 21000089 senders_name: CITIBANK receivers_aba: 26012894 receivers_name: MTB BANK
imad_num: 20000118B1Q8021C0 Other Bank Info: ON BEHALF OF: FRANTON ENTERPRI Beneficiary Bank2: ;;;
Originator Bank Info: ; Bank to Bank: :::: Intermediary Bank: ::::

account_number: 00030101301 post_date: 2000-02-03 value_date: 2000-02-03 currency: USD dollar_amount: $164.085,00 in_out: I
reference: 20000203B1QGC07C0 Originator: INFINITY TRADING;;;; Original Bank: AC000011316684;DRESDNER BANK LATEINAMERIKA AG;P O
Instructing Bank: ;;;; Beneficiary Bank: ;;;;
Beneficiary Info: AC030101301;KUNDO;;; bene_account_number:
senders_aba: 21000021 senders_name: CHASE NYC receivers_aba: 26012894 receivers_name: MTB BANK NYC
imad_num: 20000203B1QGC07C0 Other Bank Info: ON BEHALF OF FRANTON INTERPRIS Beneficiary Bank2: ;;;
Originator Bank Info: ; Bank to Bank: ;;;; Intermediary Bank: ;;;;

---

account_number: 00030101301 post_date: 2000-05-23 value_date: 2000-05-23 currency: USD dollar_amount: $57.000,00 in_out: I
reference: 20000523B1Q8161C0 Originator: ONE OF OUR CLIENTS;;;; Original Bank: AC000608203300;HSBC REPUBLIC BANK (SUISSE) SA;2 P
Instructing Bank: ;;;; Beneficiary Bank: ;;;;
Beneficiary Info: AC030101301;KUNDO;;; bene_account_number:
senders_aba: 21004823 senders_name: REPUBLIC NYC receivers_aba: 26012894 receivers_name: CBC NY
imad_num: 20000523B1Q8161C0 Other Bank Info: /RFB/FRANTON ENTERPRISES,INC; Beneficiary Bank2: ;;;
Originator Bank Info: ; Bank to Bank: ;;;; Intermediary Bank: ;;;;

---

account_number: 00030101301 post_date: 2000-11-20 value_date: 2000-11-20 currency: USD dollar_amount: $100.000,00 in_out: I
reference: 20001120B1Q8452C0 Originator: AC000009262162;REACENDER?;//;; Original Bank: ;;;;
Instructing Bank: ;;;; Beneficiary Bank: ;;;;
Beneficiary Info: AC030101301;KUNDO;;; bene_account_number:
senders_aba: 26009768 senders_name: ISRAEL DISC. BANK receivers_aba: 26012894 receivers_name: THE CONNECTICUT BA
imad_num: 20001120B1Q8452C0 Other Bank Info: ON BEHALF OF FRANTON INTERPRIS Beneficiary Bank2: ;;;
Originator Bank Info: ; Bank to Bank: ;;;; Intermediary Bank: ;;;;

---

account_number: 00030101301 post_date: 2000-11-28 value_date: 2000-11-28 currency: USD dollar_amount: $100.000,00 in_out: I
reference: 20001128F6QC7D9C0 Originator: AC30010969906;RONALDO DE SOUZA;;; Original Bank: ;;;;
Instructing Bank: ;;;; Beneficiary Bank: AC030101301;KUNDO;;;
Beneficiary Info: FRANTON ENTERPRISES INC;;;; bene_account_number:
senders_aba: 67001699 senders_name: INTL BK MIA receivers_aba: 26012894 receivers_name: MTB BANK NY
imad_num: 20001128F6QC7D9C0 Other Bank Info: ; Beneficiary Bank2: ;;;
Originator Bank Info: ; Bank to Bank: ;;;; Intermediary Bank: ;;;;

account_number: 00030101301 post_date: 2000-12-21 value_date: 2000-12-21 currency: USD dollar_amount: $50.000,00 in_out: I
reference: 20001221F6QC7D9C0 Originator: AC30010969906;RONALDO DE SOUZA;;; Original Bank: ;;;;
Instructing Bank: ;;;; Beneficiary Bank: AC030101301;KUNDO;;;
Beneficiary Info: AC030101301;FRANTON ENTERPRISES INC;;; bene_account_number:
senders_aba: 67001699 senders_name: INTL BK MIA receivers_aba: 26012894 receivers_name: MTB BANK NY
imad_num: 20001221F6QC7D9C0 Other Bank Info: ; Beneficiary Bank2: ;;;
Originator Bank Info: ; Bank to Bank: ;;;; Intermediary Bank: ;;;;

---

account_number: 00030101301 post_date: 2001-01-05 value_date: 2001-01-05 currency: USD dollar_amount: $60.000,00 in_out: I
reference: 20010105B1Q8022C0 Originator: AC003105757417;ALOYSIO VASCONCELLOS;8 Original Bank: SAGCNXUNAX458;CITIBANK FLORIDA FSB;8750 DORAL BLV
Instructing Bank: ;;;; Beneficiary Bank: ;;;;
Beneficiary Info: AC030101301;FRANTON INTERPRISES INC;;; bene_account_number:
senders_aba: 21000089 senders_name: CITIBANK NA receivers_aba: 26012894 receivers_name: CBC NY
imad_num: 20010105B1Q8022C0 Other Bank Info: ; Beneficiary Bank2: ;;;
Originator Bank Info: ; Bank to Bank: ;;;; Intermediary Bank: ;;;;

---

account_number: 00030101301 post_date: 2001-01-16 value_date: 2001-01-16 currency: USD dollar_amount: $50.000,00 in_out: I
reference: 20010116F6QC7D9C0 Originator: AC30010969906;CONSULTANT CORPORATION Original Bank: ;;;;
Instructing Bank: ;;;; Beneficiary Bank: AC030101301;KUNDO;;;
Beneficiary Info: FRANTON ENTERPRISES INC;;;; bene_account_number:
senders_aba: 67001699 senders_name: INTL BK MIA receivers_aba: 26012894 receivers_name: MTB BANK
imad_num: 20010116F6QC7D9C0 Other Bank Info: ; Beneficiary Bank2: ;;;
Originator Bank Info: ; Bank to Bank: ;;;; Intermediary Bank: ;;;;

---

account_number: 00030101301 post_date: 2001-03-12 value_date: 2001-03-12 currency: USD dollar_amount: $500.000,00 in_out: I
reference: 20010312B1Q8452C0 Originator: AC000009262162;REACENDER?;//;; Original Bank: ;;;;
Instructing Bank: ;;;; Beneficiary Bank: AC030101301;KUNDO;;;
Beneficiary Info: FRANTON ENTERPRISES, INC.;;;; bene_account_number:
senders_aba: 26009768 senders_name: ISRAEL DISC. BANK receivers_aba: 26012894 receivers_name: THE CONNECTICUT BA
imad_num: 20010312B1Q8452C0 Other Bank Info: ; Beneficiary Bank2: ;;;
Originator Bank Info: ; Bank to Bank: ;;;; Intermediary Bank: ;;;;

account_number: 00030101301 *post_d*[illegible] 2001-08-03 *value_date:* 2001-08-03 *curren*[illegible]SD *dollar_amount:* $1.000.985,00 *in_out:* I
reference: 20010803B1Q8052C0 *Originator:* INSTRUCTIONS;;;; *Original Bank:* SAUBSWCHZH80A;UBS AG;P.O. BOX;CH-8022 ZURICH, SWIT
Instructing Bank: SAUBSWCHZH80A;UBS AG;P.O. BOX;CH-8022 ZURICH, SWITZERLAND; *Beneficiary Bank:* ;;;;
Beneficiary Info: AC030 101 301;TITLE KUNDO;;; *bene_account_number:*
senders_aba: 26007993 *senders_name:* SWISS BANK CORP *receivers_aba:* 26012894 *receivers_name:* CBC NY
imad_num: 20010803B1Q8052C0 *Other Bank Info:* F/F/C : FRANTON ENTERPRISES INC. *Beneficiary Bank2:* ;;;
Originator Bank Info: ; *Bank to Bank:* ;;;; *Intermediary Bank:* ;;;;

TOTAL GERAL (em US$): **7.536.273,30**

MTB Ronaldo [illegible] Souza

account_number: 00030101301 *post_date:* 2001-01-01 *value_date:* 1997-07-01 *currency:* USD *dollar_amount:* $2.550,00 *in_out:* O
reference: 19970701B1Q8771C0 *Originator:* KUNDO SA;;;; *Original Bank:* ;;;;
Instructing Bank: ;;;; *Beneficiary Bank:* BBI= *OBI=B.O.RONALDO DE SOUZA R;E.ON BEHALF OF C
Beneficiary Info: IBK= *BBK= *BNF=JOSE MARIA CARNE;IRO DA CUNHA *A/C=50045217306;;; *bene_account_number:*
senders_aba: *senders_name:* *receivers_aba:* 67001699 *receivers_name:*
imad_num: *Other Bank Info:* ; *Beneficiary Bank2:* ;;;
Originator Bank Info: ; *Bank to Bank:* ;;;; *Intermediary Bank:* ;;;;

account_number: 00030101301 *post_date:* 2001-01-01 *value_date:* 1997-08-07 *currency:* USD *dollar_amount:* $70.000,00 *in_out:* I
reference: 19970807B1Q8771C0 *Originator:* BANCO MAYO COOPERATIVA LTDARGENT;;;; *Original Bank:* ;;;;
Instructing Bank: ;;;; *Beneficiary Bank:* BBI=/BNF/THIS FOUNDS ARE BY CRED;ITTO//RONALDO D
Beneficiary Info: IBK= *BBK= *BNF=KUNDO SA *A/C=03;0101301;;; *bene_account_number:*
senders_aba: 21004823 *senders_name:* *receivers_aba:* *receivers_name:*
imad_num: *Other Bank Info:* ; *Beneficiary Bank2:* ;;;
Originator Bank Info: ; *Bank to Bank:* ;;;; *Intermediary Bank:* ;;;;

account_number: 00030101301 *post_date:* 2001-01-01 *value_date:* 1997-09-18 *currency:* USD *dollar_amount:* $53.245,00 *in_out:* I
reference: 19970918B1Q8771C0 *Originator:* LORENA POINT S.A.;;;; *Original Bank:* ;;;;
Instructing Bank: ;;;; *Beneficiary Bank:* BBI=FC RONALDO DESOUZA/BC MAYOAR;BA *OBI=DEVOL
Beneficiary Info: IBK= *BBK= *BNF=KUNDO SA *A/C=03;0101301;;; *bene_account_number:*
senders_aba: 26007993 *senders_name:* *receivers_aba:* *receivers_name:*
imad_num: *Other Bank Info:* ; *Beneficiary Bank2:* ;;;
Originator Bank Info: ; *Bank to Bank:* ;;;; *Intermediary Bank:* ;;;;

account_number: 00030101301 *post_date:* 2001-01-01 *value_date:* 1997-10-21 *currency:* USD *dollar_amount:* $800.000,00 *in_out:* I
reference: 19971021B1Q8771C0 *Originator:* CONSULATUM CORPORATION, SAO PAU;;;; *Original Bank:* ;;;;
Instructing Bank: ;;;; *Beneficiary Bank:* BBI= *OBI=BNF-RONALDO DE SOUZA;;;;
Beneficiary Info: IBK= *BBK= *BNF=KUNDO SA *A/C=03;0101301;;; *bene_account_number:*
senders_aba: 67001699 *senders_name:* *receivers_aba:* *receivers_name:*
imad_num: *Other Bank Info:* ; *Beneficiary Bank2:* ;;;
Originator Bank Info: ; *Bank to Bank:* ;;;; *Intermediary Bank:* ;;;;

---

account_number: 00030101301 *post_date:* 2001-01-01 *value_date:* 1997-12-03 *currency:* USD *dollar_amount:* $24.000,00 *in_out:* I
reference: 19971203B1Q8771C0 *Originator:* RONALDO DE SOUZA;;;; *Original Bank:* ;;;;
Instructing Bank: ;;;; *Beneficiary Bank:* ;;;;
Beneficiary Info: IBK= *BBK= *BNF=KUNDO SA *A/C=03;0101301;;; *bene_account_number:*
senders_aba: 67001699 *senders_name:* *receivers_aba:* *receivers_name:*
imad_num: *Other Bank Info:* ; *Beneficiary Bank2:* ;;;
Originator Bank Info: ; *Bank to Bank:* ;;;; *Intermediary Bank:* ;;;;

---

account_number: 00030101301 *post_date:* 2001-01-01 *value_date:* 1998-03-27 *currency:* USD *dollar_amount:* $41.785,00 *in_out:* I
reference: 19980327B1Q8771C0 *Originator:* LORENA POINT S.A.;;;; *Original Bank:* ;;;;
Instructing Bank: ;;;; *Beneficiary Bank:* BBI=ABA 026012894 FOR FUTTHER*CR;EDIT TO: RONALD
Beneficiary Info: IBK= *BBK= *BNF=030.101.301 KUND;LORENA POINT S.A.;;; *bene_account_number:*
senders_aba: 26007993 *senders_name:* *receivers_aba:* *receivers_name:*
imad_num: *Other Bank Info:* ; *Beneficiary Bank2:* ;;;
Originator Bank Info: ; *Bank to Bank:* ;;;; *Intermediary Bank:* ;;;;

---

account_number: 00030101301 *post_date:* 2001-01-01 *value_date:* 1998-04-14 *currency:* USD *dollar_amount:* $125.000,00 *in_out:* I
reference: 19980414B1Q8771C0 *Originator:* AGESSE SEGURANCA PAT LTDA;;;; *Original Bank:* ;;;;
Instructing Bank: ;;;; *Beneficiary Bank:* ;;;;
Beneficiary Info: IBK=KUNDO *BBK= RONALDO DE SOUZA; *BNF= RONALDO DE SOUZA;;; *bene_account_number:*
senders_aba: 26004624 *senders_name:* *receivers_aba:* *receivers_name:*
imad_num: *Other Bank Info:* ; *Beneficiary Bank2:* ;;;
Originator Bank Info: ; *Bank to Bank:* ;;;; *Intermediary Bank:* ;;;;

---

account_number: 00030101301 *post_date:* 2001-01-01 *value_date:* 1998-08-04 *currency:* USD *dollar_amount:* $47.875,00 *in_out:* I
reference: 19980804B1Q8771C0 *Originator:* LORENA POINT S.A.;;;; *Original Bank:* ;;;;
Instructing Bank: ;;;; *Beneficiary Bank:* BBI=ABA 026012894 FOR FUTHER*CRE;DIT TO:RONALDO
Beneficiary Info: IBK= *BBK= *BNF=030101301 KUNDO;LORENA POINT SA;;; *bene_account_number:*
senders_aba: 26007993 *senders_name:* *receivers_aba:* *receivers_name:*
imad_num: *Other Bank Info:* ; *Beneficiary Bank2:* ;;;
Originator Bank Info: ; *Bank to Bank:* ;;;; *Intermediary Bank:* ;;;;

---

account_number: 00030101301 *post_date:* 1998-09-28 *value_date:* 1998-09-28 *currency:* USD *dollar_amount:* $198.000,00 *in_out:* I
reference: 19980928B1Q1021D0 *Originator:* AGESSE SEGURANCA PAT.LTDA;RUA GREGO *Original Bank:* ;;;;
Instructing Bank: ;;;;ROAD TOWN TORTOLA BVI *Beneficiary Bank:* ;;;;
Beneficiary Info: AC030101301;KONDO RONALDO DE SOUZA;;; *bene_account_number:*
senders_aba: 26004624 *senders_name:* EXCEL NYC *receivers_aba:* 26012894 *receivers_name:* MTB BANK NYC
imad_num: 19980928B1Q1021D0 *Other Bank Info:* ; *Beneficiary Bank2:* ;;;
Originator Bank Info: ; *Bank to Bank:* ;;;; *Intermediary Bank:* ;;;;

---

account_number: 00030101301 *post_date:* 2000-11-28 *value_date:* 2000-11-28 *currency:* USD *dollar_amount:* $100.000,00 *in_out:* I
reference: 20001128F6QC7D9C0 *Originator:* AC30010969906;RONALDO DE SOUZA;;; *Original Bank:* ;;;;
Instructing Bank: ;;;; *Beneficiary Bank:* AC030101301;KUNDO;;;
Beneficiary Info: FRANTON ENTERPRISES INC;;;; *bene_account_number:*
senders_aba: 67001699 *senders_name:* INTL BK MIA *receivers_aba:* 26012894 *receivers_name:* MTB BANK NY
imad_num: 20001128F6QC7D9C0 *Other Bank Info:* ; *Beneficiary Bank2:* ;;;
Originator Bank Info: ; *Bank to Bank:* ;;;; *Intermediary Bank:* ;;;;

---

account_number: 00030101301 *post_date:* 2000-12-21 *value_date:* 2000-12-21 *currency:* USD *dollar_amount:* $50.000,00 *in_out:* I
reference: 20001221F6QC7D9C0 *Originator:* AC30010969906;RONALDO DE SOUZA;;; *Original Bank:* ;;;;
Instructing Bank: ;;;; *Beneficiary Bank:* AC030101301;KUNDO;;;
Beneficiary Info: AC030101301;FRANTON ENTERPRISES INC;;; *bene_account_number:*
senders_aba: 67001699 *senders_name:* INTL BK MIA *receivers_aba:* 26012894 *receivers_name:* MTB BANK NY
imad_num: 20001221F6QC7D9C0 *Other Bank Info:* ; *Beneficiary Bank2:* ;;;
Originator Bank Info: ; *Bank to Bank:* ;;;; *Intermediary Bank:* ;;;;

TOTAL GERAL (em US$): **1.512.455,00**

MTB Gregório Ma[illegible] Preciado

account_number: 00030101301 post_date: 2001-01-01 value_date: 1998-03-31 currency: USD dollar_amount: $102.000,00 in_out: I
reference: 19980331B1Q8771C0 Originator: GREGORIO MARIN PRECIADO;;;; Original Bank: ;;;;
Instructing Bank: ;;;; Beneficiary Bank: ;;;;
Beneficiary Info: IBK= *BBK= *BNF=030 101 301 KUND;O;;; bene_account_number:
senders_aba: 26003023 senders_name: receivers_aba: receivers_name:
imad_num: Other Bank Info: ; Beneficiary Bank2: ;;;
Originator Bank Info: ; Bank to Bank: ;;;; Intermediary Bank: ;;;;

account_number: 00030101301 post_date: 1998-11-12 value_date: 1998-11-12 currency: USD dollar_amount: $100.000,00 in_out: I
reference: 19981112B1Q6971D0 Originator: NBCUSTOMER;GREGORIO MARIN PRECIADO; Original Bank: ;;;;
Instructing Bank: ;;;;MONTEVIDEO URUGUAY Beneficiary Bank: ;;;;
Beneficiary Info: AC030101301;KUNDO;;; bene_account_number:
senders_aba: 26003023 senders_name: SAFRA NATIONAL receivers_aba: 26012894 receivers_name: MTB BANK NYC
imad_num: 19981112B1Q6971D0 Other Bank Info: ; Beneficiary Bank2: ;;;
Originator Bank Info: ; Bank to Bank: ;;;; Intermediary Bank: ;;;;

account_number: 00030101301 post_date: 2001-01-02 value_date: 2001-01-02 currency: USD dollar_amount: $21.980,00 in_out: I
reference: 20010102B1Q8021C0 Originator: MARIN-PRECIADO-GREGORIO;OLIVEIRA DIAS Original Bank: AC36002729;CAJA DE AHORROS Y PENSIONES;DE BARCEL
Instructing Bank: ;;;; Beneficiary Bank: ;;;;
Beneficiary Info: ACABA026012894CTA030101301;KUNDO;NEW YORK;; bene_account_number:
senders_aba: 21000089 senders_name: CITIBANK NA receivers_aba: 26012894 receivers_name: CBC NY
imad_num: 20010102B1Q8021C0 Other Bank Info: ; Beneficiary Bank2: ;;;
Originator Bank Info: ; Bank to Bank: ;;;; Intermediary Bank: ;;;;

account_number: 00030101301 post_date: 2001-04-25 value_date: 2001-04-25 currency: USD dollar_amount: $78.000,00 in_out: I
reference: 20010425B1Q6091D0 Originator: AC6002242;GREGORIO MARIN PRECIADO;;; Original Bank: ;;;;
Instructing Bank: ;;;; Beneficiary Bank: ;;;;
Beneficiary Info: AC030 101 301;KUNDO;;; bene_account_number:
senders_aba: 26003023 senders_name: SAFRA NATIONAL receivers_aba: 26012894 receivers_name: CBC BANK NY
imad_num: 20010425B1Q6091D0 Other Bank Info: ; Beneficiary Bank2: ;;;
Originator Bank Info: ; Bank to Bank: ;;;; Intermediary Bank: ;;;;

account_number: 00030101301 post_d[illegible] 2001-05-22 value_date: 2001-05-22 curren[illegible] USD dollar_amount: $45.975,00 in_out: I
reference: 20010522B1QGC02C0 Originator: MARIN-PRECIADO-GREGORIO;OLIVEIRA DIAS Original Bank: SACAIXESBB;;;;
Instructing Bank: ;;;; Beneficiary Bank: ;;;;
Beneficiary Info: ACCC030101301;KUNDO;NEW YORK;; bene_account_number:
senders_aba: 21000021 senders_name: CHASE NYC receivers_aba: 26012894 receivers_name: CBC NY
imad_num: 20010522B1QGC02C0 Other Bank Info: ; Beneficiary Bank2: ;;;
Originator Bank Info: ; Bank to Bank: ;;;; Intermediary Bank: ;;;;

TOTAL GERAL (em US$): 347.955,00

MTB **Lorena Po[illegible]t**

account_number: 00030101301 *post_date:* 2001-01-01 *value_date:* 1997-02-24 *currency:* USD *dollar_amount:* $40.000,00 *in_out:* O
reference: 19970224B1Q8771C0 *Originator:* KUNDO SA;;;; *Original Bank:* ;;;;
Instructing Bank: ;;;; *Beneficiary Bank:* BBI= *OBI=B.O. LORENA POINT S.A.;;;;
Beneficiary Info: IBK= *BBK= *BNF=CIADEA SA. *A/C=;36955714;;; *bene_account_number:*
senders_aba: *senders_name:* *receivers_aba:* 21000089 *receivers_name:*
imad_num: *Other Bank Info:* ; *Beneficiary Bank2:* ;;;
Originator Bank Info: ; *Bank to Bank:* ;;;; *Intermediary Bank:* ;;;;

---

account_number: 00030101301 *post_date:* 2001-01-01 *value_date:* 1997-09-18 *currency:* USD *dollar_amount:* $53.245,00 *in_out:* I
reference: 19970918B1Q8771C0 *Originator:* LORENA POINT S.A.;;;; *Original Bank:* ;;;;
Instructing Bank: ;;;; *Beneficiary Bank:* BBI=FC RONALDO DESOUZA/BC MAYOAR;BA *OBI=DEVOL
Beneficiary Info: IBK= *BBK= *BNF=KUNDO SA *A/C=03;0101301;;; *bene_account_number:*
senders_aba: 26007993 *senders_name:* *receivers_aba:* *receivers_name:*
imad_num: *Other Bank Info:* ; *Beneficiary Bank2:* ;;;
Originator Bank Info: ; *Bank to Bank:* ;;;; *Intermediary Bank:* ;;;;

---

account_number: 00030101301 *post_date:* 2001-01-01 *value_date:* 1997-10-15 *currency:* USD *dollar_amount:* $49.335,00 *in_out:* I
reference: 19971015B1Q8771C0 *Originator:* LORENA POINT S.A.;;;; *Original Bank:* ;;;;
Instructing Bank: ;;;; *Beneficiary Bank:* BBI=F.O. LORENA POINT SA FFC RON;ALDO DE SOUSA *O
Beneficiary Info: IBK= *BBK= *BNF=KUNDO SA *A/C=03;0101301;;; *bene_account_number:*
senders_aba: 26007993 *senders_name:* *receivers_aba:* *receivers_name:*
imad_num: *Other Bank Info:* ; *Beneficiary Bank2:* ;;;
Originator Bank Info: ; *Bank to Bank:* ;;;; *Intermediary Bank:* ;;;;

---

account_number: 00030101301 *post_date:* 2001-01-01 *value_date:* 1997-11-24 *currency:* USD *dollar_amount:* $57.885,00 *in_out:* I
reference: 19971124B1Q8771C0 *Originator:* LORENA POINT S.A.;;;; *Original Bank:* ;;;;
Instructing Bank: ;;;; *Beneficiary Bank:* BBI=FC RONALDO DE SOUSA *OBI=DEV;OLUCION DE APO
Beneficiary Info: IBK= *BBK= *BNF=KUNDO SA *A/C=03;0101301;;; *bene_account_number:*
senders_aba: 26007993 *senders_name:* *receivers_aba:* *receivers_name:*
imad_num: *Other Bank Info:* ; *Beneficiary Bank2:* ;;;
Originator Bank Info: ; *Bank to Bank:* ;;;; *Intermediary Bank:* ;;;;

account_number: 00030101301 *post_d[illegible]* 2001-01-01 *value_date:* 1997-12-16 *curren[illegible]SD* *dollar_amount:* $62.435,00 *in_out:* I
reference: 19971216B1Q8771C0 *Originator:* LORENA POINT S.A.;;;; *Original Bank:* ;;;;
Instructing Bank: ;;;; *Beneficiary Bank:* BBI=ABA 026.012.894* *OBI=DEVLUC;ION DE APORTES$15.
Beneficiary Info: IBK= *BBK= *BNF=LORENA POINT S.A;. *A/C=;;; *bene_account_number:*
senders_aba: 26007993 *senders_name:* *receivers_aba:* *receivers_name:*
imad_num: *Other Bank Info:* ; *Beneficiary Bank2:* ;;;
Originator Bank Info: ; *Bank to Bank:* ;;;; *Intermediary Bank:* ;;;;

---

account_number: 00030101301 *post_date:* 2001-01-01 *value_date:* 1998-01-22 *currency:* USD *dollar_amount:* $51.585,00 *in_out:* I
reference: 19980122B1Q8771C0 *Originator:* LORENA POINT S.A.;;;; *Original Bank:* ;;;;
Instructing Bank: ;;;; *Beneficiary Bank:* BBI=ABA 026-012-894* *OBI=DEVOLU;CION DE APORTES$1
Beneficiary Info: IBK= *BBK= *BNF=LORENA POINT S.A;. *A/C=030101301-KUNDO;;; *bene_account_number:*
senders_aba: 26007993 *senders_name:* *receivers_aba:* *receivers_name:*
imad_num: *Other Bank Info:* ; *Beneficiary Bank2:* ;;;
Originator Bank Info: ; *Bank to Bank:* ;;;; *Intermediary Bank:* ;;;;

---

account_number: 00030101301 *post_date:* 2001-01-01 *value_date:* 1998-03-02 *currency:* USD *dollar_amount:* $59.485,00 *in_out:* I
reference: 19980302B1Q8771C0 *Originator:* LORENA POINT S.A.;;;; *Original Bank:* ;;;;
Instructing Bank: ;;;; *Beneficiary Bank:* BBI=ABA 026012894* *OBI=DEVOLUCI;ON DE APORTES$15
Beneficiary Info: IBK= *BBK= *BNF=030101301 KUNDO;LORENA POINT SA-FOR FURTHER C *bene_account_number:*
senders_aba: 26007993 *senders_name:* *receivers_aba:* *receivers_name:*
imad_num: *Other Bank Info:* ; *Beneficiary Bank2:* ;;;
Originator Bank Info: ; *Bank to Bank:* ;;;; *Intermediary Bank:* ;;;;

---

account_number: 00030101301 *post_date:* 2001-01-01 *value_date:* 1998-03-27 *currency:* USD *dollar_amount:* $41.785,00 *in_out:* I
reference: 19980327B1Q8771C0 *Originator:* LORENA POINT S.A.;;;; *Original Bank:* ;;;;
Instructing Bank: ;;;; *Beneficiary Bank:* BBI=ABA 026012894 FOR FUTTHER*CR;EDIT TO: RONALD
Beneficiary Info: IBK= *BBK= *BNF=030.101.301 KUND;LORENA POINT S.A.;;; *bene_account_number:*
senders_aba: 26007993 *senders_name:* *receivers_aba:* *receivers_name:*
imad_num: *Other Bank Info:* ; *Beneficiary Bank2:* ;;;
Originator Bank Info: ; *Bank to Bank:* ;;;; *Intermediary Bank:* ;;;;

account_number: 00030101301 *post_d*[illegible] 2001-01-01 *value_date:* 1998-04-30 *currenc*[illegible]SD *dollar_amount:* $42.085,00 *in_out:* I
reference: 19980430B1Q8771C0 *Originator:* LORENA POINT S.A.;;;; *Original Bank:* ;;;;
Instructing Bank: ;;;; *Beneficiary Bank:* BBI=ABA 026.012.894* *OBI=$15.00; FEE DEDUCTED;;;
Beneficiary Info: IBK= *BBK= *BNF=030.101.301 KUND;LORENA POINT S.A.FOR FURTHER C *bene_account_number:*
senders_aba: 26007993 *senders_name:* *receivers_aba:* *receivers_name:*
imad_num: *Other Bank Info:* ; *Beneficiary Bank2:* ;;;
Originator Bank Info: ; *Bank to Bank:* ;;;; *Intermediary Bank:* ;;;;

---

account_number: 00030101301 *post_date:* 2001-01-01 *value_date:* 1998-06-22 *currency:* USD *dollar_amount:* $66.285,00 *in_out:* I
reference: 19980622B1Q8771C0 *Originator:* LORENA POINT S.A.;;;; *Original Bank:* ;;;;
Instructing Bank: ;;;; *Beneficiary Bank:* BBI=ABA 026.012.894* *OBI=DEVOLU;CION APORTES$15.0
Beneficiary Info: IBK= *BBK= *BNF=030.101.301 KUND;LORENA POINT S.A.-FOR FURTHER C *bene_account_number:*
senders_aba: 26007993 *senders_name:* *receivers_aba:* *receivers_name:*
imad_num: *Other Bank Info:* ; *Beneficiary Bank2:* ;;;
Originator Bank Info: ; *Bank to Bank:* ;;;; *Intermediary Bank:* ;;;;

---

account_number: 00030101301 *post_date:* 2001-01-01 *value_date:* 1998-08-04 *currency:* USD *dollar_amount:* $47.875,00 *in_out:* I
reference: 19980804B1Q8771C0 *Originator:* LORENA POINT S.A.;;;; *Original Bank:* ;;;;
Instructing Bank: ;;;; *Beneficiary Bank:* BBI=ABA 026012894 FOR FUTHER*CRE;DIT TO:RONALDO
Beneficiary Info: IBK= *BBK= *BNF=030101301 KUNDO;LORENA POINT SA;;; *bene_account_number:*
senders_aba: 26007993 *senders_name:* *receivers_aba:* *receivers_name:*
imad_num: *Other Bank Info:* ; *Beneficiary Bank2:* ;;;
Originator Bank Info: ; *Bank to Bank:* ;;;; *Intermediary Bank:* ;;;;

---

account_number: 00030101301 *post_date:* 2001-01-01 *value_date:* 1998-08-19 *currency:* USD *dollar_amount:* $40.225,00 *in_out:* I
reference: 19980819B1Q8771C0 *Originator:* LORENA POINT S.A.;;;; *Original Bank:* ;;;;
Instructing Bank: ;;;; *Beneficiary Bank:* BBI=ABA 026012894 REF/FOR FURTHE;R*CREDIT TO:RON
Beneficiary Info: IBK= *BBK= *BNF=030101-301 KUNDO;LORENA POINT SA;;; *bene_account_number:*
senders_aba: 26007993 *senders_name:* *receivers_aba:* *receivers_name:*
imad_num: *Other Bank Info:* ; *Beneficiary Bank2:* ;;;
Originator Bank Info: ; *Bank to Bank:* ;;;; *Intermediary Bank:* ;;;;

---

account_number: 00030101301 *post_d*[illegible] 1998-12-10 *value_date:* 1998-12-10 *currenc*[illegible]SD *dollar_amount:* $116.000,00 *in_out:* O
reference: 19981210B1Q8771C0 *Originator:* KUNDO S.A.;TROPIC ISLE BUILDING,P.O. BOX *Original Bank:* ;;;;
Instructing Bank: ;;;;ZURICH SWITZERLAND 8021 - *Beneficiary Bank:* AC025569000;BANCO BANSUD SA SUC CASA CENTRAL;SA
Beneficiary Info: AC0110606001;LORENA POINT SA;;; *bene_account_number:*
senders_aba: 26012894 *senders_name:* MTB BANK *receivers_aba:* 26007993 *receivers_name:* SWISS BANK CORP
imad_num: 19981210B1Q8771C0 *Other Bank Info:* ; *Beneficiary Bank2:* ;;;
Originator Bank Info: ; *Bank to Bank:* ;;;; *Intermediary Bank:* ;;;;

---

account_number: 00030101301 *post_date:* 2000-05-05 *value_date:* 2000-05-05 *currency:* USD *dollar_amount:* $300.000,00 *in_out:* I
reference: 20000505F6QC7D9C0 *Originator:* AC30010969906;CONSULTATUM CORPORATI *Original Bank:* ;;;;
Instructing Bank: ;;;; *Beneficiary Bank:* AC030101301;KUNDO;;;
Beneficiary Info: LORENA POINT S A;;;; *bene_account_number:*
senders_aba: 67001699 *senders_name:* INTL BK MIA *receivers_aba:* 26012894 *receivers_name:* MTB BANK
imad_num: 20000505F6QC7D9C0 *Other Bank Info:* ; *Beneficiary Bank2:* ;;;
Originator Bank Info: ; *Bank to Bank:* ;;;; *Intermediary Bank:* ;;;;

---

account_number: 00030101301 *post_date:* 2000-06-14 *value_date:* 2000-06-14 *currency:* USD *dollar_amount:* $350.000,00 *in_out:* I
reference: 20000614F6QC7D9C0 *Originator:* AC30010969906;CONSULTATUM CORPORATI *Original Bank:* ;;;;
Instructing Bank: ;;;; *Beneficiary Bank:* AC030101301;KUNDO;;;
Beneficiary Info: LORENA POINT S A;;;; *bene_account_number:*
senders_aba: 67001699 *senders_name:* INTL BK MIA *receivers_aba:* 26012894 *receivers_name:* MTB BANK
imad_num: 20000614F6QC7D9C0 *Other Bank Info:* ; *Beneficiary Bank2:* ;;;
Originator Bank Info: ; *Bank to Bank:* ;;;; *Intermediary Bank:* ;;;;

---

account_number: 00030101301 *post_date:* 2000-08-22 *value_date:* 2000-08-22 *currency:* USD *dollar_amount:* $150.000,00 *in_out:* I
reference: 20000822F6QC7D9C0 *Originator:* CONSULTATUM CORPORATION;;;; *Original Bank:* ;;;;
Instructing Bank: ;;;; *Beneficiary Bank:* AC030101301;KUNDO;,;;
Beneficiary Info: LORENA POINT S A;;;; *bene_account_number:*
senders_aba: 67001699 *senders_name:* INTL BK MIAMI *receivers_aba:* 26012894 *receivers_name:* MTB BANK
imad_num: 20000822F6QC7D9C0 *Other Bank Info:* ; *Beneficiary Bank2:* ;;;
Originator Bank Info: ; *Bank to Bank:* ;;;; *Intermediary Bank:* ;;;;

---

account_number: 00030101301 post_d[illegible] 2000-09-05 value_date: 2000-09-05 currenc[illegible]SD dollar_amount: $125.000,00 in_out: I
reference: 20000905F6QC7D9C0 Originator: CONSULTATUM CORPORATION;;;; Original Bank: ;;;
Instructing Bank: ;;;; Beneficiary Bank: AC030101301;KUNDO;;;
Beneficiary Info: LORENA POINT SA;;;; bene_account_number:
senders_aba: 67001699 senders_name: INTL BK MIAMI receivers_aba: 26012894 receivers_name: MTB BANK
imad_num: 20000905F6QC7D9C0 Other Bank Info: ; Beneficiary Bank2: ;;;
Originator Bank Info: ; Bank to Bank: ;;;; Intermediary Bank: ;;;;

account_number: 00030101301 post_date: 2000-10-10 value_date: 2000-10-10 currency: USD dollar_amount: $125.000,00 in_out: I
reference: 20001010F6QC7D9C0 Originator: AC30010969906;CONSULTATUM CORPORATI Original Bank: ;;;
Instructing Bank: ;;; Beneficiary Bank: AC030101301;KUNDO;;;
Beneficiary Info: LORENA POINT S A;;; bene_account_number:
senders_aba: 67001699 senders_name: INTL BK MIA receivers_aba: 26012894 receivers_name: MTB BANK
imad_num: 20001010F6QC7D9C0 Other Bank Info: ; Beneficiary Bank2: ;;;
Originator Bank Info: ; Bank to Bank: ;;;; Intermediary Bank: ;;;;

TOTAL GERAL (em US$): 1.778.225,00

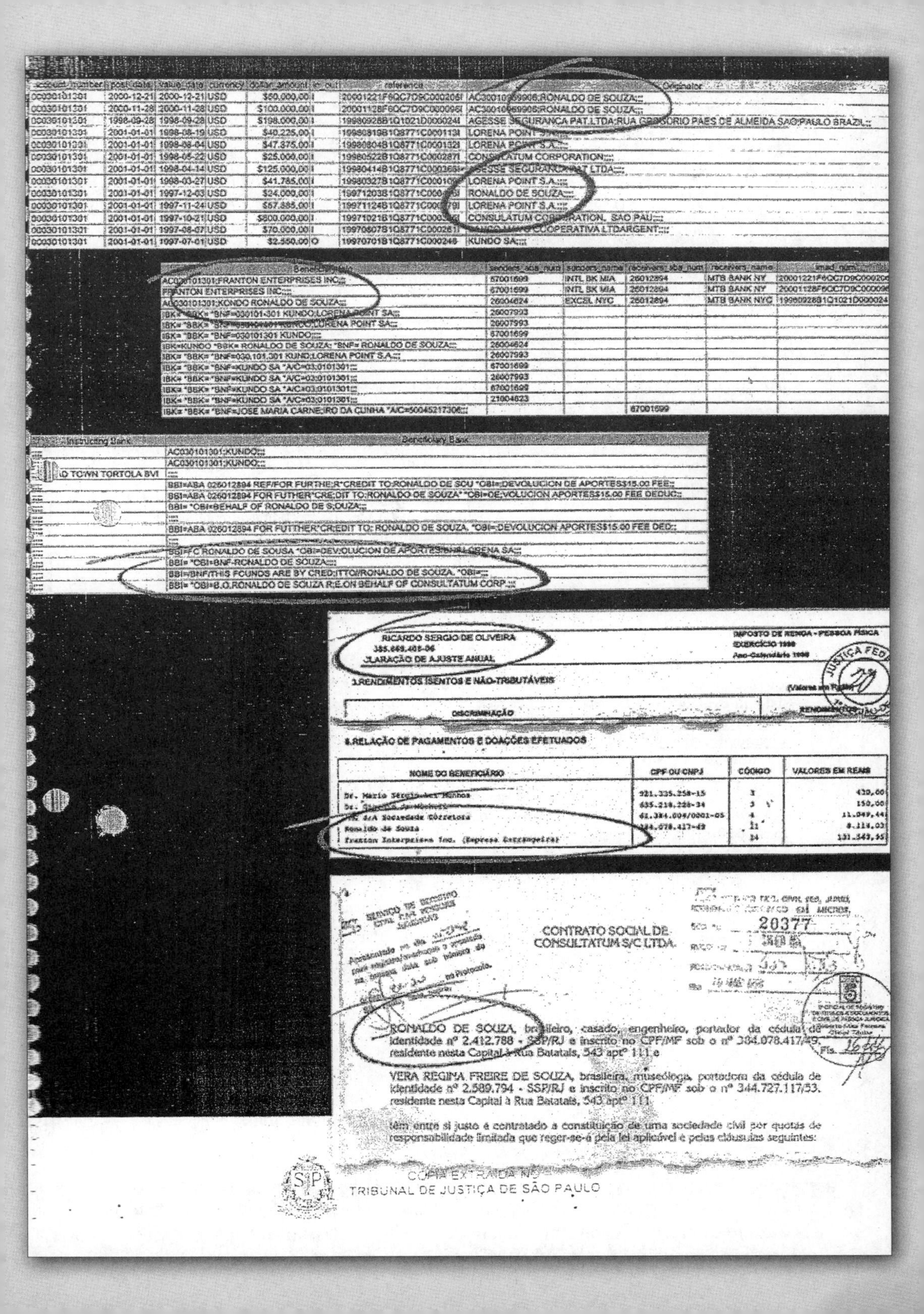

account_number	post_date	value_date	currency	dollar_amount	in_out	reference	Originator
00030101301	2000-12-21	2000-12-21	USD	$50.000,00	I	20001221F6QC7D9C000205	AC30010069906;RONALDO DE SOUZA;;;
00030101301	2000-11-28	2000-11-28	USD	$100.000,00	I	20001128F6QC7D9C000096	AC30010069906;RONALDO DE SOUZA;;;
00030101301	1998-09-28	1998-09-28	USD	$198.000,00	I	19980928B1Q1021D000024	AGESSE SEGURANCA PAT.LTDA;RUA GREGORIO PAES DE ALMEIDA SAO PAULO BRAZIL;;;
00030101301	2001-01-01	1998-08-19	USD	$40.225,00	I	19980819B1Q8771C000113	LORENA POINT S.A.;;;
00030101301	2001-01-01	1998-08-04	USD	$47.375,00	I	19980804B1Q8771C000132	LORENA POINT S.A.;;;
00030101301	2001-01-01	1998-05-22	USD	$25.000,00	I	19980522B1Q8771C000287	CONSULTATUM CORPORATION;;;
00030101301	2001-01-01	1998-04-14	USD	$125.000,00	I	19980414B1Q8771C000366	AGESSE SEGURANCA PAT LTDA;;;
00030101301	2001-01-01	1998-03-27	USD	$41.785,00	I	19980327B1Q8771C000109	LORENA POINT S.A.;;;
00030101301	2001-01-01	1997-12-03	USD	$24.000,00	I	19971203B1Q8771C000035	RONALDO DE SOUZA;;;
00030101301	2001-01-01	1997-11-24	USD	$57.885,00	I	19971124B1Q8771C000079	LORENA POINT S.A.;;;
00030101301	2001-01-01	1997-10-21	USD	$800.000,00	I	19971021B1Q8771C000300	CONSULATUM CORPORATION, SAO PAU;;;
00030101301	2001-01-01	1997-08-07	USD	$70.000,00	I	19970807B1Q8771C000261	BANCO MAYO COOPERATIVA LTDARGENT;;;
00030101301	2001-01-01	1997-07-01	USD	$2.550,00	O	19970701B1Q8771C000246	KUNDO SA;;;

Beneficiary Info	senders_aba_num	senders_name	receivers_aba_num	receivers_name	imad_num
AC030101301;FRANTON ENTERPRISES INC;;;	67001699	INTL BK MIA	26012894	MTB BANK NY	20001221F6QC7D9C000205
FRANTON ENTERPRISES INC;;;	67001699	INTL BK MIA	26012894	MTB BANK NY	20001128F6QC7D9C000096
AC030101301;KONDO RONALDO DE SOUZA;;;	26004624	EXCEL NYC	26012894	MTB BANK NYC	19980928B1Q1021D000024
IBK= *BBK= *BNF=030101-301 KUNDO;LORENA POINT SA;;;	26007993				
IBK= *BBK= *BNF=030101301 KUNDO;LORENA POINT SA;;;	26007993				
IBK= *BBK= *BNF=030101301 KUNDO;;;	67001699				
IBK=KUNDO *BBK= RONALDO DE SOUZA; *BNF= RONALDO DE SOUZA;;;	26004624				
IBK= *BBK= *BNF=030.101.301 KUND;LORENA POINT S.A.;;;	26007993				
IBK= *BBK= *BNF=KUNDO SA *A/C=03;0101301;;;	67001699				
IBK= *BBK= *BNF=KUNDO SA *A/C=03;0101301;;;	26007993				
IBK= *BBK= *BNF=KUNDO SA *A/C=03;0101301;;;	67001699				
IBK= *BBK= *BNF=KUNDO SA *A/C=03;0101301;;;	21004623				
IBK= *BBK= *BNF=JOSE MARIA CARNEIRO DA CUNHA *A/C=50045217306;;;			67001699		

Instructing Bank	Beneficiary Bank
;;;	AC030101301;KUNDO;;;
;;;	AC030101301;KUNDO;;;
...D TOWN TORTOLA BVI	;;;
;;;	BBI=ABA 026012894 REF/FOR FURTHE;R*CREDIT TO;RONALDO DE SOU *OBI=;DEVOLUCION DE APORTES$15.00 FEE;;;
;;;	BBI=ABA 026012894 FOR FUTHER*CRE;DIT TO;RONALDO DE SOUZA* *OBI=DE;VOLUCION APORTES$15.00 FEE DEDUC;;;
;;;	BBI= *OBI=BEHALF OF RONALDO DE S;OUZA;;;
;;;	;;;
;;;	BBI=ABA 026012894 FOR FUTTHER*CR;EDIT TO: RONALDO DE SOUZA. *OBI=;DEVOLUCION APORTES$15.00 FEE DED;;;
;;;	;;;
;;;	BBI=FC RONALDO DE SOUSA *OBI=DEV;OLUCION DE APORTES;BNF-LORENA SA;;;
;;;	BBI= *OBI=BNF-RONALDO DE SOUZA;;;
;;;	BBI=/BNF/THIS FOUNDS ARE BY CRED;ITTO//RONALDO DE SOUZA. *OBI=;;;
;;;	BBI= *OBI=B.O.RONALDO DE SOUZA R;E.ON BEHALF OF CONSULTATUM CORP.;;;

RICARDO SERGIO DE OLIVEIRA
355.669.405-06
DECLARAÇÃO DE AJUSTE ANUAL

IMPOSTO DE RENDA - PESSOA FÍSICA
EXERCÍCIO 1999
Ano-Calendário 1998

3.RENDIMENTOS ISENTOS E NÃO-TRIBUTÁVEIS

(Valores em Reais)

DISCRIMINAÇÃO	RENDIMENTOS

8.RELAÇÃO DE PAGAMENTOS E DOAÇÕES EFETUADOS

NOME DO BENEFICIÁRIO	CPF OU CNPJ	CÓDIGO	VALORES EM REAIS
Dr. Mario Sergio [illegible]	921.335.258-15	3	420,00
Dr. [illegible]	635.218.228-34	3	150,00
[illegible] S/A Sociedade Corretora	61.384.004/0001-05	4	11.049,44
Ronaldo de Souza	384.078.417-49	11	8.114,03
Franton Interprises Inc. (Empresa Estrangeira)		14	131.543,95

CONTRATO SOCIAL DE CONSULTATUM S/C LTDA.

20377

RONALDO DE SOUZA, brasileiro, casado, engenheiro, portador da cédula de identidade nº 2.412.788 - SSP/RJ e inscrito no CPF/MF sob o nº 384.078.417/49, residente nesta Capital à Rua Batatais, 543 aptº 111 e

VERA REGINA FREIRE DE SOUZA, brasileira, museóloga, portadora da cédula de identidade nº 2.589.794 - SSP/RJ e inscrito no CPF/MF sob o nº 344.727.117/53, residente nesta Capital à Rua Batatais, 543 aptº 111

têm entre si justo e contratado a constituição de uma sociedade civil por quotas de responsabilidade limitada que reger-se-á pela lei aplicável e pelas cláusulas seguintes:

MINISTÉRIO DA FAZENDA
Secretaria de Acompanhamento Econômico

Parecer nº 369 /COGSE/SEAE/MF

Brasília, 08 de setembro de 2000.

Referência: Ofício nº 1167/00 GAB/SDE/MJ, de 15 de março de 2000.

Assunto: Ato de Concentração n.º 08012.002359/00-31.
Requerentes: Nova Tarrafa Participações Ltda. e Internet Group (Cayman) Limited.
Operação: Aquisição pela Nova Tarrafa Participações Ltda. de participação acionária minoritária na empresa Internet Group (Cayman) Limited.
Recomendação: aprovação, sem restrições.
Versão: pública.

"O presente parecer técnico destina-se à instrução de processo constituído na forma da Lei nº 8.884, de 11 de junho de 1994, em curso perante o Sistema Brasileiro de Defesa da Concorrência – SBDC.

Não encerra, por isto, conteúdo decisório ou vinculante, mas apenas auxiliar ao julgamento, pelo Conselho Administrativo de Defesa Econômica - CADE, dos atos e condutas de que trata a Lei.

A divulgação de seu teor atende ao propósito de conferir publicidade aos conceitos e critérios observados em procedimentos da espécie pela Secretaria de Acompanhamento Econômico - SEAE, em benefício da transparência e uniformidade de condutas."

A Secretaria de Direito Econômico do Ministério da Justiça solicita à SEAE, nos termos do Art. 54 da Lei n.º 8.884/94, parecer técnico referente ao ato de concentração entre as empresas Nova Tarrafa Participações Ltda. e Internet Group (Cayman) Limited.

Documentos da Secretaria de Acompanhamento Econômico (Seae), do Ministério da Fazenda, que analisavam ato de concentração, flagraram Carlos Jereissati na condição de proprietário da Infinity Trading.

que, por sua vez, controla nove empresas que oferecem serviços de telefonia fixa nas Regiões Sul, Centro Oeste e em parte da Região Norte do Brasil, segundo disposto pelo Plano Geral de Outorgas (PGO), aprovado pelo decreto n.º 2.534, de 02.04.98 que, para efeitos da prestação do Serviço de Telefonia Fixo Comutado (STFC)[2], dividiu o país em regiões e subdividiu três dessas regiões em setores. O Grupo, que atua somente no Brasil, obteve um faturamento de R$ 4.055 milhões em 1999.

1.2 Vendedora

4. A empresa Internet Group (Cayman) Limited, doravante denominada IG Cayman, é uma sociedade constituída, em novembro de 1999, de acordo com as leis das Ilhas Caimã e tem sede em Maples and Calder, Ugland House, South Church Street, P.O. BOX 309, Grand Cayman, Cayman Islands, British West Indies. A IG Cayman é controlada pelas empresas GP Holdings Inc. e Global Investment and Consulting Inc, únicas sócias detentoras de ações Classe A.[3] Os demais sócios da empresa, detentores de ações Classe B, são: Infinity Trading Limited, Andrade Gutierrez Telecomunicações Ltda., Digital Network Investment Ltd. e NG-9 Internet Investment Ltd. A empresa foi não apresentou faturamento no ano de 1999.

5. A Internet Group do Brasil Ltda., doravante denominada IG Brasil, é uma sociedade por quota de responsabilidade limitada, com sede na Rua Amauri, 299, 7º andar, na cidade de São Paulo. A empresa é subsidiária da IG Cayman, que possui 99,99 % de suas quotas. Seus outros sócios são Carlos Alberto da Veiga Sicupira e Verônica Valente Dantas. A IG Brasil, que é o objeto da operação no Brasil, foi constituída em dezembro de 1999 e atua no país no segmento de serviços relacionados à Internet, sobretudo no provimento de acesso discado gratuito à Internet e na comercialização de espaço para publicidade virtual em suas

[2] A definição desta infra-estrutura de telecomunicações está inserida no Plano Geral de Metas para a universalização do serviço telefônico fixo comutado prestado no regime público, aprovado pelo Decreto n.º 2.592, de 15 de maio de 1998 (PGM), que a define como o "serviço de telecomunicações que, por meio da transmissão de voz e de outros sinais, destina-se à comunicação entre pontos fixos determinados, utilizando processos de telefonia".

[3] Informam as requerentes, em resposta ao Ofício n.º 1647 COGSE/SEAE/MF, de 19 de maio de 2000 que, em uma comparação com as Sociedades Anônimas Brasileiras, ações "Classe A" correspondentes a ações ordinárias e com direito a voto e ações "Classe B" correspondem a ações preferenciais e sem direito a voto.

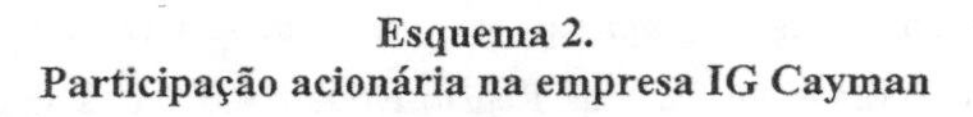

Esquema 2.
Participação acionária na empresa IG Cayman

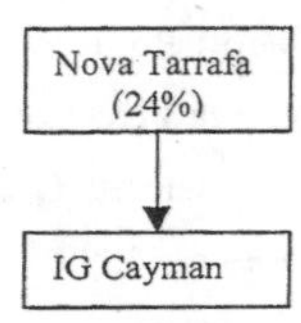

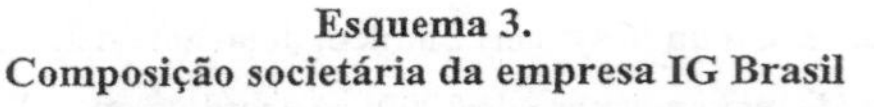

Esquema 3.
Composição societária da empresa IG Brasil

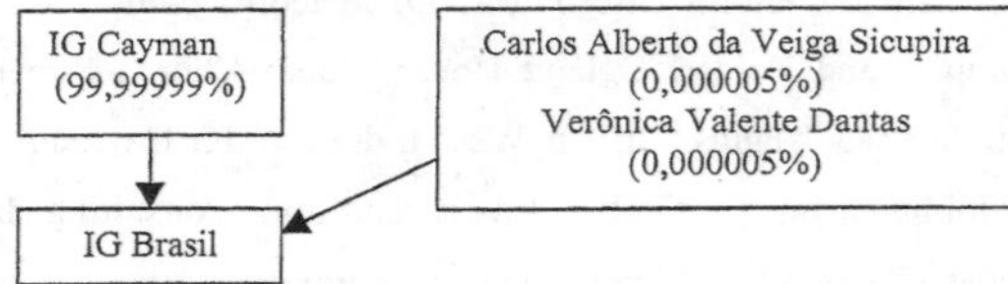

7. A notificação ao Sistema Brasileiro de Defesa da Concorrência (SBDC) se deu com base no Fato Relevante de 17.02.2000,[5] no qual a Tele Centro Sul anunciou investimento na IG Cayman.

8. É importante apontar, por um lado, que a operação derivada do Fato Relevante não provoca alteração na estrutura do capital da IG Brasil, cujo controle permanece sendo exercido pela IG Cayman. Por outro lado, a participação acionária da Tele Centro Sul na Nova Tarrafa é também minoritária (23%). O percentual restante (77%) pertence à Opportunity. A tabela N.º 2 apresenta a participação societária na IG Cayman antes e depois da operação:

[5] As requerentes submeteram cópia de texto publicado no jornal Gazeta Mercantil, de 18, 19 e 20 de fevereiro de 2000, página A-10, com título "Fato Relevante: Tele Centro Sul Participações S/A anuncia investimento no provedor de acesso IG".

3. Recomendação

9. Tendo em vista as definições apresentadas no Guia para Análise Econômica de Atos de Concentração,[6] entende-se que a presente operação não tem características de concentração econômica. Depreende-se que não configura como a constituição de sociedade para exercer o controle de outra empresa, pois trata-se de investimento de dois agentes econômicos para a constituição de uma terceira sociedade que participa no capital de uma quarta pessoa jurídica, mas não a influência decisivamente. Assim sendo, não se procedeu à análise do mercado relevante nem da possibilidade de exercício de poder de mercado derivado da operação.

10. Cabe ainda ressaltar que não se identificou a necessidade de analisar eventuais relações verticais[7] entre a Tele Centro Sul, que opera no mercado de telecomunicações, e a IG Brasil, que é um provedor de acesso discado gratuito à Internet. Ainda que a primeira possa ofertar produtos ou serviços à segunda, constatou-se que a Tele Centro Sul tem participação minoritário no empreendimento da Nova Tarrafa que, por sua vez, não exerce controle sobre a controladora da IG Brasil.

11. Diante do exposto, conclui-se que a operação não evidencia impactos negativos do ponto de vista da concorrência e, portanto, sugere-se que seja aprovada sem restrições.

À apreciação superior.

[6] **Guia para Análise Econômica de Atos de Concentração**, publicado pela Portaria SEAE n.º 39, de 29.06.99 (D.O.U. n.º 124 – Seção 1, de 1.7.99), itens 6 a 16.
[7] Uma integração vertical envolve firmas que operam em diferentes mas complementares níveis na cadeia de produção ou distribuição. A característica fundamental de uma integração vertical é que o produto ou serviço produzido por uma firma pode ser usado como insumo do produto ou serviço oferecido por outra firma.

8.

O PRIMO MAIS ESPERTO DE JOSÉ SERRA

O perdão de uma dívida milionária no Banco do Brasil.
E o apoio do BB para estrear na privataria...
Preciado vai à luta e compra três estatais sob FHC.
Com a bênção de Ricardo Sérgio e o dinheiro da Previ.
Altos negócios com um paraíso natural da Bahia.

A trajetória do empresário espanhol naturalizado brasileiro Gregório Marín Preciado, 67 anos, é um exemplo de como laços de família funcionam como chaves para abrir muitas portas, escancarar novas oportunidades e levar vantagem sem fazer muita força. Desde que passou a integrar o clã dos Serra, os horizontes do primo Preciado expandiram-se consideravelmente. Casado com uma prima em primeiro grau do ex-governador de São Paulo, Preciado arrebatou vantagens bancárias distantes das que arrebatariam mortais comuns, brasileiros ou espanhóis. Ou você, leitor, obteria, munido somente de sua integridade e seus belos olhos, um abatimento de seu débito com o Banco do Brasil de R$ 448 milhões para irrisórios R$ 4,1 milhões?[30] Uma redução amiga de 109 vezes o valor da pendência, decididamente, não é para qualquer bico. Mas para bico de tucano, com certeza é...

---

[30] A dívida de Preciado com o Banco do Brasil foi estimada em US$ 140 milhões, segundo declarou o próprio devedor. Esta quantia foi convertida em reais tendo-se como base a cotação cambial do período de aproximadamente R$ 3,20 por um dólar. O caso foi revelado em 2002 pelo jornalista Fernando Rodrigues, da *Folha de S. Paulo.*

A chave mágica gira pela primeira vez para o contraparente de José Serra em 1983. Catapultado pelo apoio do poderoso primo, Preciado toma assento no Conselho de Administração do Banco do Estado de São Paulo (Banespa), então o banco público estadual. O governador era Franco Montoro e Serra, seu secretário de planejamento. Os tucanos ainda não eram tucanos e abrigavam-se no ninho do PMDB, de onde logo bateriam asas, acusando a velha legenda de antro de fisiologismo, pecha que a história, essa matrona sarcástica, cobraria do próprio PSDB um pouco adiante. O primo de Serra permanecerá no Conselho de 1983 a 1987.

Mas é com os cofres do Banco do Brasil que o primo do peito irá se encontrar. Em agosto de 1993, Preciado toma um empréstimo equivalente a US$ 2,5 milhões na agência Rudge Ramos, em São Bernardo do Campo (SP). O financiamento, em nome das empresas Gremafer Comercial e Importadora Ltda. e Aceto Vidros e Cristais Ltda.[31] que, na época, tinham vários títulos protestados na praça, demora a ser liberado. Quando ocorre a liberação, as duas empresas de Preciado, atoladas em dívidas, não conseguem pagá-lo. No ano seguinte, acontece a primeira renegociação. Mas não é honrada. Apenas a Aceto paga uma parcela — referente a outubro de 1994 — do seu débito.

Corre o ano de 1994 e Preciado está mordendo a lona. Já deve aproximadamente R$ 20 milhões, que não pode pagar ao Banco do Brasil. Mas pode doar, por meio das endividadas Gremafer e Aceto, a bolada de R$ 87.442,82 para a campanha do primo Serra ao Senado. O BB ajuda a bancar as investidas empresariais de Preciado e este ajuda a bancar a candidatura do primo. O depósito consta da prestação de contas do candidato à Justiça Eleitoral.

O tempo passa e o banco público não vê a cor do seu dinheiro. Enquanto isso, a Gremafer vende R$ 1,7 milhão em imóveis. Mesmo

[31] Gremafer Comercial e Importadora Ltda., de São Bernardo do Campo (SP), e Aceto Vidros e Cristais Ltda., de São Paulo (SP). A Gremafer trabalhava com a importação de ferramentas.

assim, por bizarro que possa parecer, Preciado emplaca um segundo empréstimo no BB. Em novembro de 1995 — com FHC presidente e Serra senador — o inadimplente Preciado extrai não apenas um financiamento de montante ainda superior ao primeiro: US$ 2,8 milhões. De lambuja, uma nova e camarada renegociação permitiu-lhe abater R$ 17 milhões do passivo anterior! Aliás, depois disso, a Gremafer vendeu mais R$ 2,2 milhões em imóveis. Para o BB rumariam apenas R$ 160 mil.

"Totalmente exótico", registrou o Ministério Público Federal na ação cautelar de improbidade que moveu contra Preciado e duas dezenas de pessoas físicas e jurídicas em 2004. Mais do que exótico, ilegal. Dirigentes do BB "estão envolvidos num complexo de relações espúrias, mesclando negócios públicos com conexões políticas com altos funcionários do governo", acentuou a ação. "A renovação sucessiva de operações sem liquidez, com garantias inidôneas e insuficientes, configura ato de improbidade", agregou.

Perdoado e ainda agraciado com crédito farto, o primo de Serra, novamente, não salda sua dívida. Documentos do BB, citados pelo MPF, sinalizam que Preciado, em vez de pagar o devido e sanar suas empresas, teria aplicado os recursos em negócios pessoais, entre eles a lavanderia Mr. Clean e as empresas Petrolast, Gamesa do Brasil, Iscar, Porto Marín, além da fábrica de ferramentas Fhusa, esta na Espanha. E na aquisição de imóveis.

Em 1998, quando o poderoso diretor da área internacional, Ricardo Sérgio de Oliveira, mandava e desmandava no BB, a generosa direção do banco perdoou mais uma fatia substancial da dívida do apreciado primo. Apesar do passado e do passivo de mau pagador. De uma só tacada, desbastaram-se R$ 57 milhões da frondosa dívida. Nada mau. Preciado devia, então, R$ 61,3 milhões e passou a dever R$ 4,1 milhões. O MPF reparou que o próprio Preciado, em nota à imprensa, calculou sua dívida total — turbinada pela inadimplência e a elevada taxa de juros — em

US$ 140 milhões (R$ 448 milhões ao câmbio da época). O primo do hoje candidato tucano à Presidência da República ainda culpou "as draconianas regras do sistema bancário", as quais identificou como "perseguição".

Devendo milhões ao Banco do Brasil, com suas empresas arruinadas ou à beira da bancarrota, Gregório Marín Preciado é uma carta fora do baralho. Certo? Nada disso. Acontece que o empreendedor, primo e sócio de Serra, não é homem de se intimidar com pouca coisa. Quando se abriu a porteira dourada dos grandes negócios das privatizações na Era FHC, Preciado, num estalar de dedos, transmutou-se em *player global* para jogar o jogo pesado da privataria. E foi às compras. Representante da empresa Iberdrola, da Espanha, montou o consórcio Guaraniana, que adquiriu três estatais de energia elétrica: a Coelba, da Bahia; a Cosern, do Rio Grande do Norte; e a Celpe, de Pernambuco.

Parece mágica, mas não é. É algo bem mais soturno, movido não pela mão invisível do mercado, mas pela mão onipresente do ex-tesoureiro de Serra e de FHC, Ricardo Sérgio de Oliveira que, no exercício desmesurado do seu cargo, obrigou o Banco do Brasil e a Previ, a caixa de previdência dos funcionários do BB, dois lugares onde dava as cartas e jogava de mão, a entrar na dança de Preciado. Seu poder chegou a tal exacerbação, que o BB associou-se a uma empresa representada por um notório e contumaz devedor do banco. Ricardo Sérgio operava diretamente no BB, atuando na Previ por intermédio do diretor, João Bosco Madeiro da Costa. Ex-assessor de Ricardo Sérgio no banco, Madeiro da Costa desfrutava de tal intimidade com o ex-chefe, que os dois se tratavam por "boneca". Foi Ricardo Sérgio quem indicou Madeiro da Costa para a Previ, que cumpriu fielmente as ordens recebidas. E a Previ realizou um negócio fabuloso, digno de constar em um manual da estupidez negocial.

Na composição do consórcio, a Previ entrou com 49% do seu capital, cabendo à Iberdrola, 39%; e ao BB, 12%. Na hora do desembolso, tocou à Iberdrola participar com R$ 1,6 bilhão; e o banco público, com R$ 500 milhões. E a Previ? Bem, a Previ depositou R$ 2 bilhões, de forma que entrou com a maior de todas as somas e, mesmo assim, não detinha o controle acionário do empreendimento. Pagou para o sócio comandar! Um *case* emblemático de como o dinheiro público pode servir de alavanca para alienar patrimônio público em favor de interesses privados.

Investigar este submundo onde a política serve como gazua para o enriquecimento privado nunca foi fácil. Preciado, por exemplo, deveria comparecer à CPI do Banespa (2002) para esclarecer suas relações com Vladimir Antonio Rioli, José Serra e Ricardo Sérgio de Oliveira. O PSDB, porém, travou sua convocação, mesmo contra a vontade do presidente da CPI, Luis Antônio Fleury (PMDB) e do aliado dos tucanos e relator da comissão Robson Tuma (PFL).

Preciado é o caminho para chegar até Serra e, assim, o "Espanhol" precisa de proteção. Porque protegê-lo significa impedir que toda a história desabe no colo dos caciques da sigla.

A vida é dura, mas Preciado não pode se queixar. Se o Banco do Brasil levou a pior na convivência com ele, o primo de Serra vai bem obrigado. Continua sendo dono da Aceto e da Gremafer. É também o proprietário da Porto Marin Empreendimentos Imobiliários.

Hoje, é dono de uma mansão de US$ 1 milhão em Trancoso, paradisíaco recanto do Sul da Bahia. É o mesmo oásis que a família Serra busca para recuperar-se da árdua labuta para ganhar o pão de cada dia. Neste santuário da elite paulistana, como a empresária Eliana Tranchesi, dona da butique Daslu; e de *vips* globais, caso da *top model* Naomi Campbell; foi que José Serra passou o *réveillon* de 2010. Em Trancoso, Serra costumava hospedar-se com o primo. Daquela vez, porém, quem o recebeu, durante oito dias, foi a filha Verônica, proprietária de outra mansão.

Não se sabe se Serra trocou alguma ideia com o primo Preciado, mas o certo é que o "Espanhol" continua na ativa. Na Bahia, ele retornou ao noticiário enrolado na apropriação conturbada da ilha do Urubu, outro éden baiano, situada nas imediações de Trancoso.

Preciado e a ilha juntam-se por meio de uma decisão tomada pelo então governador baiano, Paulo Souto (DEM), em 2006, no apagar das luzes de seu governo. Não seria a primeira vez que uma iniciativa de Souto favoreceria o primo de Serra. Em 1997, o senador pefelista Antonio Carlos Magalhães luzia como o grande oligarca e centro do poder do Estado e fizera Souto, um de seus pupilos, sentar-se no trono baiano.

Como vender patrimônio público no Brasil da década de 1990 era um imperativo da *mudernidade*, Souto levou a leilão a Companhia Elétrica da Bahia, a Coelba, negociada por R$ 1,7 bilhão. Do outro lado do balcão estava justamente Preciado, como representante da multinacional Iberdrola no consórcio Guaraniana. A venda da estatal para o consórcio do primo de Serra foi saudada pelo então ministro de Minas e Energia de FHC, Raimundo Brito, como "um sucesso" e "um prêmio" ao governo baiano que "vem administrando a empresa com seriedade e responsabilidade pública e empresarial".

O *affaire* "ilha do Urubu" é diferente, mas também envolve concessão generosa de propriedade pública que, ao fim e ao cabo, favorece o parente do ex-governador paulista. Derrotado pelo petista Jacques Wagner nas eleições de 2006 e esvaziando suas gavetas no Palácio de Ondina, Souto foi à forra contra a Bahia e os eleitores e despachou um saco de bondades custeadas pelos cofres estaduais, que incluiu a outorga a particulares de 17 propriedades rurais, 12 imóveis e 1.042 veículos do Estado. É o que revelou denúncia do deputado Emiliano José (PT/BA), ampliada na imprensa.[32] Das

[32] "Ilha do Urubu, o paraíso traído", matéria de Leandro Fortes em *Carta Capital*, edição de 05/11/2009.

terras outorgadas, uma foi a ilha do Urubu, considerada uma das áreas mais valorizadas do litoral do Atlântico.

Aconteceu assim: Souto doou a ilha a cinco integrantes da família Martins — Maria Antônia, Benedita, Ivete, Joel e Angelina — que a reivindicavam havia 30 anos. Pescadores e pequenos comerciantes, os Martins habitavam a ilha desde o começo do século passado. Os cinco aquinhoados só poderiam vender a ilha cinco anos após recebê-la em doação. No entanto, quatro meses após, Preciado tomou posse das terras pela pechincha de R$ 270 mil.

Até então, a relação entre Preciado e os Martins fora tumultuada. É que o *Espanhol* também invocava a condição de proprietário da ilha obtendo, inclusive, da Justiça baiana, um mandado de reintegração de posse. O oficial de Justiça Dílson José Ferreira de Azevedo deu um testemunho eloquente sobre os métodos de convencimento aplicados pelos prepostos do primo de Serra.

Azevedo contou que, chegando à ilha, no dia 26 de outubro de 2006, encontrou apenas um casal de velhos — Maria Antônia e Joel Martins — à sombra de uma árvore. Os dois foram oficiados sem qualquer atrito. Entretanto, com a presença de empregados de Preciado, deflagraram-se as hostilidades. Nas palavras do oficial de Justiça à Vara Cível e Comercial da Comarca de Porto Seguro, os capangas dos autores (além de Preciado, a mulher dele, Vicência Talán Marín) "procederam a derrubada e queima do barraco ali existente". Transcorridos dois meses, "Maria e Joel venderiam a mesma terra a quem lhes havia derrubado e incendiado a casa".[33] Em 2008, Preciado negociou seus direitos possessórios sobre 112 hectares da ilha para a empresa Bella Vista Empreendimentos Imobiliários. A Bella Vista é controlada pela Dovyalis Participações S.A, presidida pelo especulador belga Philippe Ghislain Meeus. Preciado, que adquiriu as terras por R$ 270 mil, vendeu-as por

[33] Idem.

R$ 5 milhões a Meeus. Hoje, este pedaço de terra, supostamente o mais valioso da orla sul-americana, valeria dez vezes mais. Preciado passou adiante a ilha, mas permaneceria proprietário de mais de 160 hectares na valorizadíssima região de Porto Seguro.

O lance final de Souto ao deixar o governo gerou uma disputa feroz. A começar pelo fato de que, além dos cinco Martins beneficiados, muitos outros membros da mesma família apresentavam-se como posseiros no lugar, alguns deles desde a década de 1930. A confusão aumentou com o ingresso de um novo elemento na briga: os índios Pataxó. Com faixas com dizeres como "Nós somos os donos da ilha do Urubu", um grupo de pataxós, chefiados pelo cacique Arakati, realizou um protesto no local e fez uma ocupação simbólica em fevereiro de 2010. Arakati afirma defender os direitos das índias Iracema e Vandelita Alves Martins, filhas do pataxó Aloísio Martins que, em 1964, teria recebido 56 hectares da fazenda Rio Verde — ilha do Urubu — da prefeitura de Porto Seguro.

No começo de 2010, um parecer da Procuradoria Geral do Estado declarou nula a doação da terra. Foi uma resposta à ação popular movida contra Souto que tramita na 8ª. Vara da Fazenda Pública, do Tribunal da Justiça da Bahia, e que acabou aplainando o caminho do primo de Serra. A iniciativa da ação foi do advogado Rubens Freiberger, em nome das duas índias.

Atribulações jurídicas à parte, a ilha parece estar em perigo. Em maio de 2010, o Instituto Brasileiro do Meio Ambiente e dos Recursos Naturais Renováveis (Ibama) multou duas vezes a empresa Trancoso Bio Resort Agropecuária Ltda. sob acusação de crime ambiental. A Bella Vista também foi penalizada. As duas empresas são vinculadas ao milionário Meeus.

A exemplo de Ricardo Sérgio, além da lavanderia do Banestado, do MTB Bank e da Beacon Hill, o *Espanhol* não teve nenhuma dificuldade em aprender a fórmula das poções milagrosas para arrecadar dinheiro em operações tecnicamente implausíveis. No final da década de 1990, Preciado descobriu que o Socimer International Bank — mal-afamada instituição financeira de capital espanhol — estava atuando clandestinamente no país. Na ocasião, o banco havia mergulhado em um escândalo que causou US$ 200 milhões de prejuízos a cerca de cinco mil clientes. Grosso modo, o Socimer captava dinheiro de pequenos investidores sob o pretexto de aplicar em títulos na dívida de países emergentes como o Brasil e o Chile. Seria uma transação corriqueira, se os títulos realmente tivessem sido comprados e todo o ervanário não tivesse desaparecido.

Em 2002, ao vasculhar processos judiciais e fazer um levantamento na Junta Comercial de São Paulo,[34] descobri que o Socimer, mesmo liquidado, estava atuando como instituição financeira em território brasileiro sem a autorização do Banco Central. Embora sua subsidiária no país, a Socimer do Brasil, pudesse apenas, legalmente, comercializar produtos de importação e exportação, o banco efetuava empréstimos e ajudava empresas e empresários a repatriar valores. Em 15 de outubro de 1997, por exemplo, o banco foi fiador de operação no montante de R$ 2 milhões em que o liquidado Milbanco repassou os créditos de seus correntistas ao Banco Industrial do Brasil. Obtidos durante uma busca de quase dois meses nos cartórios e na Justiça de São Paulo, os documentos revelam que as operações do Socimer eram feitas por meio de contratos particulares à margem das leis financeiras.

A papelada mostra que, no mesmo ano, Preciado recorreu ao mesmo banco para trazer US$ 1,3 milhão das Bahamas, outro paraíso fiscal do Caribe, por meio de uma simulação de empréstimo. Na ocasião, os representantes do banco no país admitiram ao autor que não tinham autorização para realizar esse tipo de

[34] "O paraíso fiscal é aqui". Amaury Ribeiro Jr. em *IstoÉ*, edição de 18/09/ 2002.

transação. Só que, ao contrário do que aconteceu com os correntistas que faliram ao comprar a papelada fantasma do banco, a tentativa de aplicar golpe no Brasil — pelo menos com Preciado — não deu certo. O Socimer teve de ingressar com um processo de execução na Justiça de São Paulo para receber a bolada trazida do Caribe. Foi graças ao processo, em fase de conclusão, que o autor teve acesso aos detalhes da transação. Mais uma vez as ligações entre o ex-tesoureiro de campanha do PSDB e Preciado vêm à tona. Nos autos do processo, Preciado confessa possuir dívida de R$ 82 mil com Ronaldo de Souza — ex-sócio e testa de ferro já falecido de Ricardo Sérgio. A justificativa alegada para a dívida é a aquisição de um terreno.

Disposto a provar que todas as denúncias são somente intrigas da oposição, Preciado está publicando suas memórias sob o título Vida Aberta. Veiculadas em capítulos, desde o começo de 2010 no *site* da família,[35] a narrativa aborda a trajetória de Preciado e de sua família no Brasil. Preciado conta, por exemplo, que o pai dele, Gregório Marín Burdio, perseguido pelo ditador Francisco Franco, teve de abandonar Zaragoza, na Espanha, em meados do século passado. Foi assim que começou a história dos Marín Preciado em solo brasileiro. Os laços de amizade com José Serra, reforçados na década de 1960 em São Paulo, são também tratados detalhadamente. "Aos 20 anos, retomei meus laços de amizade com a família Serra e Talán, que conhecera no Mercado Central e reencontrei Bidu (Vicência Talán Marín), paixão e amor à primeira vista. Minha esposa há 43 anos e prima-irmã, por parte de mãe, de José Serra." O *Espanhol* volta a falar de Serra ao retratar a história do exílio do ex-governador durante o regime militar.

"Naquela época do nosso namoro (entre Preciado e Bidu), entre 1963 e 1964, Serra era presidente da União Nacional dos Estudantes.

[35] gregoriomarinpreciado.blogspot.com.

Discursos incendiários, João Goulart, Revolução Militar, exílio. Primeiro para a Bolívia. Me lembro da ida com o meu sogro, Pedro Talán, à embaixada da Bolívia no Rio de Janeiro, despedida para o exílio numa noite típica de São Paulo em um hotelzinho pequeno, em frente ao aeroporto de Congonhas."

De acordo com o *Espanhol*, a proximidade com Serra o teria levado a participar da fundação do Movimento Democrático Brasileiro (MDB) e da campanha em favor da redemocratização. Garante que teria ajudado a viabilizar a ideia de Alexandre Dupas de fazer o placar das Diretas Já,[36] além de angariar recursos para a publicação do livro *A transição democrática que deu certo*. As constantes viagens de Preciado ao exterior, onde Serra estava exilado, acabaram estreitando os laços entre os dois. "Encontrei-o em Nova York, na Ithaca Cornell University. Conheci brasileiros exilados, alguns hoje expoentes na política. Serra voltou do exílio sozinho. Mônica e filhos ficaram nos Estados Unidos e ele morou em minha casa durante quase um ano. Nesse período, em inumeráveis reuniões noturnas, nasceu o germe da transição, da volta à democracia, começou-se a organizar-se o MDB com Ulysses Guimarães, FHC, Franco Montoro e José Gregori."

Preciado justifica que só foi nomeado conselheiro do Banespa, durante o governo Franco Montoro, devido à influência de peixes graúdos do então MDB. Diz ter sido indicado para o cargo por Ulysses Guimarães e pelo próprio Montoro. O nome de Serra não é citado. "Ganhamos as eleições em São Paulo e participei ativamente de quase todas as campanhas. Graças a essas amizades, os saudosos Franco Montoro e Ulysses Guimarães me indicaram para o Conselho de Administração do Banespa. Luiz Carlos Bresser Pereira aprovou meu histórico e indicação. Permaneci nos dois primeiros anos, ao longo do mandato de Bresser como presidente do

[36] O painel expunha à população o nome dos parlamentares que votavam a favor e contra as Diretas Já.

banco. Quando Fernando Milliet assumiu o cargo, fui confirmado ao cargo para mais dois anos por minha conduta ilibada."

Em outubro de 2010, o *blog* deu um tempo para as memórias. E concentrou-se nas notícias da festa de 90 anos da sogra de *Espanhol*, Tereza Chirica Talán. A festa reuniu cerca de 80 parentes das famílias Serra e Preciado, no Ópera Bar, tradicional casa noturna no bairro de Pinheiros, Zona Oeste da Capital paulista. Em plena campanha presidencial, Serra não pôde comparecer. Em dezembro, Preciado reuniu novamente a família, desta vez para comemorar o aniversário, também de 90 anos da mãe, Assunción Preciado Graciano, em Santo André, na região do Grande ABC. Ao discursar, Preciado não conseguiu segurar a emoção. Antigos aliados do senador Antonio Carlos Magalhães, que nunca morreu de amores por Serra, os adversários baianos de Preciado ironizam. Dizem que o *Espanhol*, hoje totalmente livre de dívidas, também costuma se emocionar em festas ao lembrar do apoio que sempre recebeu no país. "Viva el Brasil", costuma brindar Preciado. "Viva la privatización", emendam seus inimigos.

9.

A FEITIÇARIA FINANCEIRA DE VERÔNICA SERRA

A sociedade das Verônicas. E as empresas de fachada. O genro que opera milhões. Mas fica pobre de uma hora para outra. E enríquece de novo! O método de trazer dinheiro dos paraísos fiscais. A sombra de Daniel Dantas.

Foi a bordo de um vestido tomara-que-caia perolado, cortado pelo estilista Ocimar Versolato, que a empresária Verônica Serra, 31 anos, casou-se com o também empresário Alexandre Bourgeois, 32. A festa durou três dias. Começou em 19 de abril, com a união perante a Igreja Católica, seguiu com o enlace civil no dia seguinte e culminou, no terceiro dia e em alto estilo, com uma recepção para 800 convidados no São Francisco Golf Club, reduto da nata paulistana desde sua fundação pelo conde Luiz Eduardo Matarazzo, em 1937. Entre os convivas, destaque para Antônio Ermírio de Moraes, Geraldo Alckmin e sua mulher, Lu, José Sarney e Dona Marly, Ruth Cardoso e grão-tucanos como Tasso Jereissati e Andrea Matarazzo. Não foi por nada que a revista *IstoÉGente* titulou sua matéria sobre o evento como "A noiva do poder". O ano era 2001, FHC era presidente e o pai da noiva, José Serra, seu ministro. Não foi um começo de uma nova história, mas uma continuação.

Verônica e Alexandre estavam juntos havia três anos. Nos anos 1990, encontraram-se na Harvard Business School, em Boston, centenária universidade que tem como divisa "Educando líderes para fazer a diferença no mundo". Para honrar o preceito ou não, logo após, a par de namorados, os dois tornaram-se sócios. Casados sob o regime de separação total de bens, quem os une, no mundo da economia, é a empresa IConexa S.A., fundada em setembro de 1999 e originária da Superbid S.C. Ltda. São dois dos cinco sócios fundadores. A IConexa serve de ferramenta para internar dinheiro procedente de paraísos fiscais, o que acontece por meio de sua homônima, a IConexa Inc., uma *offshore* abrigada no escritório do grupo Citco, em Wickhams Cay, na cidade de Road Town, ilha de Tortola, nas Ilhas Virgens Britânicas. O acionista e procurador da IConexa Inc. é justamente um dos donos da IConexa S.A., Alexandre Bourgeois, que assina pelas duas. É a IConexa das Ilhas Virgens Britânicas que irá integralizar o capital da Superbid ou Iconexa S.A.

Temos, portanto, duas IConexas e uma Superbid. Por enquanto. Porque há mais cascas de banana no caminho de quem se arrisca a rastrear suas idas e vindas. O leitor deve se acostumar, porque o jogo é esse mesmo. Quem joga assim não vem para explicar, mas para confundir.

Para Verônica, 2001 marca mais do que as bodas com Bourgeois. Assinala também a abertura de sua empresa, a Decidir.com.inc na suíte 900, número 1200, na Brickell Avenue, principal artéria do distrito financeiro de Miami, sempre associada a altos negócios e riqueza.

Da sociedade participa outra Verônica. Irmã e sócia do banqueiro Daniel Dantas, dono do banco Opportunity, Verônica Valente Dantas Rodemburg compartilha a gestão com a xará e filha de José Serra. A direção executiva é composta por Verônica Dantas, que representa o fundo CVC Opportunity, com Verônica Serra, respondendo pelo fundo International Real Returns — IRR, e mais quatro sócios.[37] De acordo com o próprio *site* da empresa, a Decidir.com.inc

[37] Guy Nevo, representante da Decidir Argentina; Brian Kim, pelo Citibank; mais Esteban Brenman e Esteban Nofal.

passa a atuar com um investimento de US$ 5 milhões do Citicorp — então ligado ao ex-tesoureiro de campanha de Serra e grande operador das privatizações, Ricardo Sérgio de Oliveira — e do próprio Opportunity.

A sociedade entre as duas Verônicas — que há quase 10 anos é contada de várias formas na internet — veio a público em 2002, quando Serra disputava pela primeira vez as eleições à Presidência. Por incrível que possa aparecer, não foram os partidários de Lula, rival de Serra, que jogaram a bomba no ar e sim a revista *IstoÉ-Dinheiro*, aliada sem nenhum pudor — e não faz a mínima questão de dissimular isso — ao banqueiro Daniel Dantas.

"Verônica Serra, filha do candidato do PSDB, era sócia até maio último de Verônica Dantas Rodenburg, irmã de Daniel Dantas, do Opportunity. Elas fundaram, juntas, uma empresa de internet, a Decidir.com, que continua em plena atividade. A empresa foi registrada em Miami em 3 de maio de 2000, sob o número P00000044377. Mas a operação nos Estados Unidos vai durar pouco. A filha de Serra tirou o nome da empresa antes de o pai ser oficializado candidato", diz a nota.

E como explicar essa notícia? A revista brigou com Dantas? Ou o banqueiro ficou louco ao ponto de se autodenunciar? Nada disso. De acordo com as investigações da Polícia Federal, na época, o Banco Opportunity brigava com os sócios estrangeiros e com a Previ, o fundo de previdência dos funcionários do Banco do Brasil (BB), pelo controle da Brasil Telecom. Sendo assim, pressionava o ex-governador paulista a intervir na indicação da diretoria da Previ, que detinha a maior parte das cotas das empresa de telefonia. Em outras palavras, por meio da publicação, Dantas usava a sociedade entre as duas Verônicas para chantagear Serra.

Esse mecanismo de pressão fica evidente nos *e-mails* trocados entre o assessor de Serra, Luiz Paulo Arcanjo, o "Níger", e o consultor do Opportunity, Roberto Amaral, no período de 2001 a 2002 compilados. As mensagens foram copiadas e periciadas a partir do computador de Amaral, apreendido pela PF em dezembro de 2008 durante a Operação Satiagraha.[38]

No dia 30 de abril de 2002, em *e-mail* enviado ao principal assessor de Serra, Amaral critica a nomeação do tucano Andrea Calabi para o conselho de administração do Banco do Brasil. Na ocasião, Calabi era um tucano fora do ninho. Havia deixado o governo em 2000, onde ocupara o cargo de presidente do BNDES, e atuava como conselheiro da Telecom Itália. A empresa italiana travava uma batalha contra Dantas e a Previ pelo controle da Brasil Telecom.

Na mensagem, publicada pela revista *Época* em uma edição da Semana Santa — quando ninguém costuma ler jornal nem revista — o lobista pede para que o assessor resolva o problema. A reivindicação foi resolvida em uma semana, quando Calabi deixou o cargo.

O que a revista *Época* não publicou é que as trocas de *e-mails* entre o lobista e o assessor deixam clara a aflição de Serra com a devassa que o Ministério Público Federal e a Receita Federal faziam no Fundo Opportunity e outras empresas de Dantas. Temia que a busca pudesse trazer fatos novos sobre a ligação de sua filha com o clã Dantas.

Em 2008, quando a empresa de Miami tornou-se novamente notícia devido à repercussão da Satiagraha, que resultou na prisão de Dantas, Verônica Serra distribuiu nota à imprensa negando ser sócia da Decidir. A filha do governador dizia que apenas fazia parte do conselho da Decidir, aberta, de acordo com ela mesma, com o capital do Citibank e do Opportunity.

---

[38] Iniciada em 2004 pela PF, a operação Satiagraha averiguou delitos como o desvio de verbas públicas, a corrupção e a lavagem de dinheiro. Resultou na prisão de banqueiros, diretores de banco e investidores em 2008. Empregado pelo pacifista hindu Mahatma Gandhi, o termo *satiagraha*, do sânscrito, é composto pelas palavras *satya* (verdade) e *agraha* (firmeza). Também é interpretado como "o caminho da verdade".

Sustentava que sua xará Verônica Dantas "foi indicada pelo CVC Opportunity para representá-lo no conselho de administração da Decidir. Não conheço Verônica Dantas, nem pessoalmente, nem de vista, nem por telefone, nem por *e-mail*. Ela nunca participou de nenhuma reunião de conselho da Decidir — todas ocorriam mensalmente em Buenos Aires. O Citibank Venture Capital com sede em NY é quem mantinha o CVC Opportunity informado sobre a Decidir".

A filha do ex-governador afiançava ainda que a Decidir sempre foi sediada em Buenos Aires e que no auge da bolha da internet foi aberta uma subsidiária em Miami. "Eu não tenho nenhuma ligação com a empresa desde o primeiro semestre de 2001", dizia ainda na nota.

E o que este livro tem de novo a acrescentar sobre a Decidir? Documentos, é claro, obtidos de forma lícita, que esclarecem de vez a saga da sociedade entre as Verônicas. Os papéis comprovam que Verônica mentiu várias vezes em sua nota. A empresa não fechou as portas, Verônica não deixou a empresa e o dinheiro do Opportunity e do Citibank aplicado na firma também nunca esteve na Argentina. Após cancelar seu registro de funcionamento no Departamento de Comércio da Flórida em 2001, a Decicir passa a ter outro endereço. Dá para adivinhar?

As Ilhas Virgens Britânicas, é claro, e mais especificamente para o Citco Building, o velho navio pirata que ajudou a amoitar o dinheiro da propina das privatizações. A Decidir é transformada em *offshore* e rebatizada como Decidir International Limited. Não se trata de uma estratégia de investimento no Caribe. A legislação do paraíso fiscal caribenho veda transações financeiras em seu próprio território. A finalidade das *offshores* é a de propiciar transações financeiras intercontinentais. Como ensinam os manuais internacionais de combate aos crimes financeiros, as *offshores* funcionam como empresas-ônibus, que transportam dinheiro, quase sempre sem origem justificada, entre contas bancárias, um artifício que visa apenas dificultar as investigações fiscais e policiais e de outras autoridades que verificam atividades financeiras provenientes da corrupção, do narcotráfico e do terrorismo. E qual é a função da *offshore* Decidir? Internar dinheiro. Onde? Na empresa Decidir do Brasil, que funciona no escritório da filha do ex-governador, localizado na Rua Renato Paes de Barros, no bairro Itaim Bibi, em São Paulo (SP). Documento da Junta Comercial de São Paulo revela como a empresa injeta de uma vez R$ 10 milhões, em 2006, na Decidir do Brasil, que muda de nome para Decidir.com.Brasil S.A. Como isto ocorreu? Simplesmente, a *offshore* de Verônica Serra adquiriu 99% das ações — correspondentes, na época, aos US$ 5 milhões investidos por Dantas e o Citicorp na empresa homônima de Miami — da empresa Decidir Brasil.com.br. É exatamente o que você está lendo: surge na nossa crônica uma terceira "Decidir"... Não é falta de imaginação. Ao contrário, trata-se de uma demonstração inegável de criatividade na tortuosa arte da esquiva.

Além de funcionar no escritório de Verônica Serra na Rua Dr. Renato Paes de Barros, bairro do Itaim Bibi, em São Paulo, a Decidir brasileira tem como vice-presidente a própria filha do governador. Apesar de ter recebido toda a bolada das Ilhas Virgens Britânicas, a Decidir do Brasil já no primeiro ano acumula um prejuízo de quase R$ 1 milhão, segundo balanço da empresa publicado na imprensa.

Se a empresa vai mal, a empresária vai bem, obrigado. A Decidir do Brasil trabalha no vermelho, mas Verônica ostenta rendimentos suficientes para investir em uma casa de praia em Trancoso, Sul da Bahia, um refúgio de milionários paulistas. Fica no condomínio Alto do Segredo, área verde com vista para o mar. Vista, aliás, que Serra costuma desfrutar, como aconteceu no *réveillon* de 2010. Antes da filha comprar a residência, seu anfitrião em Trancoso era o primo emprestado e ex-sócio Gregório Marín Preciado. Guarde este nome. Serra deixou de frequentá-lo tão amiúde, mas nós vamos visitá-lo muitas vezes no decorrer destas páginas.

De acordo com documentos obtidos em cartórios, a filha do governador fecha outro negócio, este mais interessante: compra de terceiros, em setembro de 2001, por R$ 475 mil, a mansão em que Serra mora, no bairro Alto de Pinheiros, área nobre de São Paulo. Um excelente negócio para Serra, que continua morando no mesmo endereço. Mas de onde vem esse dinheiro? Não se sabe. Mas Verônica tenta nos ajudar: a fortuna lhe sorriria por obra de ganhos de capital no exterior. À revista *IstoÉ Dinheiro* (sempre a mesma publicação) ela disse que a chave do cofre traria o nome de Patagon, uma companhia argentina de internet por meio da qual teria levantado cerca de R$ 1 milhão como resultado de aplicações financeiras.

O Citco Building é, não por coincidência, também o mesmo endereço da IConexa Inc., do marido Bourgeois. Como se verá aqui e adiante, esse *modus operandi* apenas reproduz a fórmula bolada por Ricardo Sérgio de Oliveira na década de 1980. A exemplo da Decidir caribenha, a IConexa passa a internar dinheiro na IConexa Ltda., que funciona no mesmo prédio da Decidir, ou seja, o escritório de Verônica no bairro Itaim Bibi. Toda vez que Bourgeois quer trazer o dinheiro invernado no velho navio corsário, ele faz um aumento de capital na Iconexa, que é integralizado (posto em dinheiro vivo) pela IConexa Inc. Aí acontece o mais inacreditável: Bourgeois assina pelas duas empresas (a IConexa Inc. e a IConexa do Brasil Ltda.) nessas operações. Conforme documentação obtida na Junta Comercial de São Paulo, entre os anos de 2000 e 2002, Bourgeois trouxe um total de R$ 7 milhões do Caribe.

Bourgeois é o dono, além da IConexa Inc., também da Vex Capital Inc., igualmente abrigada no Citco Building, das Ilhas Virgens Britânicas.

Esta sopa de nomes pode se tornar ainda mais indigesta, porém ainda é necessário observar que a Superbid.com.br S/C Ltda., a Superbid.com.br S.A. (após IConexa S.A.) e, mais uma firma, a Leilão World Site formam uma única empresa. E seu dono efetivo seria o genro de Serra. Vamos em frente para não perder o fio da meada.

IConexa e Vex internam R$ 8 milhões em duas empresas abertas em São Paulo pelo próprio Bourgeois. As receptoras são a Orbix S.A. e a Superbid.com.br. A Iconexa Inc. aplica R$ 7 milhões em ações da Superbid.com.br — que, mais tarde, irá se metamorfosear na nossa já conhecida IConexa S.A. E a Vex Capital investe R$ 500 mil na Orbix S.A., que, por mera casualidade, tem o mesmo endereço da Superbid. Esta, por sinal, teve Verônica Serra como sócia.

Detalhando estas operações, percebe-se que em 2000 a IConexa do Caribe despejou R$ 1,8 milhão na xará brasileira, cujo capital, até então era de R$ 10 mil. No ano seguinte, outro salto, agora para R$ 3,5 milhões. E, em 2002, atingia mais de R$ 7 milhões.

Entretanto, as empresas de Bourgeois no Brasil parecem contaminadas pela mesma praga que acometeu o empreendimento nativo de Verônica. A exemplo da Decidir, elas passam a acumular sucessivos prejuízos e sofrem uma devassa fiscal da Receita Federal sob a acusação de sonegação de tributos. A IConexa passa a ser ré no processo número 2004.61.061807-5, que tramita na 7ª Vara de Execuções Fiscais, em São Paulo. É acusada de não pagar valores devidos à Previdência Social. A Justiça chega a ordenar o rompimento do sigilo fiscal e bancário de Bourgeois. O juiz da 7ª Vara, Pedro Calegari Cuenca, ordena a penhora dos bens do genro do ex-governador. Mas os oficiais de justiça não encontram nem mesmo um carro registrado em nome do marido de Verônica Serra. No dia 18 de abril de 2008, a Justiça quebrou o sigilo fiscal de Bourgeois referente aos anos 2005, 2006 e 2007 e dos anos 2004, 2005 e 2006 da IConexa. E, mais uma vez, não localizou nenhum bem a ser penhorado. Em março de 2010, a Justiça determinou a quebra do sigilo bancário da empresa e de Bourgeois na tentativa de receber uma dívida de R$ 363 mil, mas somente conseguiram achar R$ 3 mil na conta do empresário. Como será esmiuçado na parte final deste livro, a IConexa chega a ser indiciada pela Polícia Federal por lavagem de dinheiro após o Coaf detectar operações atípicas nas contas da firma, usadas exclusivamente para internar dinheiro.

Os oficiais de justiça constatam então que Bourgeois, apesar de trazer milhões do exterior, fica pobre de uma hora para outra. "Certifico ainda que realizei pesquisa junto ao Detran, a mesma resultou negativa", afirma a oficial de justiça Jurema de Paiva, no dia 28 de agosto de 2006. Neste mundo de números e simulações, de miragens e ficções, a suposta ruína do marido de Verônica parece indicar que ele atuou somente como laranja nas operações em paraísos fiscais.

Mas como não há mal que sempre dure, o bravo Bourgeois logo está de volta ao universo misterioso de onde teria sido ejetado como pária. Garimpados na Junta Comercial do Rio de Janeiro, documentos atestam que, às vésperas de o sogro candidatar-se novamente à Presidência da República, Alexandre Bourgeois retomou suas operações. Funda o fundo de investimentos Orb, com sede em Trancoso e no Rio de Janeiro, administrado por um grupo do qual recebe também seu endereço: o fundo Mellon Brascan DTVM (ou BNY Mellon Serviços), que funciona no prédio do Banco Opportunity, na Avenida Alvarenga Peixoto, no Rio. E, por mais uma coincidência neste mundo crivado de coincidências, o fundo é transferido ao controle da construtora João Fortes Engenharia, ligada à família do deputado federal Márcio Fortes (PSDB), um dos arrecadadores da campanha de Serra. Coincidência ou não, a construtora passa, de acordo com a Junta Comercial, a ser acionista do fundo em 2010 durante a campanha eleitoral.

E não é só isso: Bourgeois também retoma as operações com a empresa Lutece S.A., que, em seus balanços, garante ter obtido um lucro de R$ 1,5 milhão. Papéis levantados na Junta Comercial de

São Paulo indicam que a Lutece foi anabolizada por uma injeção de capital do Banco Indusval, vinculado ao doleiro Lúcio Bolonha Funaro. Este, junto com a corretora Link, pertencente aos filhos do ex-ministro das Comunicações de FHC, Luiz Carlos Mendonça de Barros, é acusado de causar um prejuízo de R$ 32 milhões ao Banco do Brasil por meio de operações de *swap*.[39] O Banco Indusval é uma das 15 instituições financeiras acusadas no chamado "Escândalo dos Precatórios",[40] da prefeitura de São Paulo.

O relacionamento com o Opportunity insere uma nota curiosa em tudo isso: a sombra perene de Daniel Dantas e do seu banco do início ao fim das atividades empresariais e financeiras do casal.

---

[39] Operação, para liquidação no futuro, que implica troca (*swap*) de resultados financeiros entre os dois contratantes durante certo tempo. Uma das partes aposta na variação dos juros e a outra na oscilação do dólar.

[40] Ocorrida durante a gestão Paulo Maluf, nos anos de 1994 e 1995, a fraude constituiu na emissão e negociação irregular de títulos públicos com vistas ao pagamento de precatórios, lesando os cofres municipais em mais de R$ 32 milhões.

A passagem da Decidir, empresa da filha de José Serra por Miami, e sua sociedade com Verônica Dantas, irmã do megaempresário Daniel Dantas, de acordo com os documentos oficiais. O nome de ambas aparece no *board of directors* da Decidir.com. Depois, nas Ilhas Virgens Britânicas e no Brasil, surgem variações sobre o mesmo tema, batizadas como Decidir.com. International Ltd. e Decidir Brasil. Nos papéis, o marido de Verônica, Alexandre Bourgeois, aparece como procurador da Vex e da Iconexa. A constituição da Superbid, mais um empreendimento do casal Verônica-Bourgeois, e mais o contrato social da Vex, nas Ilhas Virgens Britânicas.

FLORIDA DEPARTMENT OF STATE
DIVISION OF CORPORATIONS

Sunbiz

Previous on List   Next on List   Return To List

Events   **No Name History**

Detail by Entity Name

Florida Profit Corporation

DECIDIR.COM, INC.

Filing Information

Document Number	P00000044377
FEI/EIN Number	N/A
Date Filed	05/03/2000
State	FL
Status	INACTIVE
Last Event	VOLUNTARY DISSOLUTION
Event Date Filed	05/03/2002
Event Effective Date	NONE

Principal Address

C/O AGI REGISTERED AGENTS, INC.
1200 BRICKELL AVENUE, SUITE 900
MIAMI FL 33131

Changed 05/01/2001

Mailing Address

C/O AGI REGISTERED AGENTS, INC.
1200 BRICKELL AVENUE, SUITE 900
MIAMI FL 33131

Changed 05/01/2001

Registered Agent Name & Address

AGI REGISTERED AGENTS, INC.
1200 BRICKELL AVENUE
SUITE 900
MIAMI FL 33131 US

Name Changed: 05/01/2001

Officer/Director Detail

Name & Address

Title D

KIM, BRIAN
1200 BRICKELL AVENUE, SUITE 900
MIAMI FL 33131

Titl

DA
120

DANTAS RODEMBURG, VERONICA V
1200 BRICKELL AVENUE, SUITE 900
MIAMI FL 33131

MIAMI FL 33131

Title D

sunbiz.org - Department of State http://www.sunbiz.org/scripts/cordet.exe?action=DETFIL&

NEVO, GUY E
1200 BRICKELL AVENUE, SUITE 900
MIAMI FL 33131

Title

ALLENDE SERRA, VERONICA
1200 BRICKELL AVENUE, SUITE 900
MIAMI FL 33131

Title D

NOFAL, ESTEBAN
1200 BRICKELL AVENUE, SUITE 900
MIAMI FL 33131

Title D

BRENMAN, ESTEBAN
1200 BRICKELL AVENUE, SUITE 900
MIAMI FL 33131

Annual Reports

Report Year	Filed Date
2001	05/01/2001

Document Images

05/03/2002 -- Voluntary Dissolution — View image in PDF format

05/01/2001 -- ANNUAL REPORT — View image in PDF format

05/18/2000 -- Amended and Restated Articles — View image in PDF format

05/03/2000 -- Domestic Profit — View image in PDF format

Note: This is not official record. See documents if question or conflict.

Previous on List   Next on List   Return To List   Entity Name Search

Events   **No Name History**   Submit

| Home | Contact us | Document Searches | E-Filing Services | Forms | Help |
Copyright © and Privacy Policies
State of Florida, Department of State

Documentos da Junta Comercial da Flórida, nos EUA, mostram a sociedade entre a filha do ex-governador José Serra, Verônica Serra, e a irmã do megaempresário Daniel Dantas, Verônica Dantas, na empresa Decidir.com Inc, aberta em Miami.

2001 UNIFORM BUSINESS REPORT (UBR)

FILED
May 01, 2001 08:00 AM
Secretary of State

DOCUMENT # **P00000044377**

1. Entity Name
DECIDIR.COM, INC.

Principal Place of Business	Mailing Address
C/O AGIM REGISTERED AGENTS, INC. 1200 BRICKELL AVENUE, SUITE 900 MIAMI FL 33131	C/O AGIM REGISTERED AGENTS, INC. 1200 BRICKELL AVENUE, SUITE 900 MIAMI FL 33131

2. Principal Place of Business		3. Mailing Address	
C/O AGI REGISTERED AGENTS, INC.		C/O AGI REGISTERED AGENTS, INC.	
Suite, Apt. #, etc.: 1200 BRICKELL AVENUE, SUITE 900		Suite, Apt. #, etc.: 1200 BRICKELL AVENUE, SUITE 900	
City & State: MIAMI FL		City & State: MIAMI FL	
Zip: 33131	Country	Zip: 33131	Country

DO NOT WRITE IN THIS SPACE

4. FEI Number — ☐ Applied For — ☒ Not Applicable

5. Certificate of Status Desired ☐ — $8.75 Additional Fee Required

6. Name and Address of Current Registered Agent	7. Name and Address of New Registered Agent
AGIM REGISTERED AGENTS, INC. 1200 BRICKELL AVENUE SUITE 900 MIAMI FL 33131 US	Name: AGI REGISTERED AGENTS, INC. Street Address (P.O. Box Number is Not Acceptable): 1200 BRICKELL AVENUE SUITE 900 City: MIAMI — FL — Zip Code: 33131

8. The above named entity submits this statement for the purpose of changing its registered office or registered agent, or both, in the State of Florida.

SIGNATURE ROBERT R. ADAMS, PRESIDENT — 05/01/2001
Signature, typed or printed name of registered agent and title if applicable. (NOTE: Registered Agent signature required when reinstating) DATE

9. This corporation is eligible to satisfy its Intangible Tax filing requirement and elects to do so. (See criteria on back) ☒

FILE NOW!!! FEE IS $150.00
After MAY 1, 2001 Fee will be $550.00
Make Check Payable to Department of State

10. Election Campaign Financing Trust Fund Contribution. ☐ — $5.00 May Be Added to Fees

11. OFFICERS AND DIRECTORS			12. ADDITIONS/CHANGES TO OFFICERS AND DIRECTORS IN 11	
TITLE / NAME / STREET ADDRESS / CITY-ST-ZIP	D BRENMAN ESTEBAN 1200 BRICKELL AVENUE, SUITE 900 MIAMI FL 33131	☐ Delete	TITLE / NAME / STREET ADDRESS / CITY-ST-ZIP	☐ Change ☐ Addition
TITLE / NAME / STREET ADDRESS / CITY-ST-ZIP	D NOFAL ESTEBAN 1200 BRICKELL AVENUE, SUITE 900 MIAMI FL 33131	☐ Delete	TITLE / NAME / STREET ADDRESS / CITY-ST-ZIP	☐ Change ☐ Addition
TITLE / NAME / STREET ADDRESS / CITY-ST-ZIP	D ALLENDE SERRA VERONICA 1200 BRICKELL AVENUE, SUITE 900 MIAMI FL 33131	☐ Delete	TITLE / NAME / STREET ADDRESS / CITY-ST-ZIP	☐ Change ☐ Addition
TITLE / NAME / STREET ADDRESS / CITY-ST-ZIP	D NEVO GUY E 1200 BRICKELL AVENUE, SUITE 900 MIAMI FL 33131	☐ Delete	TITLE / NAME / STREET ADDRESS / CITY-ST-ZIP: D NEVO GUY E 1200 BRICKELL AVENUE, SUITE 900 MIAMI FL 33131	☒ Change ☐ Addition
TITLE / NAME / STREET ADDRESS / CITY-ST-ZIP	D DANTAS RODEMBURG VERONICA V 1200 BRICKELL AVENUE, SUITE 900 MIAMI FL 33131	☐ Delete	TITLE / NAME / STREET ADDRESS / CITY-ST-ZIP	☐ Change ☐ Addition
TITLE / NAME / STREET ADDRESS / CITY-ST-ZIP	D KIM BRIAN 1200 BRICKELL AVENUE, SUITE 900 MIAMI FL 33131	☐ Delete	TITLE / NAME / STREET ADDRESS / CITY-ST-ZIP	☐ Change ☐ Addition

13. I hereby certify that the information supplied with this filing does not qualify for the exemption stated in Section 119.07(3)(i), Florida Statutes. I further certify that the information indicated on this report or supplemental report is true and accurate and that my signature shall have the same legal effect as if made under oath; that I am an officer or director of the corporation or the receiver or trustee empowered to execute this report as required by Chapter 607, Florida Statutes; and that my name appears in Block 11 or Block 12 if changed, or on an attachment with an address, with all other like empowered.

SIGNATURE: ESTEBAN BRENMAN — D — 05/01/2001
SIGNATURE AND TYPED OR PRINTED NAME OF SIGNING OFFICER OR DIRECTOR — Date — Daytime Phone #

CR2E034 (11/00)

Documento do governo norte-americano comprova a ligação de Verônica Serra com Verônica Dantas.

P00000044377

Adams
Gallinar
& Iglesias
Professional Association

Via U.S. Mail

April 30, 2002

Department of State
Division of Corporations
P.O. Box 6327
Tallahassee, FL 32314

000005451560--6
-05/03/02--01108--020
*****35.00 *****35.00

Re: Decidir.com, Inc. (the "Corporation")

Dear Sir/Madam:

Enclosed for filing are the Articles of Dissolution in connection with the above-referenced corporation. Also enclosed is our firm's check number 5313 in the amount of $35.00 representing payment for the filing fee.

Please do not hesitate to contact our office with any questions regarding the foregoing.

Very truly yours,

Diane M. Hernández
Secretary to Robert R. Adams

FILED
02 MAY -3 AM 10: 03
SECRETARY OF STATE
TALLAHASSEE, FLORIDA

Enclosures

Diane M. Hernandez GAVE
AUTHORIZATION BY PHONE TO
insert
~~CORRECT~~ who atty was signing as attorney in Fact
DATE 5/10/02
DOC. EXAM. T. Lewis

T. Lewis 5/10/02

1200 Brickell Avenue · Suite 900 · Miami, Florida 33131 · Telephone 305.416.6800 · Facsimile 305.416.6811

Solicitação no órgão norte-americano para dissolução da empresa em 30 de abril de 2002.

ARTICLES OF DISSOLUTION

OF

DECIDIR.COM, INC.

Pursuant to Section 607.1401 of the Florida profit corporation submits the following Articles of Dissolution:

FIRST: The name of the Corporation is Decidir.com, Inc.

SECOND: The filing date of the articles of incorporation was: May 30, 2000.

THIRD: None of the corporation's shares have been issued.

FOURTH: No debt of the corporation remains unpaid.

FIFTH: The net assets of the corporation remaining after winding up have been distributed to the shareholders, if shares were issued.

SIXTH: A majority of the directors authorized the dissolution.

Signed this 27th day of March, 2002.

Signature ______________________

(By the chairman or vice chairman of the board, president, or other officer, - if there are no officers or directors, by an incorporator.)

Robert R. Adams, Atty-in-Fact
(Typed or printed name)

Attorney-in-Fact for Guy E. Nevo
(Title)

DMH1136.DOC

P00000044377

Division of Corporations 5/3/00 9:41 AM

Florida Department of State

Division of Corporations
Public Access System
Katherine Harris, Secretary of State

Electronic Filing Cover Sheet

Note: Please print this page and use it as a cover sheet. Type the fax audit number (shown below) on the top and bottom of all pages of the document.

(((H00000024647 0)))

Note: DO NOT hit the REFRESH/RELOAD button on your browser from this page. Doing so will generate another cover sheet.

To:
Division of Corporations
Fax Number : (850) 922-4001

From:
Account Name : CORPORATE CREATIONS INTERNATIONAL INC.
Account Number : 110432003053
Phone : (305) 672-0686
Fax Number : (305) 672-9110

FILED
00 MAY -3 PM 12:59
SECRETARY OF STATE
TALLAHASSEE, FLORIDA

FLORIDA PROFIT CORPORATION OR P.A.

Decidir.com, Inc.

*TRANSLATION: "Decide.com, Inc." *

Certificate of Status	1
Certified Copy	0
Page Count	03
Estimated Charge	$78.75

Electronic Filing Menu Corporate Filing Public Access Help

://ccfss1.dos.state.fl.us/scripts/efilcovr.exe Page 1 of 1

N. Culligan MAY 3 - 2000

Pedido de abertura em 03/05/2000 da empresa Decidir.com Inc.

H00000024647

ARTICLES OF INCORPORATION

Article I. Name

The name of this Florida corporation is:
Decidir.com, Inc.

Article II. Address

The Corporation's mailing address is:
Decidir.com, Inc.
c/o AGIM Registered Agents, Inc.
1200 Brickell Avenue, Suite 900
Miami FL 33131

FILED
00 MAY -3 PM 12:59
SECRETARY OF STATE
TALLAHASSEE, FLORIDA

Article III. Registered Agent

The name and address of the Corporation's registered agent is:
AGIM Registered Agents, Inc.
1200 Brickell Avenue, Suite 900
Miami FL 33131

Article IV. Board of Directors

The name of each member of the Corporation's Board of Directors is:

Brian Kim
Veronica Valente Dantas Rodemburg
Veronica Allende Serra
Esteban Nofal
Esteban Brenman
Guy Nevo

The affairs of the Corporation shall be managed by a Board of Directors consisting of no less than one director. The number of directors may be increased or decreased from time to time in accordance with the Bylaws of the Corporation. The election of directors shall be done in accordance with the Bylaws. The directors shall be protected from personal liability to the fullest extent permitted by applicable law.

Adams, Gallinar, Iglesias & Meyer, P.A.
1200 Brickell Avenue
Suite 900
Miami FL 33131
305-416-6800

H00000024647

Outro documento norte-americano, mais uma vez, comprova que a sociedade entre as Verônicas existiu.

H00000024647

Article V. Capital Stock

The Corporation shall have the authority to issue 2,000 shares of common stock, par value $.01 per share.

Article VI. Incorporator

The name and address of the incorporator is:
Corporate Creations International Inc.
941 Fourth Street #200
Miami Beach FL 33139

Article VII. Corporate Existence

These Articles of Incorporation shall become effective and the corporate existence will begin on May 3, 2000.

The undersigned incorporator executed these Articles of Incorporation on May 3, 2000.

CORPORATE CREATIONS INTERNATIONAL INC.
Randy A. Fernandez Vice President

Adams, Gallinar, Iglesias & Meyer, P.A.
1200 Brickell Avenue
Suite 900
Miami FL 33131
305-416-6800

H00000024647

Distribuição das cotas da empresa das Verônicas.

H00000024647

CERTIFICATE OF DESIGNATION
REGISTERED AGENT/OFFICE

CORPORATION:
Decidir.com, Inc.

REGISTERED AGENT/OFFICE:
AGIM Registered Agents, Inc.
1200 Brickell Avenue, Suite 900
Miami FL 33131

I agree to act as registered agent to accept service of process for the corporation named above at the place designated in this Certificate. I agree to comply with the provisions of all statutes relating to the proper and complete performance of the registered agent duties. I am familiar with and accept the obligations of the registered agent position.

AGIM REGISTERED AGENTS, INC.
Luimar Saides, Assistant Secretary
by R.A. Fernandez as attorney-in-fact

Date: May 3, 2000

FILED
00 MAY -3 PM 12: 59
SECRETARY OF STATE
TALLAHASSEE, FLORIDA

Adams, Gallinar, Iglesias & Meyer, P.A.
1200 Brickell Avenue
Suite 900
Miami FL 33131
305-416-6800

H00000024647

Certidão de registro da empresa Decidir.com Inc. no cartório de Miami.

REGISTERED AGENT'S CERTIFICATE

We, **CITCO B.V.I. LIMITED** of P.O. Box 662, Wickhams Cay, Road Town, Tortola, British Virgin Islands, as Registered Agent of **Decidir.Com International Ltd.,** a Business Company existing and operating under the laws of the British Virgin Islands ("the Company") **DO HEREBY CONFIRM** that, according to our records and the best of our knowledge and belief, the signatures appearing on the attached Power of Attorney of the Director are the true and correct signatures of **Esteban Brenman, Daniel Manzanares, Hernan Garcia Simon, Guy Nevo, Francisco Santandreu and Esteban Nofal,** the validly appointed Directors of the Company.

Dated this 8th day of August, 2008.

Authorized Signatories
CITCO B.V.I. LIMITED
Registered Agent

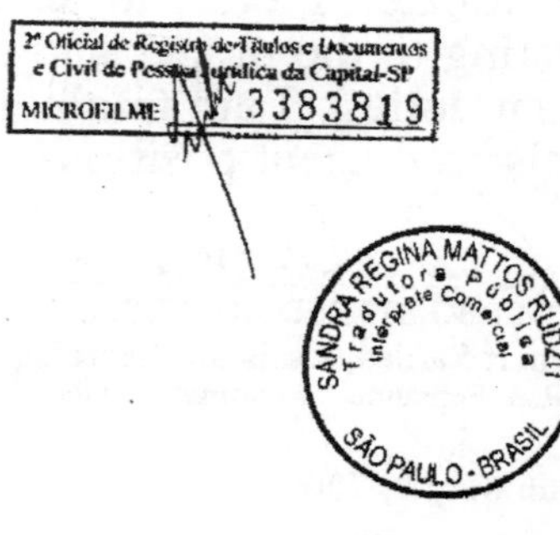

04 SET 2008 I - 20122

Citco BVI Limited
Wickhams Cay I
Flemming House
P.O. Box 662
Road Town, Tortola
British Virgin Islands VG 1110

bvi-trust@citco.com
www.citco.com

Phone: +1 284 494 2217
Fax: +1 284 494 3917
Regulated by the
British Virgin Islands
Financial Services Commission

Documentos atestam que a empresa Decidir.com transferiu-se para as Ilhas Virgens Britânicas sob o nome de Decidir International Ltda.

2º Oficial de Registro de Títulos e Documentos
e Civil de Pessoa Jurídica da Capital-SP
MICROFILME 3383819

POWER OF ATTORNEY

THIS POWER OF ATTORNEY is made as of this 29th day of July, 2008, by **DECIDIR.COM INTERNATIONAL LTD**, a company organized and existing in accordance with the Laws of the British Virgin Islands, with registered office situated in Citco Building, Wickhams Cay, P.O Box 662, British Road Town, Tortola, Virgin Islands, in this act duly represented by its Director, Mr. Hernán García Simón, who declares as follows:

That **DECIDIR.COM INTERNATIONAL LTD** (hereinafter referred to as "Grantor") hereby grants a power of attorney as ample as may be required by law to **Diego Alejandro Alonso**, Argentine citizen, businessman, married, bearer of Argentine Identity Card No. 22.823.223 and Brazilian identity card (RNE) No. V480936-Q, with residence and domicile at Rua Tenente Negrão, 200, Apartment 1703, Itaim Bibi, São Paulo, Brazil (hereinafter referred to as "Grantee"), so that he may represent Grantor in its capacity as a partner (*sócio*) in Decidir Brasil Ltda., a limited liability company organized and existing under the laws of Brazil, with head office at Rua Dr. Renato Paes de Barros, 714, 5º Floor, Itaim Bibi, São Paulo, Brazil, CNPJ No. 03.633.749/0001-64 ("Decidir Brasil"); with powers to sign articles of association (*contratos sociais*) and any and all documents related thereto, to sign amendments to articles of association (*alterações contratuais*) and resolutions regarding any and all matters of corporate interest, including, but not limited to, the appointment and removal of administrators (*administradores*), liquidators (*liquidantes*) and members of fiscal councils or of any other corporate body, the authorization for administrators and liquidators to enter into and carry out any actions or transactions, the examination and the approval or rejection of accounts, the destination and distribution of profits, the payment of interest on capital, the increase or reduction of capital, the issuance of quotas, the subscription for and payment of quotas, the purchase or sale of quotas, the assignment and transfer of quotas, partnership interests, subscription rights or other rights, the waiver of Grantor's preferential rights to subscribe for capital or acquire quotas, Grantee having powers to assign and transfer, or otherwise dispose of, to third parties the quotas of Decidir Brasil held by Grantor, with powers, to receive prices, give acquittance, sign the amendments to the articles of association of Decidir Brasil and anything else required for the faithful performance of this power-of-attorney; and to represent Grantor at any partners' meetings and assemblies (*reuniões e assembléias dos sócios*) or any other meetings, to propose, discuss, decide and vote any and all matters of corporate interest at partners' meetings and assemblies or any other meetings, to sign corporate books and minutes of partners' meetings and assemblies or any other meetings, to agree to and sign any and all documents related to any of the foregoing, and to perform any and all acts permitted to partners."

That Grantee may represent Grantor in its capacity as a partner (*sócio*) of Decidir Brasil before any bodies, entities, agencies or authorities of the federal, state and municipal governments of Brazil, including, but not limited to, the Public Registry of Commercial Entities (*Registro Público de Empresas Mercantis*) and the Commercial Registry (*Junta Comercial*) of the States of São Paulo, Rio de Janeiro and of any other States, the Civil Registry of Legal Entities (*Registro Civil de Pessoas Jurídicas*) of the States of São Paulo, Rio de Janeiro and of any other States, and the Central Bank of Brazil, with powers to sign, file and withdraw applications, letters, forms, petitions, appeals, declarations, statements and other documents, including with regard to registration of investment, reinvestment and remittance of capital, profits, interest and dividends."

04 SET 2008 1-20122

SANDRA REGINA MATTOS
SÃO PAULO - BRASIL

Procuração mostra que a empresa no Caribe será usada para injetar dinheiro em empresa de Verônica Serra, a Decidir do Brasil, que funciona no bairro Itaim Bibi, em São Paulo.

That Grantee has powers to receive service of process solely for the purposes of article 119 of Brazilian Law No. 6404/76 exclusively in connection with Grantor's capacity as a partner of Decidir Brasil, as well as powers to represent Grantor in court (*poderes da cláusula ad judicia*).

That Grantee has powers to make and receive payments and to grant releases (*dar quitação*).

That Grantee may delegate this power of attorney in whole or in part to others and revoke such delegations.

That Grantor ratifies all acts carried out by Grantee prior to the date hereof within the scope of this power of attorney.

That this power of attorney, shall be valid as of the date hereof until December 31, 2008, unless earlier revoked in writing by Grantor.

IN WITNESS WHEREOF, the undersigned has duly executed this Power of Attorney on this 29th day of July, 2008.

By________________________

Hernán García Simón

Director

2º Oficial de Registro de Títulos e Documentos e Civil de Pessoa Jurídica da Capital-SP
MICROFILME N° 3383819

2º Oficial de Registro de Títulos e Documentos e Civil de Pessoa Jurídica da Capital
BEL. GENTIL DOMINGUES DOS SANTOS - OFICIAL
R. Senador Paulo Egídio, 72 - Conj. 110 São Paulo CEP: 01006-010 Fone: (11) 3101-5631

Apresentado hoje, protocolado e registrado em microfilme sob o nº 3.383.819.

São Paulo, 04 de setembro de 2008. Recibo nº 11.007.074

ESCREVENTES AUTORIZADOS	SUBSTITUTOS DO OFICIAL
Marcelo da S. Espedito	Bel. Paulo Signorelti Domingues
Douglas Soares Saúgo	Carlos Aoki
	Roberto Ferreira de Souza

OFICIAL(R$)	ESTADO(R$)	IPESP(R$)	REG.CIVIL(R$	JUSTIÇA(R$)	TOTAL(R$)
43,42	12,37	9,19	2,28	2,28	69,54

SANDRA REGINA MATTOS RUDZIT
Tradutora Pública e Intérprete Comercial
SÃO PAULO - BRASIL

04 SET 2008 I - 20122

Tradução nº I-20122
Livro nº 229
Folhas 324-326
Página 1 de 3

Sandra Regina Mattos Rudzit
TRADUTORA PÚBLICA

2º Oficial de Registro de Títulos e Documentos e Civil de Pessoa Jurídica da Capital-SP
MICROFILME Nº 3383819

Eu, Sandra Regina Mattos Rudzit, tradutora pública, certifico e dou fé que me foi apresentado um documento, em idioma inglês, que passo a traduzir para o vernáculo no seguinte teor:

PROCURAÇÃO

O PRESENTE INSTRUMENTO DE MANDATO é outorgado em 29 de julho de 2008 pela **DECIDIR.COM INTERNATIONAL LTD**, sociedade constituída e existente de acordo com as leis das Ilhas Virgens Britânicas, com sede social situada em Citco Building, Wickhams Cay, P.O. Box 662, British Road Town, Tortola, Ilhas Virgens, neste ato devidamente representada por seu Diretor, Sr. Hernán García Simón, a qual declara o seguinte:

Que a **DECIDIR.COM INTERNATIONAL LTD** (doravante designada "Outorgante") neste ato outorga uma procuração, tão ampla quanto possa ser exigido por lei, a **Diego Alejandro Alonso**, argentino, empresário, casado, portador da Cédula de Identidade argentina nº 22.823.223 e da Cédula de Identidade Brasileira para Estrangeiros (RNE) nº V480936-Q, residente e domiciliado na Rua Tenente Negrão, 200, apartamento 1703, Itaim Bibi, São Paulo, Brasil (doravante designado "Outorgado") para que ele possa representar a Outorgante em sua qualidade de sócio da Decidir Brasil Ltda., sociedade limitada constituída e existente segundo as leis do Brasil, com sede social na Rua Dr. Renato Paes de Barros, 714, 5º andar, Itaim Bibi, São Paulo, Brasil, inscrita no CNPJ nº 03.633.749/0001-64 ("Decidir Brasil"); com poderes para assinar contratos sociais e todos e quaisquer documentos correlatos, assinar alterações contratuais e deliberações relacionadas a todos e quaisquer assuntos de interesse societário, inclusive, entre outros, a nomeação e a destituição de administradores, liquidantes e membros de conselhos fiscais ou de qualquer outro órgão societário, a autorização de administradores e liquidantes para praticar e efetuar quaisquer atos ou operações, a verificação e a aprovação ou rejeição de contas, a destinação e a distribuição de lucros, o pagamento de juros sobre o capital, o aumento ou a redução de capital, a emissão de quotas, a subscrição e a integralização de quotas, a compra ou a venda de quotas, a cessão e a transferência de quotas, participações acionárias, direitos de subscrição ou outros direitos, a renúncia aos direitos de preferência da Outorgante de subscrever capital ou adquirir quotas, tendo o Outorgado poderes para ceder e transferir ou de outra maneira alienar a terceiros as quotas da Decidir Brasil detidas pela Outorgante, com poderes para receber quantias em dinheiro, dar quitação, assinar alterações contratuais da Decidir Brasil e tudo o que for exigido para o fiel cumprimento desta procuração; e representar a Outorgante em quaisquer reuniões e assembléias dos sócios ou em quaisquer outras reuniões, propor, discutir, decidir e votar todos e quaisquer assuntos de interesse societário nas reuniões e assembléias dos sócios ou em quaisquer outras reuniões, assinar livros societários e atas de reuniões e assembléias dos sócios ou de quaisquer outras reuniões, acordar e assinar todos e quaisquer documentos relacionados a quaisquer dos itens acima expostos e praticar todos e quaisquer atos permitidos aos sócios."

Que o Outorgado poderá representar a Outorgante na qualidade de sócio da Decidir Brasil perante quaisquer órgãos, pessoas jurídicas, agências ou autoridades governamentais municipais, estaduais e federais do Brasil, inclusive, entre outros, o Registro Público de Empresas Mercantis e a Junta Comercial dos Estados de São Paulo, do Rio de Janeiro e de quaisquer outros Estados, e o Registro Civil de Pessoas Jurídicas dos Estados de São Paulo, do Rio de Janeiro e de quaisquer outros Estados, e o Banco Central do Brasil, com poderes para assinar, juntar e retirar pedidos, cartas, formulários, petições, recursos, declarações, demonstrações e outros documentos, inclusive com relação ao registro de investimento, reinvestimento e remessa de capital, lucros, juros e dividendos."

Que o Outorgado terá poderes para receber citação exclusivamente para os fins do artigo 119 da Lei brasileira nº 6404/76, especificamente com relação à qualidade da Outorgante de sócia da Decidir Brasil, bem como poderes para representar a Outorgante em juízo (poderes da cláusula *ad judicia*).

Que o Outorgado terá poderes para efetuar e receber pagamentos e dar quitação.

Que o Outorgado poderá substabelecer esta procuração, total ou parcialmente, a terceiros e revogar esses substabelecimentos.

SANDRA REGINA MATTOS RUDZIT - Tradutora Pública e Intérprete Comercial - Português - Inglês, Juramentada pela JUCESP sob matrícula nº 1688 - CPF 082.060.018-08 RG 8.222.837
Rua Matias Aires, 402 - 9º andar - 01309-020 - São Paulo - SP - Brasil - Fone/Fax: 55 11 3155-7383 - e-mail: just@just.trd.br - www.just.trd.br

Traduzida para o português, esta procuração autoriza as movimentações empresariais.

Sandra Regina Mattos Rudzit
TRADUTORA PÚBLICA

Eu, Sandra Regina Mattos Rudzit, tradutora pública, certifico e dou fé que me foi apresentado um documento, em idioma inglês, que passo a traduzir para o vernáculo no seguinte teor:

PROCURAÇÃO

O PRESENTE INSTRUMENTO DE MANDATO é outorgado em 29 de julho de 2008 pela **DECIDIR.COM INTERNATIONAL LTD**, sociedade constituída e existente de acordo com as leis das Ilhas Virgens Britânicas, com sede social situada em Citco Building, Wickhams Cay, P.O. Box 662, British Road Town, Tortola, Ilhas Virgens, neste ato devidamente representada por seu Diretor, Sr. Hernán García Simón, a qual declara o seguinte:

Que a **DECIDIR.COM INTERNATIONAL LTD** (doravante designada "Outorgante") neste ato outorga uma procuração, tão ampla quanto possa ser exigido por lei, a **Diego Alejandro Alonso**, argentino, empresário, casado, portador da Cédula de Identidade argentina nº 22.823.223 e da Cédula de Identidade Brasileira para Estrangeiros (RNE) nº V480936-Q, residente e domiciliado na Rua Tenente Negrão, 200, apartamento 1703, Itaim Bibi, São Paulo, Brasil (doravante designado "Outorgado") para que ele possa representar a Outorgante em sua qualidade de sócio da Decidir Brasil Ltda., sociedade limitada constituída e existente segundo as leis do Brasil, com sede social na Rua Dr. Renato Paes de Barros, 714, 5º andar, Itaim Bibi, São Paulo, Brasil, inscrita no CNPJ nº 03.633.749/0001-64 ("Decidir Brasil"); com poderes para assinar contratos sociais e todos e quaisquer documentos correlatos, assinar alterações contratuais e deliberações relacionadas a todos e quaisquer assuntos de interesse societário, inclusive, entre outros, a nomeação e a destituição de administradores, liquidantes e membros de conselhos fiscais ou de qualquer outro órgão societário, a autorização de administradores e liquidantes para praticar e efetuar quaisquer atos ou operações, a verificação e a aprovação ou rejeição de contas, a destinação e a distribuição de lucros, o pagamento de juros sobre o capital, o aumento ou a redução de capital, a emissão de quotas, a subscrição e a integralização de quotas, a compra ou a venda de quotas, a cessão e a transferência de quotas, participações acionárias, direitos de subscrição ou outros direitos, a renúncia aos direitos de preferência da Outorgante de subscrever capital ou adquirir quotas, tendo o Outorgado poderes para ceder e transferir ou de outra maneira alienar a terceiros as quotas da Decidir Brasil detidas pela Outorgante, com poderes para receber quantias em dinheiro, dar quitação, assinar alterações contratuais da Decidir Brasil e tudo o que for exigido para o fiel cumprimento desta procuração; e representar a Outorgante em quaisquer reuniões e assembléias dos sócios ou em quaisquer outras reuniões, propor, discutir, decidir e votar todos e quaisquer assuntos de interesse societário nas reuniões e assembléias dos sócios ou em quaisquer outras reuniões, assinar livros societários e atas de reuniões e assembléias dos sócios ou de quaisquer outras reuniões, acordar e assinar todos e quaisquer documentos relacionados a quaisquer dos itens acima expostos e praticar todos e quaisquer atos permitidos aos sócios."

Que o Outorgado poderá representar a Outorgante na qualidade de sócio da Decidir Brasil perante quaisquer órgãos, pessoas jurídicas, agências ou autoridades governamentais municipais, estaduais e federais do Brasil, inclusive, entre outros, o Registro Público de Empresas Mercantis e a Junta Comercial dos Estados de São Paulo, do Rio de Janeiro e de quaisquer outros Estados, e o Registro Civil de Pessoas Jurídicas dos Estados de São Paulo, do Rio de Janeiro e de quaisquer outros Estados, e o Banco Central do Brasil, com poderes para assinar, juntar e retirar pedidos, cartas, formulários, petições, recursos, declarações, demonstrações e outros documentos, inclusive com relação ao registro de investimento, reinvestimento e remessa de capital, lucros, juros e dividendos."

Que o Outorgado terá poderes para receber citação exclusivamente para os fins do artigo 119 da Lei brasileira nº 6404/76, especificamente com relação à qualidade da Outorgante de sócia da Decidir Brasil, bem como poderes para representar a Outorgante em juízo (poderes da cláusula *ad judicia*).

Que o Outorgado terá poderes para efetuar e receber pagamentos e dar quitação.

Que o Outorgado poderá substabelecer esta procuração, total ou parcialmente, a terceiros e revogar esses substabelecimentos.

SANDRA REGINA MATTOS RUDZIT - Tradutora Pública e Intérprete Comercial - Português - Inglês, Juramentada pela JUCESP sob matrícula nº 1688 - CPF 082.060.018-08 RG 8.222.837-
Rua Matias Aires, 402 - 9º andar - 01309-020 - São Paulo - SP - Brasil - Fone/Fax: 55 11 3155-7383 - e-mail: just@just.trd.br - www.just.trd.br

Que a Outorgante ratifica todos os atos praticados pelo Outorgado antes da data deste instrumento no âmbito da presente procuração.

Que a presente procuração será válida a contar da data deste instrumento até 31 de dezembro de 2008, salvo se revogada antecipadamente, por escrito, pela Outorgante.

EM TESTEMUNHO DO QUE, a abaixo assinada assinou devidamente esta Procuração, neste dia 29 de julho de 2008.

Por: (ass) Hernán García Simón, Diretor

Timbre de CITCO B.V.I. Limited.

CERTIFICADO DE AGENTE REGISTRADO

Nós, **CITCO B.V.I. LIMITED**, com endereço em P.O. Box 662, Wickhams Cay, Road Town, Tortola, Ilhas Virgens Britânicas, na qualidade de Agente Registrado da **Decidir.Com International Ltd.**, Sociedade Comercial constituída e existente segundo as leis das Ilhas Virgens Britânicas ("a Sociedade"), **NESTE ATO CONFIRMAMOS** que, de acordo com nossos registros e salvo nosso melhor juízo e crença, as assinaturas constantes da Procuração anexa do Diretor são as assinaturas autênticas e corretas de **Esteban Brenman, Daniel Manzanares, Hernan Garcia Simon, Guy Nevo, Francisco Santandreu e Esteban Nofal**, os Diretores validamente nomeados da Sociedade.

Datado de 8 de agosto de 2008.

(ass) (ass)

Signatários Autorizados

CITCO B.V.I. LIMITED, Agente Registrado

Eu, **Sra. Asha L. Johnson**, Tabeliã Pública de Road Town, Tortola, Ilhas Virgens Britânicas, **NESTE ATO CERTIFICO** que as assinaturas constantes do **Certificado de Agente Registrado** anexo são as assinaturas autênticas e corretas de **Nicolas Recondo** e **Agustin Giavedoni**, pessoalmente conhecidos por mim na qualidade de Procuradores da Citco B.V.I. Limited, Agente Registrado da **Decidir.Com International Ltd.**, Sociedade Comercial constituída e existente nas Ilhas Virgens Britânicas.

Datado de 8 de agosto de 2008.

(ass) **Sra. Asha L. Johnson**, Tabeliã Pública

Selo em relevo da Tabeliã Pública.

Selo das Ilhas Virgens Britânicas.

APOSTILA

(Convenção de Haia de 5 de outubro de 1961)

1. País: Tortola, Ilhas Virgens Britânicas

Este instrumento público

2. foi assinado pela **Sra. Asha L. Johnson**

3. Atuando na qualidade de: Tabeliã Pública

4. Contém o selo de **Asha L. Johnson**

CERTIFICADO

5. em Road Town, Tortola

6. em 11 de agosto de 2008

7. pelo Administrador de Tribunal Sênior

8. Nº H 07684.08

Sandra Regina Mattos Rudzit
TRADUTORA PÚBLICA

2º Oficial de Registro de Títulos e Documentos
e Civil de Pessoa Jurídica da Capital-SP
MICROFILME Nº 3383819

9. Selo/Carimbo: Selo em relevo e Selo da Receita das Ilhas Virgens Britânicas carimbado.

10. Assinatura: (ass)

Reconhecimento da assinatura de Micaelle Melean, Oficial da Suprema Corte das Ilhas Virgens Britânicas, pela Embaixada do Brasil em Bridgetown, em 18 de agosto de 2008.

(ass) Ana Amélia Machado Godoi, Vice-Cônsul

Selo consular no valor de R$20,00 ouro, carimbado.

NADA MAIS. Li, conferi, achei conforme e dou fé desta tradução.

São Paulo, 4 de setembro de 2008

SANDRA REGINA MATTOS RUDZIT
Tradutora Pública

2º Oficial de Registro de Títulos e Documentos e Civil de Pessoa Jurídica da Capital
BEL. GENTIL DOMINGUES DOS SANTOS - OFICIAL
R. Senador Paulo Egídio, 72 - Conj. 110 São Paulo CEP: 01006-010/Pabx: (11) 3101-5631

Apresentado hoje, protocolado e registrado em microfilme sob o nº 3.383.819.

São Paulo, 04 de setembro de 2008. Recibo nº 11.007.074

ESCREVENTES AUTORIZADOS	SUBSTITUTOS DO OFICIAL
Marcelo da S. Espedito	Bel. Paulo Signoretti Domingues
Douglas Soares Saúgo	Carlos Aoki
	Roberto Ferreira de Souza

OFICIAL(R$)	ESTADO(R$)	IPESP(R$)	REG.CIVIL(R$	JUSTIÇA(R$)	TOTAL(R$)
[illegible]	12,37	9,10	2,28	2,28	69,54

ali/pet/rat/cs/pro554.doc

SANDRA REGINA MATTOS RUDZIT - Tradutora Pública e Intérprete Comercial - Português - Inglês, Juramentada pela JUCESP sob matrícula nº 1688 - CPF 082.060.018-08 RG 6.222.837-1
Rua Matias Aires, 402 - 9º andar - 01309-020 - São Paulo - SP - Brasil - Fone/Fax: 55 11 3155-7383 - e-mail: just@just.trd.br - www.just.trd.br

Documentos evidenciam que a Decidir Internacional Ltda, logo após pousar no Caribe, torna-se sócia da Decidir Brasil, que funciona no escritório de Verônica Serra e Alexandre Bourgeois no Brasil. O valor corresponde ao total investido pelo Grupo Opportunity na Decidir de Miami, na então sociedade das duas Verônicas.

JUNTA COMERCIAL DO ESTADO DE SAO PAULO
FICHA CADASTRAL

OS DADOS DESTA PRIMEIRA PAGINA CONSTANTES DOS QUADROS CAPITAL - ENDERECO - OBJETO E TITULAR/SOCIO/DIRETORIA REFEREM-SE A SITUACAO DA EMPRESA NO MOMENTO DE SUA CONSTITUICAO OU AO SEU PRIMEIRO REGISTRO CADASTRADO NO SISTEMA INFORMATIZADO

EMPRESA

DECIDIR BRASIL LTDA.

TIPO : LIMITADA

NIRE MATRIZ	DATA DA CONSTITUICAO	EMISSAO
35220378923	05/01/2006	30/03/2011 11:11

INICIO DE ATIV.	C.N.P.J.	INSCRICAO ESTADUAL
30/11/2005	03.633.749/0001-64	

CAPITAL

10.000.000,00 (DEZ MILHOES DE REAIS.****************************)

ENDERECO

LOGR.: RUA DR. RENATO PAES DE BARROS — NUMERO: 714
COMPLEMENTO: 5 ANDAR — BAIRRO: ITAIM BIBI
MUNICIPIO: SAO PAULO — CEP: 04530-001 UF: SP

OBJETO

OUTRAS SOCIEDADES DE PARTICIPACAO, EXCETO HOLDINGS

TITULAR/SOCIOS/DIRETORIA

DECIDIR.COM INTERNATIONAL LIMITED, DOC. 00000000001, ENDERECO NAO INFORMADO, NA SITUACAO DE SOCIO, COM VALOR DE PARTICIPACAO NA SOCIEDADE DE $ 9.999.999,00.

MILTON LUIZ SCHWEIZER, NAC. BRASILEIRA, CPF 10.882.448-90, RG/RNE 5347081, RESIDENTE A RUA DR. JOSE DE ANDRADE FIGUEIRA, 347, APTO. 52, MORUMBI, SAO PAULO, SP, CEP NAO INF., NA SITUACAO DE SOCIO E ADMINISTRADOR, ASSINANDO PELA EMPRESA, COM VALOR DE PARTICIPACAO NA SOCIEDADE DE $ 1,00.

ARQUIVAMENTOS

NUM.DOC	SESSAO	ASSUNTO
		TRANSFORMADA DE NIRE 35300176154 (DECIDIR.COM BRASIL S.A.).

PAG.001

JUNTA COMERCIAL DO ESTADO DE SAO PAULO
FICHA CADASTRAL

ARQUIVAMENTOS

NUM.DOC	SESSAO	ASSUNTO
125.961/06-6	18/05/2006	CAPITAL DA SEDE ALTERADO PARA $ 10.103.200,00 (DEZ MILHOES, CENTO E TRES MIL E DUZENTOS REAIS.). REDISTRIBUICAO DAS QUOTAS DE DECIDIR.COM INTERNATIONAL LIMITED, DOC. 0000000001, ENDERECO NAO INFORMADO, NA SITUACAO DE SOCIO, COM VALOR DE PARTICIPACAO NA SOCIEDADE DE $ 10.103.199,00. REDISTRIBUICAO DAS QUOTAS DE MILTON LUIZ SCHWEIZER, NAC. BRASILEIRA, CPF 10.882.448-90, RG/RNE 5.347.081, SP, RESIDENTE A RUA DR. JOSE DE ANDRADE FIGUEIRA, 347, APTO. 52, MORUMBI, SAO PAULO, SP, CEP 05709-010, NA SITUACAO DE SOCIO, ADMINISTRADOR E COMO PROCURADOR DE DECIDIR.COM INTERNATIONAL LIMITED, ASSINANDO PELA EMPRESA, COM VALOR DE PARTICIPACAO NA SOCIEDADE DE $ 1,00. CONSOLIDACAO CONTRATUAL DA MATRIZ.
163.216/06-0	13/06/2006	OCIEDADE, POR PRAZO INDETERMINADO, O SR. DIEGO ALONSO, ARGENTINO, CASADO, ENGENHEIRO ELETRONICO, PASSAPORTE N 22.823.223, DOMICILIADO A RUA CIUDAD DEL LA PAZ, N 1387, ANDAR 6, DPTO. B, BUENOS AIRES, ARGENTINA, A QUAL PASSARA A EXERCER PLENAMENTE SUAS ATIVIDADES, TAO LOGO OBTIDO O NECESSARIO VISTO PERMANENTE, JUNTO A SUPERINTENDENCIA DE POLICIA FEDERAL DO BRASIL.ESTABELECEM OS SOCIOS, AINDA, EM COMPLEMENTO A DELIBERACAO TOMADA ACIMA, QUE A ATUAL FORMA DE ADMINISTRACAO DA SOCIEDADE SERA MANTIDA ATE QUE O ADMINISTRADOR ORA NOMEADO, ASSUMA, EM DEFINITIVO, SUAS FUNCOES, APOS O QUE SERA PROCEDIDA NOVA ALTERACAO DO CONTRATO SOCIAL, A FIM DE MODIFICAR A CLAUSULA QUE DISPOE SOBRE A ADMINISTRACAO, ADEQUANDO-A A NOVA SITUACAO.ERAR NO SENTIDO DA INDICACAO, PARA A FUNCAO DE ADMINISTRADOR DA S
170.929/07-3	01/06/2007	I - INICIALMENTE, INFORMA-SE QUE O ATUAL PROCURADOR DA SOCIA DECIDIR.COM INTERNATIONAL LIMITED E O SR. DIEGO ALONSO, JA QUALIFICADO, E QUE JA CONSTA NO PREAMBULO DO PRESENTE INSTRUMENTO SOCIETARIO, CONFORME PROCURACAO ANEXA VIGENTE.II - O SOCIO SR. MILTON LUIZ SCHWEIZER, PELO PRESENTE INSTRUMENTO E NA MELHOR FORMA DE DIREITO, CEDE E TRANSFERE, A

NIRE: 35220378923 PAG.002

Documentos da Junta Comercial de São Paulo mostram que a empresa do Caribe passa a adquirir cotas da Decidir do Brasil, que funciona no escritório de Verônica Serra.

JUNTA COMERCIAL DO ESTADO DE SAO PAULO
FICHA CADASTRAL

ARQUIVAMENTOS

NUM.DOC	SESSAO	ASSUNTO
		TOTALIDADE DA PARCELA DO CAPITAL SOCIAL QUE DETEM, REPRESENTADA POR 1 (UMA) QUOTA, NO VALOR UNITARIO DE R$ 1,00 (UM REAL), QUE PERFAZ O MONTANTE DE R$ 1,00 (UM REAL), AO SR. DIEGO ALONSO, RECEBENDO, PARA TANTO, A EXPRESSA ANUENCIA DOS DEMAIS SOCIOS. PARA TANTO, O SR. DIEGO ALONSO PROCEDE AO PAGAMENTO DA QUANTIA DE R$ 1,00 (UM REAL), REFERENTE A QUOTA SUBSCRITA E INTEGRALIZADA, AO SR. MILTON LUIZ SCHWEIZER, QUE, POR SUA VEZ, LHE DA PLENA E TOTAL QUITACAO, DECLARANDO NADA MAIS TER A RECEBER EM RELACAO A PRESENTE TRANSFERENCIA.III - EM DECORRENCIA DO ACIMA EXPOSTO, O SR. MILTON LUIZ SCHWEIZER, RETIRA-SE DA SOCIEDADE.IV - FICA ADMITIDO, PORTANTO, NA SOCIEDADE, O SOCIO SR. DIEGO ALEJANDRO ALONSO.V - RESOLVEM, OS SOCIOS, DIANTE DAS CONSIDERACOES ACIMA, E CONFORME DELIBERADO NA ULTIMA ATA DE REUNIAO DE SOCIOS, DATADA DE 05/05/2006 E, ARQUIVADA NA JUCESP - JUNTA COMERCIAL DO ESTADO DE SAO PAULO SOB O N 163.216/06-0 EM SESSAO DE 13/06/2006, ALTERAR A FORMA DE ADMINISTRACAO DA SOCIEDADE, QUE PASSARA A SER EXERCIDA, INDIVIDUALMENTE, PELO SOCIO - ADMINISTRADOR SR. DIEGO ALEJANDRO ALONSO.VI - POR FIM, DECIDEM, OS SOCIOS, TENDO EM VISTA O INTERESSE DA SOCIEDADE, REESCREVER E CONSOLIDAR O CONTRATO SOCIAL COM AS ALTERACOES ACIMA EXPOSTAS. ALTERACAO DE SOCIOS/TITULAR/DIRETORIA:. REMANESCENTE DECIDIR.COM INTERNATIONAL LIMITED, DOC. 00000000001, ENDERECO NAO INFORMADO, NA SITUACAO DE SOCIO, COM VALOR DE PARTICIPACAO NA SOCIEDADE DE $ 10.103.199,00. RETIRA-SE MILTON LUIZ SCHWEIZER, NAC. BRASILEIRA, CPF 10.882.448-90, RG/RNE 5.347.081, SP, RESIDENTE A RUA DR. JOSE DE ANDRADE FIGUEIRA, 347, APTO. 52, MORUMBI, SAO PAULO, SP, CEP 05709-010, NA SITUACAO DE SOCIO, ADMINISTRADOR E COMO PROCURADOR DE DECIDIR.COM INTERNATIONAL LIMITED, ASSINANDO PELA EMPRESA, COM VALOR DE PARTICIPACAO NA SOCIEDADE DE $ 1,00.

JUNTA COMERCIAL DO ESTADO DE SAO PAULO
FICHA CADASTRAL

ARQUIVAMENTOS

NUM.DOC	SESSAO	ASSUNTO
		ADMITIDO DIEGO ALEJANDRO ALONSO, NAC. ARGENTINA, CPF 232.109.798-12, RG/RNE V480936-Q, SP, RESIDENTE A RUA TENENTE NEGRAO, 200, APTO. 1703, ITAIM BIBI, SAO PAULO, SP, CEP 04530-030, NA SITUACAO DE SOCIO, ADMINISTRADOR E COMO PROCURADOR DE DECIDIR.COM INTERNATIONAL LIMITED, ASSINANDO PELA EMPRESA, COM VALOR DE PARTICIPACAO NA SOCIEDADE DE $ 1,00.
		CONSOLIDACAO CONTRATUAL DA MATRIZ.
293.473/08-0	11/09/2008	A SOCIA DECIDE ATUALIZAR A CLAUSULA QUARTA, A ALTERAR AS CLAUSULAS SEXTA, A DECIMA SEXTA E CONSOLIDAR O CONTRATO SOCIAL DA SOCIEDADE.
		ALTERACAO DE SOCIOS/TITULAR/DIRETORIA:.
		RETIRA-SE DECIDIR.COM INTERNATIONAL LIMITED, DOC. 00000000001, ENDERECO NAO INFORMADO, NA SITUACAO DE SOCIO, COM VALOR DE PARTICIPACAO NA SOCIEDADE DE $ 10.103.199,00.
		RETIRA-SE DIEGO ALEJANDRO ALONSO, NAC. ARGENTINA, CPF 232.109.798-12, RG/RNE V480936Q, RESIDENTE A RUA TENENTE NEGRAO, 200, APTO. 1703, ITAIM BIBI, SAO PAULO, SP, CEP 04530-030, NA SITUACAO DE SOCIO, ADMINISTRADOR E COMO PROCURADOR DE DECIDIR.COM INTERNATIONAL LIMITED, ASSINANDO PELA EMPRESA, COM VALOR DE PARTICIPACAO NA SOCIEDADE DE $ 1,00.
		ADMITIDO EQUIFAX DO BRASIL LTDA., NIRE 35215441698, SITUADA A RUA TEIXEIRA DA SILVA, 217, SAO PAULO, SP, CEP NAO INF., NA SITUACAO DE SOCIO, COM VALOR DE PARTICIPACAO NA SOCIEDADE DE $ 10.103.200,00.
		NOMEADO MARCELO KEKLIGIAN, NAC. BRASILEIRA, CPF 100.735.128-42, RG/RNE 168305161, SP, RESIDENTE A RUA PEDRO POMPONAZZI, 623, APTO. 171, CHACARA KLABIN, SAO PAULO, SP, CEP 04115-000, COMO ADMINISTRADOR, DIRETOR E REPRESENTANDO EQUIFAX DO BRASIL LTDA., ASSINANDO PELA EMPRESA.
		CITADO LUIZ CARLOS ALVES BELO, NAC. BRASILEIRA, CPF 758.617.987-53, RG/RNE 500169731, SP, RESIDENTE A RUA ORDENACOES AFONSINAS, 134, VILA MORCE, SAO PAULO, SP,

JUNTA COMERCIAL DO ESTADO DE SAO PAULO
FICHA CADASTRAL

ARQUIVAMENTOS

NUM.DOC	SESSAO	ASSUNTO
		CEP 05623-030, REPRESENTANDO EQUIFAX DO BRASIL LTDA..
		A SOCIEDADE TORNA-SE UNIPESSOAL PELO PRAZO MAXIMO DE 180 DIAS.
		CONSOLIDACAO CONTRATUAL DA MATRIZ.
322.130/08-6	26/09/2008	TRATA-SE DE CARTA DE RENUNCIA DATADO DE 10/09/2008, DO SOCIO DIEGO ALEJANDRO ALONSO, ARGENTINO, PORTADOR DA CELULA DE IDENTIDADE PARA ESTRANGEIROS RNE N. V480936-Q SE/DFP/SP, CPF N. 232.109.798-12, RESIDENTE E DOMICILIADO NA RUA TENENTE NEGRAO, N. 200, APTO 1703, CEP: 04530-030, ITAIM BIBI, SAO PAULO, SP, AO CARGO DE DIRETOR.
376.728/08-5	18/11/2008	D.O.E. (DIARIO OFICIAL DO ESTADO) DE 06/11/2008.
376.729/08-9	18/11/2008	DIARIO DE NOTICIAS DE 06/11/2008.
215.679/10-6	24/06/2010	CARTA RENUNCIA DATADA DE: 03/05/2010, DE MARCELO KEKLIGIAN, CPF 100.735.128-42, RG/RNE 168305161, SP, DOS CARGOS DE ADMINISTRADOR, DIRETOR E REPRESENTANDO EQUIFAX DO BRASIL LTDA..
234.759/10-0	12/07/2010	A SOCIA DECIDE ATUALIZAR A 4. CLAUSULA DO CONTRATO SOCIAL DA SOCIEDADE E PRORROGAR O PRAZO PARA INTEGRALIZACAO DAS 2.823.798 QUOTAS SUBSCRITAS PARA ATE 31 DE DEZEMBRO DE 2011.
		ALTERACAO DE SOCIOS/TITULAR/DIRETORIA:.
		REDISTRIBUICAO DAS QUOTAS DE EQUIFAX DO BRASIL LTDA., NIRE 35215441698, SITUADA A RUA TEIXEIRA DA SILVA, 217, SAO PAULO, SP, CEP NAO INF., NA SITUACAO DE SOCIO, COM VALOR DE PARTICIPACAO NA SOCIEDADE DE $ 10.103.199,00.
		REMANESCENTE MARCELO KEKLIGIAN, NAC. BRASILEIRA, CPF 100.735.128-42, RG/RNE 168305161, SP, RESIDENTE A RUA PEDRO POMPONAZZI, 623, APTO. 171, CHACARA KLABIN, SAO PAULO, SP, CEP 04115-000, COMO ADMINISTRADOR, DIRETOR E REPRESENTANDO EQUIFAX DO BRASIL LTDA., ASSINANDO PELA EMPRESA.

ARQUIVAMENTOS

NUM.DOC	SESSAO	ASSUNTO
		ADMITIDO EQUIFAX DO BRASIL HOLDINGS LTDA., NIRE 35215207148, SITUADA A AVENIDA PRESIDENTE JUSCELINO KUBITSCHEK, 50, CONJUNTO 172, VILA NOVA CONCEICAO, SAO PAULO, SP, CEP 04543-000, NA SITUACAO DE SOCIO, COM VALOR DE PARTICIPACAO NA SOCIEDADE DE $ 1,00, (ENDERECO: AVENIDA PRESIDENTE JUSCELINO KUBITSCHEK 50 CONJUNTO 172, VILA NOVA CONCEICAO SP 04543000).
		CITADO MARCELO KEKLIGIAN, NAC. BRASILEIRA, CPF 100.735.128-42, RG/RNE 168305161, SP, RESIDENTE A RUA PEDRO POMPONAZZI, 623, APARTAMENTO 1, JARDIM VILA MARIANA, SAO PAULO, SP, CEP 04115-000, REPRESENTANDO EQUIFAX DO BRASIL HOLDINGS LTDA., ASSINANDO PELA EMPRESA.
		CITADO LUIZ CARLOS ALVES BELO, NAC. BRASILEIRA, CPF 758.617.987-53, RG/RNE 500169731, SP, RESIDENTE A RUA ORDENACOES AFONSINAS, 134, VILA MORSE, SAO PAULO, SP, CEP 05623-030, REPRESENTANDO EQUIFAX DO BRASIL HOLDINGS LTDA., ASSINANDO PELA EMPRESA.
		CONSOLIDACAO CONTRATUAL DA MATRIZ.
234.760/10-2	12/07/2010	ALTERACAO DE SOCIOS/TITULAR/DIRETORIA:.
		REMANESCENTE EQUIFAX DO BRASIL LTDA., NIRE 35215441698, SITUADA A RUA TEIXEIRA DA SILVA, 217, SAO PAULO, SP, CEP NAO INF., NA SITUACAO DE SOCIO, COM VALOR DE PARTICIPACAO NA SOCIEDADE DE $ 10.103.199,00.
		DESTITUICAO/RENUNCIA MARCELO KEKLIGIAN, NAC. BRASILEIRA, CPF 100.735.128-42, RG/RNE 168305161, SP, RESIDENTE A RUA PEDRO POMPONAZZI, 623, APTO. 171, CHACARA KLABIN, SAO PAULO, SP, CEP 04115-000, COMO ADMINISTRADOR, DIRETOR E REPRESENTANDO EQUIFAX DO BRASIL LTDA., ASSINANDO PELA EMPRESA.
		REMANESCENTE EQUIFAX DO BRASIL HOLDINGS LTDA., NIRE 35215207148, SITUADA A AVENIDA PRESIDENTE JUSCELINO KUBITSCHEK, 50, CONJUNTO 172, VILA NOVA CONCEICAO, SAO PAULO, SP, CEP 04543-000, NA SITUACAO DE SOCIO, COM VALOR DE PARTICIPACAO NA SOCIEDADE DE $ 1,00,

ARQUIVAMENTOS

NUM.DOC	SESSAO	ASSUNTO
		(ENDERECO: AVENIDA PRESIDENTE JUSCELINO KUBITSCHEK 50 CONJUNTO 172, VILA NOVA CONCEICAO SP 04543000).
		ELEITO PILAR MARIA BAZTERRICA, NAC. ARGENTINA, CPF 233.669.888-94, RG/RNE V590831R, RESIDENTE A RUA JOAQUIM FERREIRA, 147, APTO. 33, SUMARE, SAO PAULO, SP, CEP 05033-080, OCUPANDO O CARGO DE DIRETOR, ADMINISTRADOR E REPRESENTANDO EQUIFAX DO BRASIL LTDA. E EQUIFAX DO BRASIL HOLDINGS LTDA., ASSINANDO PELA EMPRESA.
		ELEITO ROBERTO D'AMARIO, NAC. BRASILEIRA, CPF 14.255.078-75, RG/RNE 11718778, SP, RESIDENTE A RUA DO ROCIO, 450, APTO. 172B, VILA OLIMPIA, SAO PAULO, SP, CEP 05033-080, OCUPANDO O CARGO DE DIRETOR, ADMINISTRADOR E REPRESENTANDO EQUIFAX DO BRASIL LTDA. E EQUIFAX DO BRASIL HOLDINGS LTDA., ASSINANDO PELA EMPRESA.
234.761/10-6	12/07/2010	O SOCIO DECIDE ALTERAR A CLAUSULA DO CONTRATO SOCIAL, PARA PREVER QUE OS ADMINISTRADORES SERAO ELEITOS EM INSTRUMENTO SEPARADO.
		CONSOLIDACAO CONTRATUAL DA MATRIZ.
343.660/10-6	16/12/2010	ALTERACAO DE SOCIOS/TITULAR/DIRETORIA:.
		REMANESCENTE EQUIFAX DO BRASIL LTDA., NIRE 35215441698, SITUADA A RUA TEIXEIRA DA SILVA, 217, SAO PAULO, SP, CEP NAO INF., NA SITUACAO DE SOCIO, COM VALOR DE PARTICIPACAO NA SOCIEDADE DE $ 10.103.199,00.
		REMANESCENTE EQUIFAX DO BRASIL HOLDINGS LTDA., NIRE 35215207148, SITUADA A AVENIDA PRESIDENTE JUSCELINO KUBITSCHEK, 50, CONJUNTO 172, VILA NOVA CONCEICAO, SAO PAULO, SP, CEP 04543-000, NA SITUACAO DE SOCIO, COM VALOR DE PARTICIPACAO NA SOCIEDADE DE $ 1,00, (ENDERECO: AVENIDA PRESIDENTE JUSCELINO KUBITSCHEK 50 CONJUNTO 172, VILA NOVA CONCEICAO SP 04543000).
		REMANESCENTE PILAR MARIA BAZTERRICA, NAC. ARGENTINA, CPF 233.669.888-94, RG/RNE V590831R, RESIDENTE A RUA JOAQUIM FERREIRA, 147, APTO. 33, SUMARE, SAO PAULO, SP, CEP 05033-080, OCUPANDO O CARGO DE DIRETOR,

JUNTA COMERCIAL DO ESTADO DE SAO PAULO
FICHA CADASTRAL

ARQUIVAMENTOS

NUM.DOC	SESSAO	ASSUNTO
		ADMINISTRADOR E REPRESENTANDO EQUIFAX DO BRASIL LTDA. E EQUIFAX DO BRASIL HOLDINGS LTDA., ASSINANDO PELA EMPRESA.
		REMANESCENTE ROBERTO D'AMARIO, NAC. BRASILEIRA, CPF 14.255.078-75, RG/RNE 11718778, SP, RESIDENTE A RUA DO ROCIO, 450, APTO. 172B, VILA OLIMPIA, SAO PAULO, SP, CEP 05033-080, OCUPANDO O CARGO DE DIRETOR, ADMINISTRADOR E REPRESENTANDO EQUIFAX DO BRASIL LTDA. E EQUIFAX DO BRASIL HOLDINGS LTDA., ASSINANDO PELA EMPRESA.
		ELEITO ELIAS ANTONIO SFEIR, NAC. BRASILEIRA, CPF 13.346.228-50, RG/RNE 6274855, RESIDENTE A RUA SAO JOSE, 887, SANTO AMARO, SAO PAULO, SP, CEP 04739-001, OCUPANDO O CARGO DE DIRETOR, ASSINANDO PELA EMPRESA.
		CITADO EDUARDO MIGLIORA ZOBARAN, NAC. BRASILEIRA, CPF 1.201.287-48, RESIDENTE A AV. PRESIDENTE JUSCELINO KUBTSCHEK, 50, 50, 18º AND., SAO PAULO, SP, CEP NAO INF., COMO PROCURADOR DE EQUIFAX DO BRASIL LTDA. E EQUIFAX DO BRASIL HOLDINGS LTDA..
		CITADO RICARDO PATERNOST DE CARVALHO E VILLELA, NAC. BRASILEIRA, CPF 261.065.618-18, RESIDENTE A AV. PRESIDENTE JUSCELINO KUBITSCHEK, 50, 18º AND., SAO PAULO, SP, CEP NAO INF., COMO PROCURADOR DE EQUIFAX DO BRASIL LTDA. E EQUIFAX DO BRASIL HOLDINGS LTDA..
		ARQUIVAMENTO DE ATA., DATADA DE: 12/11/2010.

POWER-OF-ATTORNEY

By this private deed of power-of-attorney, **VEX CAPITAL INC.**, a company legally incorporated and existing in accordance with the laws of the British Virgins Islands, with its registered offices at Citco Building, Wickhams Cay, Road Town, Tortola, represented in accordance with its by-laws by its Director, **TORTOLA CORPORATION COMPANY LIMITED**, a company legally incorporated and existing in accordance with the laws of the British Virgins Islands, with its registered offices at Citco Building, Wickhams Cay, Road Town, Tortola, (the "**Grantor**"), hereby appoints Mr. **ALEXANDRE BOURGEOIS**, Brazilian citizen, bearer of the Identity Card RG n° 12.835.965-0 – IFP/RJ, enrolled with the Individual Taxpayer's Registry (CPF/MF) under n° 043.011.987-92, resident and with legal domicile in the City of São Paulo, State of São Paulo, at Rua Dr. Cardoso de Mello, n° 1608, 14th floor (the "**Grantee**") his attorney-in-fact, with the purpose of **(i)** representing Grantor in the Federative Republic of Brazil before the Brazilian Internal Revenue Service (*Receita Federal*), to provide for the enrollment of the Grantor on the Company's General Tax Payers Registry ("*CNPJ*") and to deal with and resolve definitively any questions that may arise concerning the *Receita Federal* and the *CNPJ*; **(ii)** representing Grantor in the Federative Republic of Brazil before Brazilian authorities in general, including but not limited to public and commercial registries, the Central Bank of Brazil and the *Receita Federal*, as partner of Companies and also as owner of real estate properties, airplanes, ships, equity, bank accounts, financial market operations, capital market operations and of other goods located in the Federative Republic of Brazil that are owned or may be owned and acquired by Grantor during the term of this Power-of-Attorney, which ownership may require or be subject to public registry; **(iii)** representing Grantor in the Federative Republic of Brazil as partner of the "*Sociedade por Quotas de Responsabilidade Limitada*" denominated "**Orbix Capital S/C Ltda.**", a company dully incorporated and legally existing under the laws of the Federative Republic of Brazil, enrolled with the Legal Entities Taxpayer's Registry (CNPJ/MF) under n° 03.025.317/0001-70, with headquarters in the City of São Paulo, State of São Paulo, at Rua Dr. Cardoso de Mello, n° 1608, 14° floor, (the "**Company**"), including with the powers to, **pursuant to Grantor's specific instructions, in writing**, incorporate companies in Brazil and subscribe Grantor's interest in the Company and exercise, in the name and for the benefit of the Grantor, all rights and prerogatives of quotaholder or shareholder in the Company, including those required to sign and execute any bylaws or amendments to the bylaws of the Company, represent Grantor in any quotaholders' or shareholders' meetings, with powers to vote and to be voted, receive dividends, approve and execute financial reports and statements, and any other managerial documents and statements requiring Grantor's signature or approval, as well as those necessary to judicially or extrajudicially liquidate and extinguish the Company, including with the powers to represent Grantor in any suits and proceedings before Brazilian courts as a party or otherwise, with all powers to serve and to receive court service of legal process pursuant to the provisions of Article 119 of Law nr. 6404 of December 15th, 1976, to petition and to appeal in any kind of judicial process or administrative proceedings, including to defend Grantor's interests in any in creditor's meetings, concordats or bankruptcies, and **(iv)** representing Grantor in the Federative Republic of Brazil as a foreign entity carrying out business in Brazil, with the powers to, **pursuant to Grantor's specific instructions, in writing**, provide in general for the management of the assets of Grantor in Brazil and execute, register and perform agreements, contracts in general, acquisitions and guarantees, including, but not limited to, real and personal guarantees, hire counsel and services providers; PROVIDED THAT, except as required to represent the Grantor in any court or administrative proceedings, any such delegation of the powers herein by Grantee will require the prior express authorization of Grantor, in this mandate, which shall be valid for undetermined period, being any substitution of this power of attorney forbid.

Signed in the 13th this December, 2002.

VEX CAPITAL INC.
BY: TORTOLA CORPORATION COMPANY LIMITED
DIRECTOR

A exemplo da esposa, Verônica Serra, e de Ricardo Sérgio, Alexandre Bourgeois operava a *offshore* Vex Capital Inc. que funcionava no mesmo escritório do Citco, nas Ilhas Virgens Britânicas.

Tradução nº I-6349
Livro nº 81
Folhas 150 - 151
Página 1 de 2

Eu, Sandra Regina Mattos Rudzit, tradutora pública, certifico e dou fé que me foi apresentado um documento, em idioma inglês, que passo a traduzir para o vernáculo no seguinte teor:

Oficial de Registro de Títulos e Documentos e Civil de Pessoa Jurídica S.P.
MICROFILME N.º 7956655 /2003

PROCURAÇÃO

Pelo presente instrumento particular de mandato, a **VEX CAPITAL INC.**, sociedade legalmente constituída e existente de acordo com as leis das Ilhas Virgens Britânicas, com sede social em Citco Building, Wickhams Cay, Road Town, Tortola, representada de acordo com seu Estatuto Social por sua Diretora, **TORTOLA CORPORATION COMPANY LIMITED**, sociedade legalmente constituída e existente de acordo com as leis das Ilhas Virgens Britânicas, com sede social em Citco Building, Wickhams Cay, Road Town, Tortola (a "**Outorgante**"), neste ato nomeia o Sr. **ALEXANDRE BOURGEOIS**, brasileiro, portador da Cédula de Identidade RG nº 12.835.965-0 – IFP/RJ, inscrito no CPF/MF sob nº 043.011.987-92, residente e com domicílio legal na Cidade de São Paulo, Estado de São Paulo, na Rua Dr. Cardoso de Mello, 1608, 14º andar (o "**Outorgado**"), seu procurador com a finalidade de **(i)** representar a Outorgante na República Federativa do Brasil perante a Receita Federal, promover a inscrição da Outorgante no Cadastro Nacional da Pessoa Jurídica ("CNPJ") e negociar e resolver de forma conclusiva quaisquer questões que possam surgir com relação à Receita Federal e ao CNPJ; **(ii)** representar a Outorgante na República Federativa do Brasil perante autoridades brasileiras em geral, inclusive, entre outros, cartórios de registro públicos e comerciais, o Banco Central do Brasil e a Receita Federal, na qualidade de sócio de Sociedades e ainda como proprietário de bens imóveis, aeronaves, navios, capital, contas bancárias, operações do mercado financeiro, operações de mercado de capitais e de outros bens localizados na República Federativa do Brasil que são de propriedade ou possam ser de propriedade e adquiridos pela Outorgante durante a vigência desta Procuração, propriedade essa que poderá exigir ou estar sujeita a registro público; **(iii)** representar a Outorgante na República Federativa do Brasil na qualidade de sócio da Sociedade por Quotas de Responsabilidade Limitada denominada "**Orbix Capital S/C Ltda.**", sociedade devidamente constituída e legalmente existente segundo as leis da República Federativa do Brasil, inscrita no CNPJ/MF sob nº 03.025.317/0001-70, com sede social na Cidade de São Paulo, Estado de São Paulo, na Rua Dr. Cardoso de Mello, 1608, 14º andar (a "**Sociedade**"), inclusive com poderes para, **segundo instruções específicas da Outorgante, por escrito,** constituir sociedades no Brasil e subscrever a participação da Outorgante na Sociedade e exercer, em nome e lugar da Outorgante, todos os direitos e prerrogativas de quotista da Sociedade, inclusive aqueles exigidos para assinar e firmar qualquer Contrato Social ou alterações do Contrato Social da Sociedade, representar a Outorgante em quaisquer reuniões de quotistas, com poderes para votar e ser votado, receber dividendos, aprovar e assinar relatórios e demonstrações financeiros, e quaisquer outros documentos e declarações administrativos que exijam a assinatura ou a aprovação da Outorgante, bem como aqueles necessários para liquidar e extinguir, judicial ou extrajudicialmente, a Sociedade, inclusive com poderes para representar a Outorgante em quaisquer ações e processos perante os tribunais brasileiros como uma parte ou outra, com todos os poderes para entregar e receber citação segundo o disposto no Artigo 119 da Lei nº 6404 de 15 de dezembro de 1976, protocolar petições e recursos em qualquer tipo de processo judicial ou administrativo, inclusive defender os interesses da Outorgante em quaisquer reuniões com credores, concordatas ou falências, e **(iv)** representar a Outorgante na República Federativa do Brasil como empresa estrangeira que realiza negócios no Brasil, com poderes para, **segundo instruções específicas da Outorgante, por escrito**, promover, de modo geral, a administração dos ativos da Outorgante no Brasil e assinar, registrar e cumprir acordos, contratos em geral, aquisições e garantias, inclusive, entre outras, garantias reais e pessoais, contratar advogado e prestadores de serviços; RESSALVADO QUE, exceto conforme exigido, representar a Outorgante em quaisquer processos judiciais ou administrativos, e qualquer substabelecimento dos poderes contidos neste instrumento pelo Outorgado exigirá a prévia autorização expressa da Outorgante, nesta procuração, a qual será válida por

SANDRA REGINA MATTOS RUDZIT - Tradutora Pública e Intérprete Comercial - Português - Inglês. Juramentada pela JUCESP sob matrícula nº 1688 - CPF 082.060.018-08 RG 8.222.837-1
Rua Líbero Badaró, 488 - 7º andar - 01008-000 - São Paulo - SP - Brasil Tel. 55-11-3106 7383 Fax 55-11-3104 8457 e-mail: tradjh@jhaimerl.com.br www.jhaimerl.com.br

A procuração mostra que é Alexandre Bourgeois quem se tornou sócio de outra empresa, a Orbix Capital, que funciona no mesmo escritório de Verônica.

Tradução nº I-6349
Livro nº 81
Folhas 150 - 151
Página 2 de 2

prazo indeterminado, sendo proibido qualquer substabelecimento do presente mandato.

Assinada neste dia 13 de dezembro de 2002.

(ass) (ass)

Oficial de Registro de Títulos e Documentos e Civil de Pessoa Jurídica S.P.
MICROFILME Nº 7956655 /2003

VEX CAPITAL INC.

Por: Tortola Corporation Company Limited, Diretora

Eu, Anthony Lynton, Tabelião Público, neste ato certifico que as assinaturas que constam do documento anexo são as assinaturas autênticas de **Robert Thomas** e **Nixia Titley**, signatários autorizados da Tortola Corporation Company Limited.

Data: 16 de dezembro de 2002.

(ass) Anthony Lynton, Tabelião Público

Selo em relevo do Tabelião Público.

Selo das Ilhas Virgens Britânicas.

Reconhecimento da assinatura de Anthony Lynton, Tabelião Público nas e para as Ilhas Virgens Britânicas, pela Embaixada do Brasil em Bridgetown, em 18 de dezembro de 2002.

(ass) Zenaide O. Esteves, Vice-Cônsul

Selo consular no valor de R$ 20,00 ouro, carimbado.

NADA MAIS. Li, conferi, achei conforme e dou fé desta tradução.

São Paulo, 6 de fevereiro de 2003

SANDRA REGINA MATTOS RUDZIT
Tradutora Pública

Oficial de Registro de Títulos e Documentos
e Civil de Pessoa Jurídica
rua xv de novembro, 80 - (11) 3242.3171 - são paulo
Primeiro do País com Certificado de Qualidade ISO 9002

Apresentado hoje, protocolado, registrado, microfilmado e digitalizado sob nº 7956655

São Paulo, 13 FEV 2003

EMOLUMENTOS: 29.11
ESTADO.....: 8.28
IPESP......: 6.13
REG.CIVIL..: 1.53
T.JUSTIÇA..: 1.53
TOTAL......: 46.58
SELOS E TAXAS RECOLHIDOS POR VERBA

BEL. JOSÉ MARIA SIVIERO - OF.REGISTRADOR
BEL. FRANCISCO ROBERTO LONGO - OF.SUBSTITUTO
ESCREVENTES AUTORIZADOS:
DARCY LOVATO — ELDER ANDRADE
NEIDE AP. CLEMENTE ANDRETTA — RÉGIS DOS SANTOS SILVA

fer\cs\pro308.doc

SANDRA REGINA MATTOS RUDZIT - Tradutora Pública e Intérprete Comercial - Português - Inglês. Juramentada pela JUCESP sob matrícula nº 1688 - CPF 082.060.018-08 RG 8.222.837-1
Rua Líbero Badaró, 488 - 7º andar - 01008-000 - São Paulo - SP - Brasil Tel. 55-11-3106 7383 Fax 55-11-3104 8457 e-mail: tradjh@jhaimerl.com.br www.jhaimerl.com.br

Timbre oficial do Citco mostra operação de Bourgeois nas Ilhas Virgens Britânicas.

MICROFILME No. 1.091.907

Procuração

Pelo presente instrumento particular de procuração iConexa Inc., sociedade constituída em conformidade com as leis das Ilhas Virgens Britânicas, neste ato representada pela sua Diretora Vex Capital Inc., sociedade constituída em conformidade com as leis das Ilhas Virgens Britânicas, (a "**Outorgante**"), nomeia e constitui seu bastante procurador o Sr. **ALEXANDRE BOURGEOIS**, brasileiro, solteiro, engenheiro, portador da Cédula de Identidade RG nº 12.835.965 -IFP/RJ e inscrito no CPF sob nº 043.011.987-92, residente e Domiciliado na Cidade de São Paulo, Estado de São Paulo, na Rua Av. Morumbi, nº 1.700 (o "**Outorgado**"), para o fim específico de representar a Outorgante no exercício, em benefício da Outorgante, de todos os direitos e prerrogativas na qualidade de sócio, quotista ou acionista da iConexa S.A., sociedade por ações com sede na Cidade de São Paulo, Estado de São Paulo, na Rua Doutor Cardoso de Melo, nº 1.608, 13º andar, inscrita no CNPJ sob nº 03.434.590/0001-59, doravante referida simplesmente como "**Sociedade**", com a limitação de agir sempre em conformidade com as instruções fornecidas previamente, por escrito, pela Diretoria da iConexa Inc. específicas para cada ato de representação da iConexa Inc.. Observada a limitação acima, o Outorgado poderá firmar boletins de subscrição, acordo de acionistas, contratos sociais ou alterações a contratos sociais da Sociedade, representar o outorgante nas assembléias de quotistas com poderes para votar e ser votado, receber dividendos, assinar balanços, balancetes, relatórios, declarações, demonstrativos contábeis, financeiros e administrativos, bem como os necessários para proceder à liquidação e extinção judicial ou extrajudicial da Sociedade, mais os necessários para representar a Outorgante, enquanto investidor estrangeiro e na forma da regulamentação em vigor, frente a autoridades e repartições públicas brasileiras em geral, inclusive cartórios, juntas comerciais, o Banco Central do Brasil e a Receita Federal, bem como, finalmente, representá-la no foro em geral em quaisquer ações em que a Outorgante for interessada, como autora ou ré, assistente ou oponente, podendo, para tanto, receber citações nos termos do art. 119 da Lei 6404 de 15 de dezembro de 1976, recorrer de despachos e sentenças e praticar todos os atos necessários à defesa de seus interesses, requerer falência de seus devedores, promover habilitações de seus créditos em processos de falências ou concordatas, impugnar os que em direito for permitido, transigir, aceitar ou não propostas de concordata, votar em assembléias de credores, para tudo o que poderá substabelecer a advogado os poderes necessários. A presente não poderá ser substabelecida, com ou sem reservas, em nenhum de seus termos. O Outorgado se compromete a não praticar qualquer dos atos de representação objeto do presente sem a prévia instrução por escrito da Outorgante, sob pena de nulidade. O presente mandato terá a validade de 1 (hum) ano.

Assinada em 17 de outubro de 2001.

14º CONFERIDA

iConexa Inc.
Vex Capital Inc.
Diretor

Trab/consult/superbid/iconexa/proc2

14º Tabelião de Notas - Dr. Paulo Tupinambá Vampré
Rua Antonio Bicudo, 64 - Pinheiros - São Paulo - S.P.
CEP: 05418-010 - Fone: (11) 3061-5265 - Fax (11) 3088-0292
Reconheço por semelhança a(s) firma(s) de
ALEXANDRE BOURGEOIS
São Paulo, 01 de Novembro de 2001 Bod.Seq. 2013760119. 14:36:20 h

14º TABELIÃO - VAMPRÉ
ANA PAULA DE MELO PRADO
ESCREVENTE AUTORIZADA
ARPEN-SP
RECONHECIMENTO DE FIRMA
SP 1910AA164045

Outro documento do Citco revela que Bourgeois era diretor da Iconexa Inc., outra *offshore* aberta no Caribe.

JUNTA COMERCIAL DO ESTADO DE SAO PAULO
FICHA CADASTRAL

OS DADOS DESTA PRIMEIRA PAGINA CONSTANTES DOS QUADROS CAPITAL - ENDERECO - OBJETO E TITULAR/SOCIO/DIRETORIA REFEREM-SE A SITUACAO DA EMPRESA NO MOMENTO DE SUA CONSTITUICAO OU AO SEU PRIMEIRO REGISTRO CADASTRADO NO SISTEMA INFORMATIZADO

EMPRESA

SUPERBID.COM.BR. S.A.

TIPO : SOCIEDADE POR ACOES

NIRE MATRIZ	DATA DA CONSTITUICAO	EMISSAO
35300176201	10/02/2000	30/03/2011 11:10

INICIO DE ATIV.	C.N.P.J.	INSCRICAO ESTADUAL
23/09/1999	03.434.590/0001-59	

CAPITAL

10.000,00 (DEZ MIL REAIS.************************************)

ENDERECO

LOGR.: RUA DOUTOR CARDOSO DE MELLO NUMERO: 1608
COMPLEMENTO: 13. ANDAR BAIRRO: CENTRO
MUNICIPIO: SAO PAULO CEP: NAO INF. UF: SP

OBJETO

HOLDINGS DE INSTITUICOES NAO-FINANCEIRAS
SERVICOS DE TELECOMUNICACOES POR FIO NAO ESPECIFICADOS ANTERIORMENTE
OUTRAS ATIVIDADES PROFISSIONAIS, CIENTIFICAS E TECNICAS NAO ESPECIFICADAS ANTERIORMENTE
SUPORTE TECNICO, MANUTENCAO E OUTROS SERVICOS EM TECNOLOGIA DA INFORMACAO

TITULAR/SOCIOS/DIRETORIA

VERONICA ALLENDE SERRA, NAC. BRASILEIRA, CPF 173.338.218-62, RG/RNE 19370000, SP, RESIDENTE A AV. MORUMBI, 1700, CENTRO, SAO PAULO, SP, CEP NAO INF., O OCUPANDO O CARGO DE CONSELHEIRO ADM..

MARCELO FERRAZ DE MARINIS, NAC. BRASILEIRA, CPF 152.663.368-03, RG/RNE 89568424, SP, RESIDENTE A RUA NICOLAU GAGLIARDI, 554, APTO. 51, CENTRO, SAO PAULO, SP, CEP NAO INF., O OCUPANDO O CARGO DE CONSELHEIRO ADM..

FABIOLA SCHLOBACH MOYSES, NAC. BRASILEIRA, CPF 147.423.268-06, RG/RNE 200272755, SP, RESIDENTE A RUA CACAPAVA, 49, 7. AND. CJ.78, CENTRO, SAO PAULO, SP, CEP NAO INF., O OCUPANDO O CARGO DE CONSELHEIRO ADM..

PAG.001

Documentos da Junta Comercial de São Paulo comprovam que Verônica e Alexandre Bourgeois abrem no mesmo endereço no bairro Itaim Bibi, a Superbid.com.br S.A., que mudará de nome para Iconexa S.A.

JUNTA COMERCIAL DO ESTADO DE SAO PAULO
FICHA CADASTRAL

--------------------------TITULAR/SOCIOS/DIRETORIA--------(CONTINUACAO)-------

ALEXANDRE BOURGEOIS, NAC. BRASILEIRA, CPF 43.011.987-92, RG/RNE 128359650, RJ, RESIDENTE A AV. MORUMBI, 1700, CENTRO, SAO PAULO, SP, CEP NAO INF., O OCUPANDO O CARGO DE CONSELHEIRO ADM..

RAJIV SAINANI, NAC. INGLESA, DOC. 00000000001, O OCUPANDO O CARGO DE CONSELHEIRO ADM., (ENDERECO: LONDRES, INGLATERRA, REINO UNIDO, NA 52 BROADWALK N21-3B X.).

-----------------------------------ARQUIVAMENTOS-----------------------------------

NUM.DOC	SESSAO	ASSUNTO
		CONSTITUIDA POR CONVERSAO DE SOCIEDADE SIMPLES. REGISTRADA SOB O N. 18196 NO 7. OFICIAL DE REGISTRO CIVIL DE PESSOA JURIDICA DA COMARCA DE SAO PAULO-SP. DENOMINACAO ANTERIOR REGISTRADA EM CARTORIO SUPERIBID.COM.BR S/C LTDA.
27.972/00-8	10/02/2000	CAPITAL DA SEDE ALTERADO PARA $ 1.862.000,00 (UM MILHAO, OITOCENTOS E SESSENTA E DOIS MIL REAIS.). CONFORME A.R.C.A., DATADA DE: 16/12/1999.
		ELEICAO/REELEICAO/ALTERACAO DOS DADOS CADASTRAIS DE MARCELO FERRAZ DE MARINIS, NAC. BRASILEIRA, CPF 152.663.368-03, RG/RNE 89568424, SP, RESIDENTE A RUA NICOLAU GAGLIARDI, 554, APTO. 51, CENTRO, SAO PAULO, SP, CEP NAO INF., OCUPANDO O CARGO DE DIRETOR PRESIDENTE E DIRETOR COMERCIAL.
		ELEITO JIRI TRNKA, NAC. SUICA, CPF 213.905.718-07, RG/RNE V1844572, ENDERECO NAO INFORMADO, OCUPANDO O CARGO DE DIRETOR.
		ELEITO CHARLES DE FRAIPONT, NAC. BRASILEIRA, CPF 88.556.078-71, RG/RNE 141493021, SP, RESIDENTE A RUA DOS BATATAIS, 48, APTO 71, JD. PAULISTA, SAO PAULO, SP, CEP NAO INF., OCUPANDO O CARGO DE DIRETOR OPERACIONAL E DIRETOR FINANCEIRO.
		ARQUIVAMENTO DE A.R.C.A., DATADA DE: 16/12/1999. DELIBERACOES: CONSOLIDACAO DO ESTATUTO SOCIAL.
118.929/00-8	28/06/2000	ALTERACAO DE SOCIOS/TITULAR/DIRETORIA:. CONFORME A.G.E., DATADA DE: 22/03/2000.

NIRE: 35300176201 PAG.002

Por meio de sucessivos aumentos de capital, a empresa recebe a injeção de milhares de reais da *offshore* Iconexa.Inc., aberta no Caribe.

JUNTA COMERCIAL DO ESTADO DE SAO PAULO
FICHA CADASTRAL

ARQUIVAMENTOS

NUM.DOC	SESSAO	ASSUNTO
		DESTITUICAO/RENUNCIA VERONICA ALLENDE SERRA, NAC. NAO INFORMADA, CPF 173.338.218-62, RG/RNE 19370000, ENDERECO NAO INFORMADO, O OCUPANDO O CARGO DE CONSELHEIRO ADM..
		ELEITO CLAUDIO CORACINI, NAC. BRASILEIRA, CPF 673.443.138-04, RG/RNE 6998962, SP, RESIDENTE A AV. EUSEBIO MATOSO, 891, 17 ANDAR, SAO PAULO, SP, CEP NAO INF., O OCUPANDO O CARGO DE CONSELHEIRO ADM..
118.930/00-0	28/06/2000	CAPITAL DA SEDE ALTERADO PARA $ 2.558.280,00 (DOIS MILHOES, QUINHENTOS E CINQUENTA E OITO MIL E DUZENTOS E OITENTA REAIS.). CONFORME A.R.C.A., DATADA DE: 03/04/2000.
		ELEICAO/REELEICAO/ALTERACAO DOS DADOS CADASTRAIS DE CLAUDIO CORACINI, NAC. BRASILEIRA, CPF 673.443.138-04, RG/RNE 6998962, SP, RESIDENTE A AV. EUSEBIO MATOSO, 891, 17 ANDAR, SAO PAULO, SP, CEP NAO INF., O OCUPANDO O CARGO DE CONSELHEIRO ADM..
		ELEICAO/REELEICAO/ALTERACAO DOS DADOS CADASTRAIS DE ALEXANDRE BORGEOIS, NAC. BRASILEIRA, CPF 43.011.987-92, RG/RNE 128359650, RJ, RESIDENTE A AV MORUMBI, 1700, SAO PAULO, SP, CEP NAO INF., M OCUPANDO O CARGO DE PRES. DO CONSELHO ADM..
		ELEITO FRANCISCO OTAVIO GARRAFA DA ROCHA, NAC. BRASILEIRA, CPF 74.390.118-56, RG/RNE 9675112, SP, RESIDENTE A ALAMEDA ITU, 1030, AP 11-B, SAO PAULO, SP, CEP NAO INF., OCUPANDO O CARGO DE DIRETOR COMERCIAL.
		ELEITO MARCELO DE ALENCAR PAULA LEITE, NAC. BRASILEIRA, CPF 708.190.927-20, RG/RNE 043176262, RJ, RESIDENTE A AV SAO PAULO ANTIGO, 500, AP 163-C, MUNIC. NAO INF., UF NAO INF., CEP NAO INF., OCUPANDO O CARGO DE DIRETOR FINANCEIRO.
		ELEICAO/REELEICAO/ALTERACAO DOS DADOS CADASTRAIS DE MARCELO FERRAZ DE MARINIS, NAC. BRASILEIRA, CPF 152.663.368-03, RG/RNE 89568424, SP, RESIDENTE A RUA NICOLAU GAGLIARDI, 554, AP 51, SAO PAULO, SP, CEP NAO INF., OCUPANDO O CARGO DE DIRETOR PRESIDENTE.

JUNTA COMERCIAL DO ESTADO DE SAO PAULO
FICHA CADASTRAL

ARQUIVAMENTOS

NUM.DOC	SESSAO	ASSUNTO
		ELEITO JIRI TRNKA, NAC. SUICA, CPF 213.905.718-07, RG/RNE V1844572, RESIDENTE A ALAMEDA RIBEIRO DA SILVA, 554, SAO PAULO, SP, CEP NAO INF., OCUPANDO O CARGO DE DIRETOR TECNICO.
		ELEICAO/REELEICAO/ALTERACAO DOS DADOS CADASTRAIS DE CHARLES DE FRAIPONT, NAC. BRASILEIRA, CPF 88.556.073-71 (CPF INCORRETO), RG/RNE 141493021, SP, RESIDENTE A RUA DOS BATATAIS, 48, AP 71, JD PAULISTA, SAO PAULO, SP, CEP NAO INF., OCUPANDO O CARGO DE DIRETOR PRESIDENTE E DIRETOR OPERACIONAL.
219.959/00-6	27/11/2000	CAPITAL DA SEDE ALTERADO PARA $ 3.471.880,00 (TRES MILHOES, QUATROCENTOS E SETENTA E UM MIL E OITOCENTOS E OITENTA REAIS.). CONFORME A.G.E., DATADA DE: 14/11/2000.
219.960/00-8	27/11/2000	DENOMINACAO/RAZAO SOCIAL ALTERADA PARA ICONEXA S.A. CONFORME A.G.E., DATADA DE 14/11/2000.
		ALTERACAO DO OBJETO SOCIAL DA SEDE PARA HOLDINGS DE INSTITUICOES NAO-FINANCEIRAS, TRATAMENTO DE DADOS, PROVEDORES DE SERVICOS DE APLICACAO E SERVICOS DE HOSPEDAGEM NA INTERNET, SUPORTE TECNICO, MANUTENCAO E OUTROS SERVICOS EM TECNOLOGIA DA INFORMACAO, SERVICOS DE PERICIA TECNICA RELACIONADOS A SEGURANCA DO TRABALHO. CONFORME A.G.E., DATADA DE: 14/11/2000.
		ALTERACAO DE SOCIOS/TITULAR/DIRETORIA:. CONFORME A.G.E., DATADA DE: 14/11/2000.
		ELEICAO/REELEICAO/ALTERACAO DOS DADOS CADASTRAIS DE ALEXANDRE BOURGOES, NAC. BRASILEIRA, CPF 43.011.987-92, RG/RNE 128359650, RJ, ENDERECO NAO INFORMADO, OCUPANDO O CARGO DE DIRETOR PRESIDENTE.
		ELEICAO/REELEICAO/ALTERACAO DOS DADOS CADASTRAIS DE MARCELO DE ALENCAR PAULO LEITE, NAC. BRASILEIRA, CPF 708.190.927-20, RG/RNE 04317626, RJ, RESIDENTE A AV. SAO PAULO, 500, APTO 163 C, SAO PAULO, SP, CEP NAO INF., OCUPANDO O CARGO DE DIRETOR SEM DESIGNACAO.

JUNTA COMERCIAL DO ESTADO DE SAO PAULO
FICHA CADASTRAL

ARQUIVAMENTOS

NUM.DOC	SESSAO	ASSUNTO
		ELEICAO/REELEICAO/ALTERACAO DOS DADOS CADASTRAIS DE CHARLES DE FRAIPONT, NAC. BRASILEIRA, CPF 88.556.078-71, RG/RNE 141493021, SP, RESIDENTE A RUA BOCAINA, 140, SAO PAULO, SP, CEP NAO INF., OCUPANDO O CARGO DE DIRETOR SEM DESIGNACAO.
		ELEICAO/REELEICAO/ALTERACAO DOS DADOS CADASTRAIS DE JIRI TRNKA, NAC. NAO INFORMADA, CPF 213.905.718-07, RG/RNE V1844572, RESIDENTE A RUA FIANDEIRAS, 270, APTO 74, VILA OLIMAIA, SAO PAULO, SP, CEP 04545-001, OCUPANDO O CARGO DE DIRETOR SEM DESIGNACAO.
		ELEICAO/REELEICAO/ALTERACAO DOS DADOS CADASTRAIS DE RAJIV SAINANI, NAC. NAO INFORMADA, CPF 223.632.268-28, RESIDENTE A RUA DOUTOR CARDOSO DE MELO, 1608, 13 ANDAR, SAO PAULO, SP, CEP NAO INF., OCUPANDO O CARGO DE DIRETOR SEM DESIGNACAO.
16.165/01-9	23/01/2001	CAPITAL DA SEDE ALTERADO PARA $ 3.481.880,00 (TRES MILHOES, QUATROCENTOS E OITENTA E UM MIL E OITOCENTOS E OITENTA REAIS.). CONFORME A.G.E., DATADA DE: 29/12/2000.
250.273/01-9	17/02/2001	CAPITAL DA SEDE ALTERADO PARA $ 6.382.905,00(SEIS MILHOES, TREZENTOS E OITENTA E DOIS MIL E NOVECENTOS E CINCO REAIS.). CONFORME A.G.E., DATADA DE: 28/11/2001.
103.490/01-2	05/06/2001	CAPITAL DA SEDE ALTERADO PARA $ 3.672.880,00 (TRES MILHOES, SEISCENTOS E SETENTA E DOIS MIL E OITOCENTOS E OITENTA REAIS.). CONFORME A.G.E., DATADA DE: 21/05/2001.
154.976/01-5	30/07/2001	CAPITAL DA SEDE ALTERADO PARA $ 5.427.730,00 (CINCO MILHOES, QUATROCENTOS E VINTE E SETE MIL E SETECENTOS E TRINTA REAIS.). CONFORME A.G.E., DATADA DE: 14/07/2001.
171.941/01-9	21/08/2001	ARQUIVAMENTO DE A.G.E., DATADA DE: 15/08/2001. CONSOLIDACAO DO ESTATUTO SOCIAL.
		CAPITAL DA SEDE ALTERADO PARA $ 5.437.730,00 (CINCO MILHOES, QUATROCENTOS E TRINTA E SETE MIL E SETECENTOS E TRINTA REAIS.). CONFORME A.G.E., DATADA DE: 15/08/2001.

JUNTA COMERCIAL DO ESTADO DE SAO PAULO
FICHA CADASTRAL

ARQUIVAMENTOS

NUM.DOC	SESSAO	ASSUNTO
221.750/01-0	31/10/2001	ARQUIVAMENTO DE A.G.E., DATADA DE: 26/10/2001. APROVADO A ALTERACAO DOS ARTIGOS 12, 17 E 17, PARAGRAFOS PRIMEIRO. CONSOLIDACAO DO ESTATUTO SOCIAL.
15.374/02-6	22/01/2002	CAPITAL DA SEDE ALTERADO PARA $ 7.069.485,00(SETE MILHOES, SESSENTA E NOVE MIL E QUATROCENTOS E OITENTA E CINCO REAIS.). CONFORME A.G.E., DATADA DE: 20/12/2001.
11.674/03-9	14/01/2003	SG - 268/02 DE 18/12/2002. CARTA RENUNCIA DATADA DE 13/12/2002, DO SR. MARCELO DE ALENCAR PAULA LEITE, DO CARGO DE DIRETOR FINANCEIRO.

FIM DAS INFORMACOES NIRE: 35300176201

Tradução nº I-6350
Livro nº 81
Folhas 152 - 159
Página 1 de 8

Eu, Sandra Regina Mattos Rudzit, tradutora pública, certifico e dou fé que me foi apresentado um documento, em idioma inglês, que passo a traduzir para o vernáculo no seguinte teor:

Nº 185843

Oficial de Registro de Títulos e Documentos e Civil de Pessoa Jurídica S.P.
MICROFILME N.º 7956653 /2003

ILHAS VIRGENS BRITÂNICAS
Lei de Companhias Internacionais de 1984
MEMORANDO DE CONSTITUIÇÃO
E
CONTRATO SOCIAL
DA
VEX CAPITAL INC.
Companhia Internacional
Constituída em 17 de maio de 1996
Alteração Registrada em 21 de junho de 2000
CITCO B.V.I. LIMITED

Carimbo: Certificada com Cópia Verdadeira
(ass) Oficial de Registro das Ilhas Virgens Britânicas
Data: 31 de agosto de 2000

MEMORANDO DE CONSTITUIÇÃO
DA
VEX CAPITAL INC.
COMPANHIA INTERNACIONAL DAS
ILHAS VIRGENS BRITÂNICAS

DENOMINAÇÃO

1. A denominação da Sociedade é Vex Capital Inc..

SEDE SOCIAL

2. A sede social da Sociedade será em Citco Building, Wickhams Cay, P.O. Box 662, Road Town, Tortola, Ilhas Virgens Britânicas.

AGENTE REGISTRADO

3. O Agente Registrado da Sociedade nas Ilhas Virgens Britânicas será Citco B.V.I. Limited, com endereço em Citco Building, Wickhams Cay, P.O. Box 662, Road Town, Tortola, Ilhas Virgens Britânicas.

OBJETOS

4. O objeto e propósito da Sociedade é o de dedicar-se a qualquer ato ou atividade que não seja proibido por qualquer lei atualmente vigente nas Ilhas Virgens Britânicas.

PODERES E LIMITAÇÕES

5. A não ser conforme permitido pela Lei, a Sociedade não poderá:

SANDRA REGINA MATTOS RUDZIT - Tradutora Pública e Intérprete Comercial - Português - Inglês. Juramentada pela JUCESP sob matrícula nº 1688 - CPF 082.060.018-08 RG 8.222.837-1
Rua Líbero Badaró, 488 - 7º andar - 01008-000 - São Paulo - SP - Brasil Tel. 55-11-3106 7383 Fax 55-11-3104 8457 e-mail: tradjh@jhaimerl.com.br www.jhaimerl.com.br

Contrato social da Vex Capital Inc., uma das *offshores* operadas por Alexandre Bourgeois, no Citco, nas Ilhas Virgens Britânicas.

5.1. realizar operações com pessoas residentes nas Ilhas Virgens Britânicas;

5.2. possuir participação em imóveis localizados nas Ilhas Virgens Britânicas, a não ser uma locação referida na alínea (e) do item (2) do artigo 5 da Lei;

5.3. realizar operações bancárias ou de fidúcia, a menos que esteja licenciada a fazê-lo segundo a Lei de Bancos e Sociedades de Fidúcia de 1990;

5.4. exercer as atividades de companhia de seguros ou resseguros, agente de seguros ou corretor de seguros, a menos que esteja licenciada segundo uma promulgação que a autorize a exercer essas atividades;

5.5. exercer a atividade de administração de empresas, a menos que esteja licenciada segundo a Lei de Administração de Empresas de 1990; ou

5.6. exercer a atividade de fornecer sede social ou agente registrado para sociedades constituídas nas Ilhas Virgens Britânicas.

6. Sujeito ao parágrafo 6(sic) acima e a quaisquer limitações previstas no Contrato Social ou em qualquer lei então vigente nas Ilhas Virgens Britânicas, a Sociedade terá todos os poderes investidos nela pela Lei.

AÇÕES E CAPITAL AUTORIZADO

7. As ações da Sociedade serão emitidas na moeda dos Estados Unidos da América.

8. O capital autorizado da Sociedade será de US$ 50.000,00 e será representado por uma classe e uma série de 50.000 ações no valor nominal de US$ 1,00 cada.

9. Cada ação terá todos os poderes e direitos pertencentes a ações na Sociedade e dará ao seu detentor o direito a um voto em todos os assuntos nos quais o voto das ações possa ser exercido. Todas as ações serão idênticas entre si em todos os aspectos.

10. As ações na Sociedade poderão, por deliberação dos diretores, ser emitidas em forma nominativa ou ao portador ou uma combinação de ambas.

11. As ações nominativas poderão ser trocadas e convertidas em ações ao portador e vice-versa.

TRANSFERÊNCIA DE AÇÕES

12. Nenhuma ação nominativa da Sociedade será transferida sem a prévia aprovação dos diretores da Sociedade, e a Sociedade não será obrigada a inscrever em seu livro de registro de ações o nome de um cessionário dessa ação se a transferência dessa ação ao cessionário não tiver sido aprovada dessa maneira.

ALTERAÇÕES

13. O Memorando da Sociedade poderá ser alterado por deliberação de qualquer dos diretores ou acionistas.

NOTIFICAÇÃO

14. Qualquer notificação ou outra informação cujo envio ao detentor de ações ao portador seja exigido pela Lei será dada mediante a publicação da mesma em um jornal de circulação geral nas Ilhas Virgens Britânicas ou na outra publicação, se houver, que os diretores da Sociedade possam deliberar periodicamente.

DEFINIÇÕES

15. As palavras definidas na Lei de Companhias Internacionais de 1984 (a "Lei", conforme alterada periodicamente) terão os mesmos significados neste Memorando.

TRADUTORA PÚBLICA

Nós, Citco B.V.I. Limited, com endereço em P.O. Box 662, Road Town, Tortola, Ilhas Virgens Britânicas, para fins de constituição de uma Companhia Internacional segundo as leis das Ilhas Virgens Britânicas, neste ato subscrevemos nosso nome neste Memorando de Constituição no dia 17 de maio de 1996.

Citco B.V.I. Limited

Por: (ass) (ass)

na presença de:

Testemunha:

(ass)

Road Town, Tortola

Secretário

CONTRATO SOCIAL

DA

VEX CAPITAL INC.

COMPANHIA INTERNACIONAL DAS

ILHAS VIRGENS BRITÂNICAS

PRELIMINARES

1. As palavras definidas na Lei de Companhias Internacionais de 1984 (a "Lei", conforme alterada periodicamente) terão o mesmo significado neste Contrato Social.

2. As disposições da Lei regerão e regularão os negócios, assuntos e responsabilidades da Sociedade, a não ser que essas disposições sejam, na medida permitida pela lei, expressamente modificadas pelo Memorando de Constituição da Sociedade (o "Memorando") ou este Contrato Social.

AÇÕES E CAPITAL

3. Uma cópia do livro de registro de ações da Sociedade será mantido na sede social da Sociedade nas Ilhas Virgens Britânicas e nos outros locais (se houver) que os diretores possam periodicamente designar.

AÇÕES NOMINATIVAS

4. A Sociedade deverá, mediante solicitação de qualquer detentor registrado de ações na Sociedade, emitir para essa pessoa um certificado representativo das ações detidas por ela, especificando o número do certificado, a data de emissão do certificado, o nome da pessoa, e a quantidade de ações emitidas. O certificado conterá o Selo e será assinado por um diretor ou administrador da Sociedade.

AÇÕES AO PORTADOR

5. Os certificados de ações ao portador serão emitidos sob Selo e indicarão que o portador tem o direito a uma quantidade especificada de ações, e poderão prever, por cupons, talões ou de outra forma, o pagamento de dividendos ou outras quantias devidas sobre essas ações.

6. Sujeito ao disposto na Lei e neste Contrato Social, o portador de certificado de ações ao portador será considerado como sendo um acionista da Sociedade e terá direito aos mesmos direitos e privilégios que teria se tivesse sido registrado como detentor dessas ações.

SANDRA REGINA MATTOS RUDZIT - Tradutora Pública e Intérprete Comercial - Português - Inglês. Juramentada pela JUCESP sob matrícula nº 1688 - CPF 082.060.018-08 RG 8.222.837-1
Rua Líbero Badaró, 488 - 7º andar - 01008-000 - São Paulo - SP - Brasil Tel. 55-11-3106 7383 Fax 55-11-3104 8457 e-mail: tradjh@jhaimeri.com.br www.jhaimerl.com.br

7. Sujeito a quaisquer disposições específicas neste Contrato Social, o portador de um certificado de ações ao portador apresentará o referido certificado para exercer seus direitos como acionista da Sociedade. Além disso:

(a) a assinatura do portador em qualquer deliberação por escrito ou notificação de requisição de assembléia dos acionistas (um "Documento Pertinente") será reconhecida de acordo com a Cláusula 8 a seguir; e

(b) para receber qualquer dividendo ou pagamento, o portador deverá apresentar qualquer cupom ou talão correspondente ao agente pagador autorizado ou à outra pessoa que possa ser designada pelos diretores periodicamente.

8. A assinatura do portador de um certificado de ação ao portador será considerada como tendo sido devidamente reconhecida se o portador apresentar esse certificado e o Documento Pertinente a um tabelião público ou gerente de banco ou diretor ou administrador da Sociedade (uma "pessoa autorizada"), que endossará o Documento Pertinente com uma declaração:

(a) identificando o certificado representativo de ações ao portador apresentado a ela por quantidade, data de emissão, valor e (se for o caso) classe de ações; e

(b) confirmando que a assinatura do portador foi endossada no Documento Pertinente em sua presença e que (se o portador estiver representando uma pessoa jurídica) isso foi reconhecido pelo portador, que apresentou prova satisfatório de seus poderes; e

(c) especificando a qualidade na qual ela está habilitada a atuar como pessoa autorizada e, se um tabelião público, afixando seu selo na mesma ou, se um gerente de banco, anexando um carimbo de identificação do banco do qual é gerente.

9. (a) Não obstante o acima previsto, o portador de certificado representativo de ações ao portador poderá a qualquer momento entregar o referido certificado por courier ou carta registrada à Sociedade em sua sede social. A Sociedade emitirá um recibo detalhado referente a esse certificado assim recebido, que será selado e assinado por um diretor ou outro administrador da Sociedade.

(b) Qualquer desses recibos dará à pessoa designada (a "Designada") o direito de exercer todos os direitos relativos ao certificado de ações ao portador assim depositado.

(c) Qualquer desses certificados será devolvido mediante solicitação à Designada, cujo recibo será cancelado pela Sociedade imediatamente e será devolvido pela Designada que deverá, se o recibo por extraviado ou perdido, fornecer à Sociedade a indenização que ela possa requerer.

10. O portador de certificado representativo de ações ao portador será, para todos os fins, considerado como proprietário das ações compreendidas no referido certificado e, em nenhum caso, será a Sociedade ou qualquer de seus administradores ou o Presidente de qualquer assembléia dos acionistas da Sociedade ou qualquer pessoa autorizada obrigado a:

(a) verificar as circunstâncias pelas quais um certificado representativo de ações ao portador chegou às mãos do portador do mesmo; ou

(b) questionar a validade ou autenticidade de qualquer ato praticado pelo portador cuja assinatura tenha sido reconhecida de acordo com a Cláusula 8 acima.

11. Qualquer pessoa representando uma pessoa jurídica que seja o portador de certificado representativo de ações ao portador deverá apresentar, mediante solicitação, comprovação satisfatória de sua autorização para representar a pessoa jurídica; caso contrário, será considerado pessoalmente como sendo o detentor das ações em qualquer certificado de ações ao portador.

12. Os diretores poderão providenciar o pagamento de dividendos aos detentores de ações ao portador por cupons ou talões e, nesse caso, os cupons ou talões terão a forma e serão pagáveis na data e no local ou locais que os diretores deliberarem. A Sociedade terá o direito de reconhecer o direito absoluto de qualquer portador de qualquer cupom ou talão ao pagamento do dividendo ao qual se refere e a entrega do cupom ou talão pelo portador ou seu agente à Sociedade ou seus agentes constituirá, em todos os aspectos, quitação válida da Sociedade com relação a esse dividendo.

ACEITAÇÃO E SUBSTITUIÇÃO DE AÇÕES

13. Por sua aceitação de um certificado de ações da Sociedade ou de cupom ou talão referente ao pagamento de dividendos ou outra distribuição sobre ações, a pessoa que receber o certificado, cupom ou talão obriga-se a indenizar e isentar a Sociedade e seus diretores e administradores de qualquer perda ou responsabilidade que ela ou elas possam incorrer em virtude de uso ou declaração indevida ou fraudulenta feita por qualquer pessoa na posse do certificado, cupom ou talão.

14. Se um certificado de ações na Sociedade, ou um cupom ou talão pertencente a um certificado, for mutilado ou desfigurado ou perdido, furtado ou destruído, ele poderá ser substituído na apresentação de:

(a) o certificado, o cupom ou o talão mutilado ou desfigurado; ou

(b) prova satisfatória de sua perda, furto ou destruição, juntamente com o pagamento razoável que possa ser fixado pelos diretores para cobrir o custo do novo certificado, cupom ou talão e a indenização ou caução que possa ser exigida por deliberação dos diretores. A Sociedade e seus diretores e administradores não serão responsáveis por qualquer ato praticado de boa fé nos termos desta Cláusula.

TRANSFERÊNCIA DE AÇÕES NOMINATIVAS

15. As ações nominativas na Sociedade poderão (sujeito às limitações sobre transferências contidas no Memorando) ser transferidas por instrumento de transferência por escrito assinado pelo cedente ou por seu procurador. O instrumento de transferência deverá conter o nome e endereço do cessionário e a quantidade de ações nominativas sendo transferidas. O instrumento de transferência devidamente assinado deverá estar acompanhado por:

15.1. a prova da autenticidade da assinatura do cedente e, se o instrumento de transferência for assinado por um procurador pelo cedente, da assinatura de seu procurador, que possa ser razoavelmente exigida pelos diretores; e

15.2. se o instrumento de transferência for assinado por um procurador pelo cedente, uma procuração devidamente assinada autorizando o procurador a atuar pelo cedente deverá ser apresentada à Sociedade ou à outra pessoa que ela possa designar.

16. Na ausência de instrumento de transferência de ações nominativas por escrito conforme previsto no parágrafo 15 acima, os diretores poderão aceitar a prova da transferência de ações nominativas que eles julgarem adequada na época. A Sociedade e seus diretores e administradores não serão responsáveis por qualquer ato praticado de boa fé segundo esta Cláusula.

17. Se duas ou mais pessoas estiverem registradas como detentoras de ações conjuntamente, um recibo emitido por uma delas constituirá recibo eficaz com relação a qualquer dividendo ou outra distribuição paga sobre essas ações.

COMPRA E RESGATE DE AÇÕES

18. As ações da Sociedade que a Sociedade comprar, resgatar ou de outra forma adquirir poderão, a critério dos diretores, ser canceladas ou detidas como ações em tesouraria.

DIRETORES

19. O número mínimo de diretores da Sociedade será de 1 e o número máximo será de 12. Os diretores poderão ser pessoas físicas ou jurídicas.

20. Os primeiros diretores da Sociedade serão eleitos pelos subscritores do Memorando; e posteriormente os diretores serão eleitos pelos acionistas da Sociedade pelo mandato que possa ser especificado com relação a sua eleição, ressalvado que um diretor poderá ser eleito pela maioria dos diretores remanescentes para preencher uma vaga na diretoria. Um diretor ocupará seu cargo até que seu sucessor seja empossado ou até a sua morte, renúncia ou destituição anterior.

21. Qualquer Sociedade que seja diretor da Sociedade poderá, por deliberação de seus diretores ou outro órgão administrativo, nomear uma pessoa física para atuar como seu representante em reunião dos diretores, ou de comissão dos diretores, da Sociedade ou para assinar consentimento com deliberação dos diretores, ou comissão dos diretores, da Sociedade.

PROCEDIMENTOS DOS DIRETORES

22. Um diretor receberá convocação com no mínimo três dias de antecedência de reunião dos diretores a menos que antecedência menor seja aceita por todos os diretores na época.

23. A não ser no caso de um único diretor, uma reunião dos diretores estará devidamente instalada se houver presença, em pessoa ou por substituto, no início da reunião, de no mínimo metade do número total de diretores na época, a menos que haja apenas dois diretores, caso em que o quorum será de dois.

24. Cada diretor terá um voto em qualquer reunião dos diretores e, no caso de igualdade de votos, o Presidente (se houver) ou (em sua ausência) o Vice-Presidente ou outro substituto na época terá o voto de minerva.

ADMINISTRADORES

25. Os diretores poderão, por deliberação, nomear os administradores da Sociedade que possam considerar necessários ou convenientes periodicamente. Qualquer número de cargos poderá ser ocupado pela mesma pessoa, ressalvado que um único diretor não deverá ocupar simultaneamente o cargo de secretário.

INDENIZAÇÃO

26. O Artigo 57 da Lei será aplicável integralmente para que (sujeito aos termos desse Artigo) a Sociedade indenize toda pessoa referida no Artigo 57(1) (pessoa física, pessoa jurídica ou outra) de todas e quaisquer despesas e responsabilidades incorridas por elas nas circunstâncias referidas naquele Artigo.

ACIONISTAS

27. Uma pessoa, que não seja uma pessoa física que seja acionista da Sociedade poderá, por deliberação de seus diretores ou outro órgão administrativo, nomear uma pessoa para atuar como seu representante em assembléia dos acionistas ou para assinar consentimento com deliberação dos acionistas.

EXERCÍCIO SOCIAL

28. O exercício social da Sociedade será o ano civil.

SELO

29. O Selo da Sociedade será circular em forma e conterá a denominação da Sociedade e as palavras "BVI INTERNATIONAL BUSINESS COMPANY". O Selo, quando afixado em instrumento por escrito, será testemunhado por um diretor ou outra pessoa autorizada a fazê-lo por deliberação dos diretores.

SANDRA REGINA MATTOS RUDZIT - Tradutora Pública e Intérprete Comercial - Português - Inglês. Juramentada pela JUCESP sob matrícula nº 1688 - CPF 082.060.018-08 RG 8.222.837-1
Rua Libero Badaró, 488 - 7º andar - 01008-000 - São Paulo - SP - Brasil Tel. 55-11-3106 7383 Fax 55-11-3104 8457 e-mail: tradjh@jhaimerl.com.br www.jhaimerl.com.br

CONTINUAÇÃO

30. A Sociedade poderá, por deliberação dos diretores ou acionistas, continuar como sociedade constituída segundo as leis de um foro fora das Ilhas Virgens Britânicas da maneira prevista nessas leis.

ALTERAÇÃO

31. Este Contrato Social poderá ser alterado por deliberação dos diretores ou acionistas.

Nós, Citco B.V.I. Limited, de P.O. Box 662, Road Town, Tortola, Ilhas Virgens Britânicas, para o fim de constituir uma Companhia Internacional segundo as leis das Ilhas Virgens Britânicas, neste ato subscrevemos nosso nome neste Contrato Social neste dia 17 de maio de 1996.

Citco B.V.I. Limited

Por: (ass) (ass)

na presença de:

Testemunha:

(ass)

Road Town, Tortola

Secretário

Oficial de Registro de Títulos e Documentos e Civil de Pessoa Jurídica S.P.
MICROFILME Nº 756653 /2003

APOSTILA

(Convenção de Haia de 5 de outubro de 1961)

1. País: Tortola, Ilhas Virgens Britânicas

Este Instrumento Público

2. Foi assinado por Dian deCastro

3. Atuando na qualidade de Oficial de Registro de Sociedades Adjunto em Exercício

4. Contém o selo/carimbo do referido Oficial de Registro de Sociedades Internacionais

CERTIFICADO

5. Road Town, Tortola

6. Em 13 de setembro de 2000

7. Pelo Vice-Governador

8. Número: D 95021

9. Selo/Carimbo: Selo da Receita das Ilhas Virgens Britânicas e Carimbo do Vice-Governador das Ilhas Virgens Britânicas

10. Assinatura: (ass)

pelo Vice-Governador

REINO UNIDO DA GRÃ-BRETANHA E IRLANDA DO NORTE

Nº D634609

Data: 19 de setembro de 2000

Este documento contém a assinatura/selo de J. Frett, atuando na qualidade de membro do quadro de funcionários do Governador e Comandante-Chefe das Ilhas Virgens Britânicas.

SANDRA REGINA MATTOS RUDZIT - Tradutora Pública e Intérprete Comercial - Português - Inglês. Juramentada pela JUCESP sob matrícula nº 1688 - CPF 082.060.018-08 RG 8.222.837-1
Rua Libero Badaró, 488 - 7º andar - 01008-000 - São Paulo - SP - Brasil Tel. 55-11-3106 7383 Fax 55-11-3104 8457 e-mail: tradjh@jhaimerl.com.br www.jhaimerl.com.br

Assinado por: (ass) A. Beckwith, pelo Secretário de Estado Principal de Sua Majestade para Assuntos Estrangeiros e da Comunidade

Carimbo e selo em relevo do Foreign Office de Londres.

Reconhecimento da assinatura de A. Beckwith, funcionário do Foreign Office em Londres, Reino Unido, pelo Consulado-Geral do Brasil em Londres, em 22 de setembro de 2000.

(ass) Tarcísio Lumack de Moura, Cônsul-Adjunto

Selo consular no valor de R$ 20,00 ouro, carimbado.

NADA MAIS. Li, conferi, achei conforme e dou fé desta tradução.

São Paulo, 6 de fevereiro de 2003

SANDRA REGINA MATTOS RUDZIT
Tradutora Pública

Oficial de Registro de Títulos e Documentos e Civil de Pessoa Jurídica B.R — MICROFILME Nº 7956653 — 2003

fer\cs\bvi19a.doc

SANDRA REGINA MATTOS RUDZIT - Tradutora Pública e Intérprete Comercial - Português - Inglês. Juramentada pela JUCESP sob matrícula nº 1688 - CPF 082.060.018-08 RG 8.222.837-1
Rua Líbero Badaró, 488 - 7º andar - 01008-000 - São Paulo - SP - Brasil Tel. 55-11-3106 7383 Fax 55-11-3104 8457 e-mail: tradjh@jhaimerl.com.br www.jhaimerl.com.br

10.

OS SÓCIOS OCULTOS DE SERRA

Por que o ex-governador esconde seus sócios e suas sociedades. E por que mentiu à Justiça Eleitoral. Verônica, Preciado e Rioli. Outro elo com Ricardo Sérgio.

Muitas parcerias comerciais unem — ou uniram — José Serra a parentes e amigos. Mas, por estranho que pareça, raras entre elas são assumidas pelo ex-governador de São Paulo. No decorrer da sua vida pública, ele tem omitido, com zelo incomum, a existência de seus sócios — a filha Verônica entre eles — e de suas sociedades à Justiça Eleitoral. Por que age assim? Vamos tentar saber aqui. Um bom começo é seu sócio e primo Gregorio Marín Preciado.

Senador eleito pelo PSDB, Serra assume, em 1995, o Ministério do Planejamento na gestão Fernando Henrique Cardoso. Enquanto isso, Preciado vive aturdido pelas dívidas com o Banco do Brasil. Cansado de esperar, o BB finalmente se move: em julho do mesmo ano ingressa na Justiça pedindo o arresto de bens do devedor relapso. No lote, figura um item interessante: o terreno que Preciado então possui em sociedade com o primo ministro no bairro Morumbi, área nobre de São Paulo. Mas alguém vazou a informação e os primos Preciado e Serra venderam o imóvel antes do arresto...

A escritura de compra e venda foi lavrada em 1º de setembro de 1995, e o negócio registrado no dia 19 do mesmo mês no 15º Cartório de Registro de Imóveis de São Paulo. Em sua defesa, Preciado declarou ter realizado a venda em abril. Pitorescamente, o assento no cartório ocorreu cinco meses depois...

Serra apresentou uma explicação que o Ministério Público Federal tachou de "esdrúxula". Sintonizado com o primo, sustentou que a negociação foi parcelada em cinco vezes e que somente após o pagamento da última cota, lavrou-se a escritura. Descreveu uma operação anômala, já que o instituto da hipoteca existe para solucionar tais pendências sendo a escritura firmada imediatamente após o fechamento do negócio.

A suspeitíssima operação autoriza a crer que Serra e Preciado cometeram aquilo que é chamado, no jargão jurídico, de fraude pauliana. Explica-se: na pré-história do Direito, o devedor respondia com o próprio corpo pelas obrigações assumidas. Se não pagasse a dívida, poderia até mesmo perder a liberdade — e tornar-se escravo do credor — ou mesmo a vida. No Direito Romano, atribui-se ao pretor Paulo a mudança desta situação, afastando a penalidade do corpo do devedor e direcionando-a para seus bens. A fraude pauliana ocorre quando o devedor aliena seu patrimônio visando iludir o credor e esquivar-se de sua obrigação. Em outras palavras, uma artimanha de que se vale o caloteiro para afastar a satisfação do prejuízo do alcance de quem iludiu.

Como se a suspeita carregasse no seu bojo outra suspeita — uma realimentando a outra — o terreno dos primos, com 828 m², no valorizadíssimo bairro da classe média alta paulista, foi passado adiante por R$ 140 mil, montante abaixo dos preços praticados no mercado.

Mas a relação entre Serra e seu contraparente é pródiga em parcerias, além da antiga e polêmica copropriedade do terreno no Morumbi. Os dois primos estão vinculados por endereços, negócios e sociedades. Mas Serra procura sempre isolar, atrás de uma muralha de subterfúgios, seus contatos e sua vida comercial. Basta ver o caso da ACP Análise da Conjuntura Econômica e Perspectivas Ltda. A empresa, que tem como sócia também Verônica Serra, situava-se na Rua Simão Álvares, 1020, Vila Madalena, São Paulo (SP). Por uma incrível coincidência, o prédio pertencia à Gremafer e, portanto, a Preciado.

Neste terreno onde as coincidências se encontram amiúde e dizem "Olá" umas para as outras, Serra não incluiu a ACP na declaração de bens apresentada à Justiça Eleitoral em 1994, 1998 e 2002. O endereço, aliás, também acolheu seus comitês nas campanhas eleitorais de 1994 e 1996.

Serra "mentiu para a Justiça Eleitoral, ocultando empresa e ligação com o Sr. Preciado", registrou o Ministério Público Federal (MPF), quando investigava o relacionamento comercial do ex-governador paulista e de seu contraparente. Como se fosse pouco, Serra escondeu também da Justiça Eleitoral sua vinculação com Vladimir Antonio Rioli, ex-diretor de operações do Banespa. Serra e Rioli foram sócios durante nove anos na Consultoria Econômica e Financeira Ltda., parceria que se manteve até 1995. E, mais uma vez, um sócio e uma sociedade de Serra foram sonegados pelo candidato à Justiça Eleitoral. Não é de hoje, mas desde 1965 que a lei eleitoral, buscando a necessária transparência, exige que os candidatos sejam honestos ao declarar seus bens para prevenir o enriquecimento ilícito por meio do assalto aos cofres públicos.

Serra escondeu o primo, mas por que esconderia Rioli? Sucede que, nesta senda de negócios obscuros, o sócio Rioli é mais uma conexão com Preciado. Vice-presidente de operações do Banespa e pilotando as reuniões do comitê de crédito do banco público, Rioli liberou R$ 21 milhões para o primo do ex-governador tucano. Realizado em 1999, o empréstimo, sem garantias legais, direcionado para a Gremafer e a Aceto, carregava "indícios veementes de ilicitudes", segundo o MPF. Não se sabe se o financiamento foi pago.

Mas Rioli é muito mais do que um elo da cadeia entre Serra e Preciado. Ele desvela a vinculação de Serra com o ex-tesoureiro do ex-governador, Ricardo Sérgio de Oliveira. No labirinto em que se cruzam e entrecruzam os caminhos de Serra, Preciado, Ricardo Sérgio e outros personagens da era das privatizações, o percurso de Rioli é tão importante, que ele merece tratamento à parte.

Pivô de negócios nebulosos, em que invariavelmente os cofres públicos perdem e os particulares ganham, ex-arrecadador de campanhas eleitorais do PSDB e ex-sócio de José Serra, o nome de Vladimir Antonio Rioli, hoje, evoca mais futebol do que política. É que, atualmente, uma de suas empresas, a Plurisport, empenha-se em semear arenas esportivas Brasil afora, prevendo a demanda da Copa do Mundo de 2014. Torcedor do Palmeiras, Rioli envolveu-se na modernização do velho estádio Palestra Itália. Além do clube do coração, arquiteta consórcios para erguer os novos estádios de Sport Recife, Botafogo (de Ribeirão Preto), Santo André, Remo, Tuna Luso e Paysandu. Seu passado, porém, persegue-o como uma sombra.

Rioli, 67 anos, sempre foi unha e carne com dois ex-ministros de FHC. Um deles, José Serra e o outro, Sérgio Motta, ex-titular da pasta das comunicações e um dos artífices da privatização do sistema Telebrás.[41] Bem antes da expressão "tucano", em livre associação, vincular-se à "privatização" e "neoliberalismo" no imaginário político nacional, Rioli, Serra e o falecido Serjão já eram amigos. Conviviam na Ação Popular (AP), uma das tantas organizações de

[41] Sérgio Roberto Vieira da Motta (1940-1998), um dos fundadores do PSDB, tornou-se personagem central no processo de aprovação da reeleição para beneficiar o então presidente e seu companheiro de partido Fernando Henrique Cardoso. Teria articulado a compra dos votos parlamentares — por meio de dinheiro ou concessões de rádio e TV — necessários à aprovação da emenda pró-reeleição, segundo gravações obtidas e publicadas pelo jornal *Folha de S. Paulo*.

esquerda dos anos 1960/1970 que peitaram a ditadura militar para mudar o Brasil. Implacável, o tempo passou, os três mudaram e mudou também a mudança que pretendiam fazer.

Em 1986, quando começou sua sociedade com Serra, Rioli envolveu-se em desastroso negócio para a então estatal Companhia Siderúrgica Paulista (Cosipa). Sua consultoria, a Partbank, foi acusada pelo Tribunal de Contas da União (TCU) de engendrar um contrato sem correção monetária em período de inflação galopante. No final das contas, a Cosipa acabaria perdoando parcialmente a dívida da siderúrgica Pérsico Pizzamiglio, de Guarulhos (SP). O prejuízo da Cosipa escalou o patamar dos US$ 14 milhões. Em 2005, caberia justamente à Pluricorp, de Rioli, assumir um plano de recuperação da indústria. Por ironia, a devedora Pérsico sobreviveu. A credora Cosipa foi privatizada em 1993 e absorvida pela Usiminas.

Nomeado, por indicação do PSDB, para a vice-presidência de operações do Banespa em 1991, no governo Luis Antônio Fleury (PMDB), Rioli conquistou poderes para autorizar novos empréstimos mesmo para clientes endividados. Em 1999, foi condenado a quatro anos de prisão. Convertida em multas e prestação de serviços, a pena foi aplicada pela Justiça Federal que considerou sua gestão temerária. Apesar de pareceres contrários, Rioli emprestou US$ 326 mil à quase concordatária Companhia Brasileira de Tratores.

O lance mais impressionante de Rioli no Banespa incluiu um personagem recorrente desta trama: Ricardo Sérgio de Oliveira. Envolvendo o Banespa e com a cumplicidade de Rioli, Ricardo Sérgio trouxe de volta ao Brasil US$ 3 milhões sem origem justificada que repousavam no paraíso fiscal das Ilhas Cayman, no Caribe. Na CPI do Banespa, que investigou o escândalo, o ex-governador Fleury espantou-se com o fato. "É surpreendente saber que os tucanos conseguiram usar o Banespa para internar dinheiro durante o meu governo", disse.

FENCE
CONSULTORIA EMPRESARIAL LTDA.

000018

Exma. Sra.
Dra. Maria Aparecida Gonçalves Kawagoe
DD Chefe da Divisão de Contratos
PRODESP – Tecnologia da Informação
Rua Agueda Gonçalves 240
Taboão da Serra / SP

São Paulo, SP, 27/06/2008

CT. Nr. 33.06/08 - FENCE

Senhora Diretora

Encaminhamos a VSª. a nossa Proposta para a contratação dos serviços de Segurança de Comunicações solicitados pela PRODESP.

Aproveitamos o ensejo para reiterar os nossos protestos de consideração e respeito.

Cordialmente,

ENIO GOMES FONTENELLE
FENCE CONSULTORIA EMPRESARIAL

Sistema de Segurança da Informação, além de estar em pleno desenvolvimento para a Certificação ISO 20000, prevista para o final de 2008.

Estas certificações são mantidas através de Auditorias Externas periódicas, efetuadas por Instituições Internacionais, nas quais são verificadas as conformidades e aderências dos nossos Sistemas de Gestão em relação às Normas existentes. Em complemento a esta atividade os auditores recomendam ações para serem implementadas visando a melhoria contínua dos processos dentro do ciclo PDCA (Plan, Do, Check, Act, ou seja Planeje, Faça, Verifique, Aja).

Em nossa última auditoria de manutenção da ISO 27001, pertinente ao Sistema de Segurança da Informação, fomos alertados quanto à importância da implantação urgente de solução de detecção de eventuais intrusos na rede de telefonia fixa, seja na intenção de apropriar-se de dados que trafegam na rede, seja no ato de escuta telefônica (grampo). Esta solução é de fundamental importância para a execução dos serviços da Prodesp, que utiliza o contato via telefone (voz) em larga escala para atendimento de seus clientes em todos os níveis

Diante deste quadro expomos a seguir as características necessárias para uma solução completa que garanta a Segurança de Comunicação em Sistemas de Telefonia Fixa, tanto internamente, quanto externamente, ou seja, na utilização do recurso telefonia fixa quer pelas áreas internas e entre si, na empresa, quer nas comunicações feitas "de" e "para" fora.

É de grande importância que a garantia de segurança na utilização dos Sistemas de telefonia deva ser buscada, estendida e assegurada igualmente nos ambientes utilizados pela Prodesp nas instalações de seus clientes onde a comunicação telefônica é indispensável e essencial para a prestação de serviços contratados.

3. NECESSIDADES TECNOLÓGICAS

Para detecção de irregularidades nas comunicações telefônicas entre a Prodesp e seus clientes, necessitamos que as seguintes premissas tecnológicas sejam contempladas na Solução:

11.

"DOUTOR ESCUTA", O ARAPONGA DE SERRA

Dinheiro público para contratar espião do SNI.
Militar atuou em grupo de extermínio durante a Ditadura Militar.
É o que mostram documentos inéditos.
E Alckmin mantém o araponga de Serra sob contrato...

Derrotado na disputa à Presidência da República, José Serra gastou boa parte da campanha eleitoral de 2010 resmungando contra "espiões" que estariam bisbilhotando a vida de sua filha Verônica e de ilustríssimas figuras de seu partido. Sua aliada, a mídia encarregou-se de reverberar seus protestos, turbinando-os com altos decibéis. A arapongagem teria raiz no "núcleo de inteligência" montado por petistas, cuja existência nunca foi provada. Serra sempre refutou, também com veemência, adotar práticas semelhantes às que supunha ver praticadas por seus adversários.

Mas as relações de Serra com o submundo da espionagem foram levantadas pelo próprio autor. Faltava, no entanto, prová-las. Este capítulo traz essa prova cabal, os documentos inéditos que comprovam definitivamente o que todo mundo sempre soube. Serra costuma recorrer ao submundo da espionagem para vasculhar a vida de seus adversários políticos.

A papelada cedida ao autor pelo jornalista Gilberto Nascimento evidencia que o então governador paulista contratou, sem licitação, por meio da Companhia de Processamentos de Dados do Estado de São

Paulo (Prodesp), a empresa Fence Consultoria Empresarial. A Fence é propriedade do ex-agente do Serviço Nacional de Informações (SNI), o legendário coronel reformado do exército Ênio Gomes Fontelle, 73 anos, conhecido na comunidade de informações como "Doutor Escuta".

A empresa do "Doutor Escuta" foi contratada por R$ 858 mil por ano "mais extras emergenciais" — pagos pelo contribuinte — no dia 10 de julho de 2008. Vale lembrar que nessa época a vida particular do ex-governador de Minas Gerais Aécio Neves estava sendo espreitada por arapongas no Rio de Janeiro, onde a Fence está sediada. Talvez isso explique por que a Prodesp tenha invocado "inelegibilidade" para contratar a empresa do araponga sem licitação.

Em outras palavras, a Prodesp afirma que o "Doutor Escuta" não tinha concorrentes à altura para realizar o serviço. Conforme o contrato, entre outros serviços, a Fence é responsável pela "detecção de incursões eletrônicas nas instalações da Prodesp ou em outras localizações de interesse da empresa". Isto significa que a empresa tem como acessar os dados pessoais de funcionários públicos, de juízes e até de parlamentares por uma simples razão: a Prodesp é responsável não só pela folha de pagamento, mas também por todos os serviços de informações do Estado. Ou seja, o contrato concede à firma do "Doutor Escuta" o direito de invadir esses dados na hora que bem entender. Até o fechamento deste livro (final de junho) o governador Geraldo Alckmin (PSDB) mantinha o contrato com a empresa de Fontelle.

E o que o delegado federal e ex-deputado, também federal, Marcelo Itagiba, chefe da arapongagem serrista, tem a ver com isso? A resposta quem fornece é o próprio currículo do coronel. O "Doutor Escuta" jacta-se de haver integrado o seleto grupo de arapongas que Serra, quando era ministro da Saúde de FHC, montou na Anvisa (Agência Nacional de Vigilância Sanitária).

Sob a batuta de Itagiba, além do coronel Fontelle, estavam ainda mais dois personagens destas páginas. Um deles, o ex-agente do

SNI Fernando Luiz Barcellos, de alcunha "agente Jardim". E... adivinhe quem mais! Sim, ele mesmo, o delegado Onézimo das Graças Sousa, aquele mesmo frequentador do restaurante Fritz, da confeitaria Praline e das páginas de *Veja* e dos jornalões em 2010.

O ninho de arapongas da Anvisa foi desativado pelo próprio Serra, o que aconteceu após a imprensa denunciar que a vida privada de servidores do Ministério da Saúde e de desafetos do então ministro — entre eles seu colega, o ministro da Educação, Paulo Renato de Souza, falecido em 2010 — estaria sendo esquadrinhada. Na época, o argumento de Serra para a arregimentação de arapongas foi o medo. Receava ser grampeado por representantes das indústrias de medicamentos, que teriam sido contrariados por medidas do governo.

Coincidentemente, o "Doutor Escuta" e os demais pássaros foram contratados em 2002, quando partidários do PFL (atual DEM) denunciaram a suposta vinculação de setores do governo do PSDB com os grampos fatais à candidatura pefelista à Presidência da República. Teriam levado a Polícia Federal a descobrir que a empresa Lunus, de propriedade da candidata Roseana Sarney e de seu marido Jorge Murad, guardava R$ 1,34 milhão em seu cofre. Suspeita-se que o dinheiro alimentaria a campanha do PFL, implodida ali mesmo pela apreensão.

O "Doutor Escuta" vem de longe. Foi no período do presidente João Baptista de Figueiredo que ele se integrou à comunidade de informações. Entrou pelas mãos do ex- ministro-chefe do SNI, Octávio Medeiros. Seu rumo foi o Garra, braço armado das ações clandestinas e a arma mais letal do SNI durante a ditadura. Fontelles recebeu a tarefa de modernizar o arsenal tecnológico do órgão. Como seu próprio codinome esclarece, o "Doutor Escuta" comandou uma equipe de trabalho que desenvolveu aparelhos de escuta com tecnologia nacional que substituíram os importados.

Faziam parte do seleto grupo do Garra os coronéis Ary Pereira de Carvalho, o "Arizinho"; e Ary de Aguiar Freire, acusados de participar do complô que resultou no assassinato[42] do jornalista Alexandre Von Baumgarten em outubro de 1982. Dois meses antes de morrer, o jornalista compôs um dossiê. No chamado Dossiê Baumgarten, os dois Arys são acusados de terem participado da reunião em que foi selada a morte do jornalista.

O sargento Marival Dias, do CIE (Centro de Informação do Exército), soube da morte do jornalista antes mesmo de seu desaparecimento ser anunciado. Disse ao autor que Baumgarten teria sido executado pelo "Doutor César", codinome do coronel José Brant, também do Garra, a exemplo de Fontelles. Agente do CIE em Brasília, Dias teve acesso a um informe interno onde se afirmava que a morte se devia a Brant. Em uma operação do Garra para intimidar Baumgarten, o "Doutor César" teria se excedido e matado o jornalista. Isto o teria obrigado a eliminar duas testemunhas: a mulher de Baumgarten, Janete Hansen, e o barqueiro Manuel Valente. A reportagem, publicada na revista *IstoÉ*, nunca foi desmentida.[43]

Aos seus clientes, o coronel Fontelles costuma dizer que sua empresa presta serviços de contraespionagem e não espionagem. Como veremos mais à frente, foi justamente esse trabalho, ou de contraespionagem, que acabou envolvendo o autor no episódio da quebra de sigilo da suposta quebra de sigilo de Verônica Serra durante a campanha presidencial de 2010.

[42] Baumgarten saiu para uma pescaria no dia 13 de outubro de 1982. Seu corpo apareceu boiando doze dias mais tarde na praia da Macumba, no bairro carioca do Recreio dos Bandeirantes. Tinha as marcas de três tiros. Dois cadáveres, que seriam os de sua mulher, Janete Hansen, e do barqueiro Manuel Valente, foram descobertos carbonizados em Teresópolis, alguns dias mais tarde.

[43] "Os matadores", de Amaury Ribeiro Jr., reportagem publicada em *IstoÉ*, edição de 24 de março de 2004.

A proposta da Fence Consultoria Empresarial, a empresa do "Doutor Escuta", para o governo Serra e a resposta da Prodesp

000018

São Paulo, SP, 27/06/2008

Exma. Sra.
Dra. Maria Aparecida Gonçalves Kawagoe
DD Chefe da Divisão de Contratos
PRODESP – Tecnologia da Informação
Rua Agueda Gonçalves 240
Taboão da Serra / SP

CT. Nr. 33.06/08 - FENCE

Senhora Diretora

Encaminhamos a VSª. a nossa Proposta para a contratação dos serviços de Segurança de Comunicações solicitados pela PRODESP.

Aproveitamos o ensejo para reiterar os nossos protestos de consideração e respeito.

Cordialmente,

ENIO GOMES FONTENELLE
FENCE CONSULTORIA EMPRESARIAL

CONSULTORIA EMPRESARIAL LTDA.

Rio de Janeiro, RJ, 27 Mai 08

PROPOSTA Nr. 04.05/08 - PrSP

1. CLIENTE

PRODESP.

2. ESCOPO

O escopo da presente Proposta é a prestação de serviços na área de Segurança de Comunicações para a PRODESP.

3. UNIVERSO DE PESQUISA

O serviço ora proposto compreende a inspeção, no edifício-sede do cliente, a fim de detectar eventuais agressões eletrônicas, de:

3.1 – Na sede:

3.1.1 – Linhas telefônicas:

1) Linhas diretas: 07

2) Ramais: 113

Nota: cada linha telefônica constitui 1 (um) item.

3.1.2 – Ambientes: 3.000 metros quadrados.

Nota: consideramos 60 itens, cada um equivalente a 50 metros quadrados.

3.2 - Total de itens:

180 (cento e oitenta).

4. PREÇO E CONDIÇÕES DE PAGAMENTO

4.1 – Unitário:

R$ 384,00 (trezentos e oitenta e quatro reais) por item.

4.3 – Custos operacionais:

Inclusos.

4.4 - Total:

R$ 69.120,00 (sessenta e nove mil, cento e vinte reais) mensais.

4.5 – Valor total do contrato:

R$ 829.440,00 (oitocentos e vinte e nove mil, quatrocentos e quarenta reais).

4.5 – Condições de pagamento:

O pagamento será feito após a realização de cada trabalho mensal, mediante a apresentação da Nota Fiscal correspondente.

5. VISITAS EMERGENCIAIS

5.1 – Em caso de solicitações emergenciais, a nossa equipe se apresentará nas instalações do cliente no prazo máximo de 48 (quarenta e oito) horas.

5.2 – No atendimento emergencial será considerada a quantidade mínima de 10 (dez) itens, para os quais será cobrado o mesmo preço unitário constante do item 4.1 acima, acrescido de custos operacionais no valor de R$ 2.000,00 (dois mil reais) por visita.

Nota: Para efeito de previsão de recursos, consideramos cada atendimento emergencial composto de 10 (dez) itens, e um total de 5 (cinco) atendimentos durante os doze meses do contrato, o que significa um valor total de R$ 29.200,00 (vinte e nove mil e duzentos reais) para o ano.

Av. das Américas 6700, Bloco 2, Sala 213 - CEP 22793-080. Rio de Janeiro / RJ. Tel (21) 2431-3648 e Fax (21) 2431-3454

6. REAJUSTES

Os reajustes serão aplicados aos preços anualmente, por ocasião da assinatura dos termos aditivos de prorrogação do contrato, de acordo com o IPCA.

7.CONSIDERAÇÕES FINAIS

7.1 – Ao final do serviço, a Fence entregará o Relatório a ele correspondente.

7.2 – A equipe de trabalho precisará contar com o seguinte apoio no local de trabalho:

1) Elemento de confiança do cliente para acompanhar todo o serviço;
2) Chaves de todas as portas, inclusive daquelas onde não haverá inspeção. As chaves permanecerão nas mãos do acompanhante, e serão solicitadas pela nossa equipe se e quando necessário.
3) Escada de abrir com altura suficiente para atingir todos os tetos das salas onde serão realizadas as inspeções de ambientes.
4) Acesso ao Quadro de Entrada de linhas telefônicas e a todos os Quadros Intermediários existentes.
5) Acesso ao PABX e demais salas onde se encontrem réguas terminais ou patch panels de telefonia.

Enio Gomes Fontenelle
Fence Consultoria Empresrial Ltda.

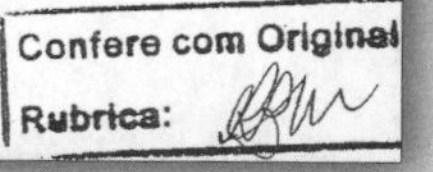

Como base para a composição de preços, podemos utilizar a Proposta Nr 04.05/08-PRSP enviada pelo fornecedor Fence .

4.6. Condições de Pagamento

O pagamento será feito mensalmente, após a realização de cada serviço, mediante a apresentação da Nota Fiscal respectiva a cada Ordem de Serviço emitida.

4.7. Relatório

Ao término de cada intervenção mensal, a Empresa contratada deverá entregar um Relatório, contendo a abrangência do serviço efetivamente realizado, assim como os diagnósticos pertinentes.

4.8. Serviços Emergenciais

A Prodesp poderá solicitar ao fornecedor a execução de serviços emergenciais, dispondo de 24 (vinte e quatro) horas para atender ao chamado, sendo o preço para este tipo de atendimento devidamente explicitado em contrato.

4.9. Documentação

Considerando a especificidade do serviço e suas peculiaridades descritas neste Relatório, deverão ser anexados documentos que comprovem o enquadramento das atividades da empresa nas exigências dos dispositivos da Lei 8666/93.

Com relação à sugestão apresentada no item 4, referente à Contratação por inexigibilidade de licitação da Fence Consultoria Empresarial Ltda., recomendamos que, caso aprovada esta modalidade de contratação, a empresa apresente três cópias de contratos já firmados com Órgãos Governamentais nestas características, com base nos incisos da lei 8666/93.

Sistema de Segurança da Informação, além de estar em pleno desenvolvimento para a Certificação ISO 20000, prevista para o final de 2008.

Estas certificações são mantidas através de Auditorias Externas periódicas, efetuadas por Instituições Internacionais, nas quais são verificadas as conformidades e aderências dos nossos Sistemas de Gestão em relação às Normas existentes. Em complemento a esta atividade os auditores recomendam ações para serem implementadas visando a melhoria contínua dos processos dentro do ciclo PDCA (Plan, Do, Check, Act, ou seja Planeje, Faça, Verifique, Aja).

Em nossa última auditoria de manutenção da ISO 27001, pertinente ao Sistema de Segurança da Informação, fomos alertados quanto à importância da implantação urgente de solução de detecção de eventuais intrusos na rede de telefonia fixa, seja na intenção de apropriar-se de dados que trafegam na rede, seja no ato de escuta telefônica (grampo). Esta solução é de fundamental importância para a execução dos serviços da Prodesp, que utiliza o contato via telefone (voz) em larga escala para atendimento de seus clientes em todos os níveis

Diante deste quadro expomos a seguir as características necessárias para uma solução completa que garanta a Segurança de Comunicação em Sistemas de Telefonia Fixa, tanto internamente, quanto externamente, ou seja, na utilização do recurso telefonia fixa quer pelas áreas internas e entre si, na empresa, quer nas comunicações feitas "de" e "para" fora.

É de grande importância que a garantia de segurança na utilização dos Sistemas de telefonia deva ser buscada, estendida e assegurada igualmente nos ambientes utilizados pela Prodesp nas instalações de seus clientes onde a comunicação telefônica é indispensável e essencial para a prestação de serviços contratados.

3. NECESSIDADES TECNOLÓGICAS

Para detecção de irregularidades nas comunicações telefônicas entre a Prodesp e seus clientes, necessitamos que as seguintes premissas tecnológicas sejam contempladas na Solução:

3.1. Detecção de "grampos telefônicos"

Conforme levantamentos efetuados por nossos técnicos, existem basicamente 3 (três) tecnologias disponíveis que possibilitam a varredura telefônica com o intuito de detecção dos chamados "grampos telefônicos", ou seja Visual, Diferença de Voltagem e Reflectometria. Cada uma destas tecnologias tem a sua aplicação específica , variando de acordo com a potencialidade e especialização do agressor.

3.1.1. Tecnologia Visual

É a mais simplista das tecnologias, que consiste na observação da linha telefônica visualmente, o que em grandes instalações, como é o caso da Prodesp, inviabiliza sua utilização.

3.1.2. Tecnologia por Diferença de Voltagem

Caso o agressor trabalhe com gravador comandado por relé de linha, cuja qualidade provoque uma queda de tensão na linha, o processo de detecção baseado nesta tecnologia poderá ser bem sucedido. Este tipo de ataque é efetuado normalmente por agressores com baixa potencialidade e especialização.

3.1.3. Tecnologia por Reflectometria

Quando o agressor eletrônico dispõe de tecnologias de ataque modernas e sofisticadas, a única forma de detectá-lo é através da utilização da reflectometria, que consiste na geração e lançamento na linha telefônica de uma seqüência de pulsos de alta freqüência, os quais ao encontrar um obstáculo qualquer que altere as características (como por exemplo, emendas, quadros de distribuição, umidade, curto-circuito, derivações ou ainda um grampo), envia uma onda de retorno através da linha, agindo como o eco de um sonar ou radar (que também são equipamentos que utilizam reflectometria). Esta onda de retorno é graficamente mostrada na tela de cristal líquido de um instrumento específico, para serem examinadas e analisadas por um especialista, fornecendo desta forma grande número de informações a respeito do status da linha.

A inserção de grampos, mesmo os que pouco representam no contexto geral da linha (conhecidos por "resistência infinita") ou os mais modernos que não utilizam relés automáticos e gravam de forma contínua e permanente as linhas telefônicas invadidas, modificam as características intrínsecas da linhas sendo desta forma detectados pelo reflectômetro.

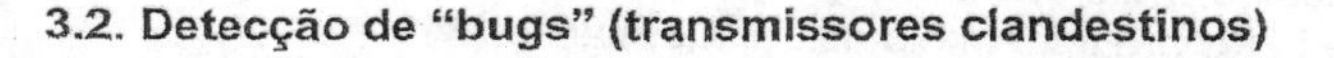

3.2. Detecção de "bugs" (transmissores clandestinos)

Existem várias tecnologias disponíveis para a varredura eletromagnética, destinada à detecção de bugs, Tais como:

a) Escaneamento automático contínuo;
b) Detector de Junção Não Linear;
c) Análise de espectro de freqüências;
d) Banda Larga.

Não são recomendadas as três últimas tecnologias anteriormente citadas, pois além de apresentarem grande taxa de erros, colocam em risco a saúde de que as manuseia. Diante deste quadro é recomendada a adoção do Escaneamento automático contínuo

3.2.1. Escaneamento Automático Contínuo

Consiste na varredura continua da faixa de freqüências (normalmente de 0,1 MHz a 3 GHz), utilizada para transmissão em telefonia.

São conhecidas no mundo 3.098 diferentes freqüências de transmissão, que associadas aos modos de transmissão utilizados (AM, NFM e WFM), resultam em 9.294 possibilidades de transmissão em diferentes canais. Este número é importante uma vez que a Solução a ser adotada deve cobrir esta gama de prováveis canais transmissores.

O equipamento receptor para interceptar os transmissores clandestinos deverá ter altíssima sensibilidade, prevendo inclusive a extrema miniaturização dos equipamentos, que contam com antenas milimétricas, apresentando baixa potencia de transmissão. Assim para captá-los, o receptor de varredura deverá possuir sensibilidade maior do que a do receptor de ataque, sob pena da perda da detecção em função da grande quantidade de radiofreqüências existentes no local.

Qualquer metodologia de detecção de "bugs" não poderá ainda prescindir da inspeção visual local para identificação de mini aparelhos ocultos no ambiente.

3.3. Outras Necessidades

Conforme citado no item anterior será fundamental nesta Solução que estamos solicitando, a inspeção dos ambientes, especialmente em função da crescente miniaturização que as tecnologias de telecomunicações vêm

sofrendo nos últimos anos, conseqüência direta da miniaturização cós componentes de hardware da tecnologia da informação.

4. SOLUÇÃO SUGERIDA

Após prospecção de mercado a respeito de empresas que atendessem ao exposto no item anterior, constatamos em uma realidade de fornecedores altamente especializados que, devido às peculiaridades da Prodesp, a única empresa que atende a todos os requisitos apresentados é a Fence Consultoria Empresarial Ltda..

Esta empresa além de ser a única a atender a todos os requisitos tem a experiência de já haver prestado este tipo de serviço (tendo sido contratada por inexigibilidade de licitação) nos seguintes órgãos: Tribunal Superior Eleitoral, Superior Tribunal de Justiça, Ministério da Saúde, Itaipú Binacional, Tribunal de Contas da União, Empresa Brasileira de Correios e Telégrafos, Eletrobrás, etc..

5. PLANO DE TRABALHO

O Plano de Trabalho sugerido para o desenvolvimento dos Serviços descritos nos itens anteriores deverá obedecer as seguintes premissas:

5.1. Objeto

Prestação de serviços na área de Segurança de Comunicações, envolvendo linhas telefônicas e ambientes de decisão, visando à detecção de intrusões eletrônicas nas instalações da Prodesp ou em outras localizações de interesse da mesma.

5.2. Abrangência

5.2.1. A Prodesp definirá os itens a serem inspecionados.

5.2.2. O pagamento dos serviços será efetuado conforme os mesmos forem sendo feitos, ou seja, de acordo com a demanda.

5.2.3. A Prodesp poderá requisitar a execução dos trabalhos em instalações de seu interesse, fora de sua Sede.

5.3. Periodicidade

Uma intervenção ao mês, em datas aleatórias, a serem definidas pela Prodesp.

5.4. Vigência

O contrato terá validade de 2 (dois) anos, podendo ser renovado até o máximo de 5 (cinco) anos, de acordo com a legislação vigente.

5.5. Preço

No preço proposto, que será especificado a partir das Ordens de Serviço emitidas de acordo com as necessidades da Prodesp, deverão estar incluídos todos os impostos, despesas com hospedagem, alimentação e transporte do fornecedor.

5.6. Condições de Pagamento

O pagamento será feito mensalmente, após a realização de cada serviço, mediante a apresentação da Nota Fiscal respectiva a cada Ordem de Serviço emitida.

5.7. Relatório

Ao término de cada intervenção mensal, a Empresa contratada deverá entregar um Relatório, contendo a abrangência do serviço efetivamente realizado, assim como os diagnósticos pertinentes.

5.8. Serviços Emergenciais

A Prodesp poderá solicitar ao fornecedor a execução de serviços emergenciais, dispondo de 24 (vinte e quatro) horas para atender ao chamado, sendo o preço para este tipo de atendimento devidamente explicitado em contrato.

000017

5.9. Documentação

Considerando a especificidade do serviço e suas peculiaridades descritas neste Relatório, deverão ser anexados documentos que comprovem o enquadramento das atividades da empresa nas exigências dos dispositivos da Lei 8666/93.

Com relação à sugestão apresentada no item 4, referente à Contratação por inexigibilidade de licitação da Fence Consultoria Empresarial Ltda., recomendamos que, caso aprovada esta modalidade de contratação, a empresa apresente três cópias de contratos já firmados com Órgãos Governamentais nestas características, com base nos incisos da lei 8666/93.

6. CONCLUSÃO

Mediante o exposto neste Relatório, entendemos que se justifica a contratação de empresa especializada para prestação de Serviços Técnicos Especializados em Segurança de Comunicações em Sistemas de Telefonia Fixa nos Ambientes internos e externos da Prodesp, visando à detecção de intrusões eletrônicas nas nossas instalações. Assim solicitamos autorização para dar prosseguimento à Contratação aqui descrita nos termos especificados.

Esta contratação vai permitir o incremento dos níveis de Segurança, definidos como requisitos mandatórios da Certificação ISO 27001, além de atender às premissas de Confidencialidade, Integridade e Disponibilidade da informação, garantindo ainda, uma evidencia de melhoria contínua nos processos de Gestão da Prodesp.

Joel Mana Gonçalves
Especialista Gerencial de Informática
Comitê de Excelência em Qualidade
Matrícula: 6512-2

Confere com Original
Rubrica:

12.

OS TUCANOS E SUAS *EMPRESAS-CAMALEÃO*

O esforço para apagar as pegadas.
Decidir e Decidir, IConexa e IConexa, Orbix e Orbix.
Ou a dança dos nomes iguais.
A camuflagem dos parentes e sócios de Serra.
E, uma vez mais, Ricardo Sérgio...

É um jogo de gato e rato. Policiais, procuradores e fiscais fazendários fazem o papel do gato. Quem está na pele do rato tenta escapar, apagando suas pegadas. É preciso perseguir o dinheiro e este, como se tivesse vida própria, está sempre mudando de nome, de endereço, de forma. Circula pelos dutos formados por empresas de fachada, contas secretas e operações heterodoxas. Não é fácil encontrar os rastros em meio a tanta dissimulação. Que inclui, por exemplo, batizar empresas com nomes parecidos. A IConexa Inc. e a IConexa S.A. são duas firmas, uma aberta nas Ilhas Virgens Britânicas e outra no Brasil. E a IConexa brasileira antes se chamava Superbid. Todas pertencem a Alexandre Bourgeois, o genro de José Serra. As IConexas são apenas uma amostra daquilo que se denomina *empresa-camaleão.*

Como o réptil, elas praticam o mimetismo, camuflam-se para escapar aos caçadores. É também o papel da Orbix, igualmente produto da mente criativa do genro de Serra. Começou como Orbix Administração de Capital e Recursos Ltda., metamorfoseou-se em Orbix Global Partners Administração de

Recursos, depois Orbix Capital S.C. Ltda. e, por fim, AAA Asset Management S/C. Ltda.

Quem acha pouco três Orbix pode começar a sorrir. Há também o Fundo Orbix S.A., implantado por Alexandre Bourgeois na praia de Trancoso, no sul da Bahia. O Fundo de Bourgeois recebe o respaldo do BNY Mellon Serviços DTVM.

Como o mundo é mesmo pequeno, o BNY Mellon Serviços DTVM tem como sócia a construtora João Fortes, de propriedade do deputado Márcio Fortes (PSDB/RJ), que vem a ser o caixa da campanha de José Serra à Presidência da República em 2010. Fundada em 1997 com o nome de Dreyfus Brascan, a empresa funciona no prédio do grupo Opportunity, no Rio de Janeiro...

Não foi à toa que seis meses das investigações foram gastos para achar o fio da meada e entender como funciona a farsa. A primeira lição que aprendi é de uma simplicidade constrangedora: não adianta prestar atenção aos nomes das empresas, porque eles existem para nos iludir. O fundamental é checar os CNPJs, o número em que a firma foi incluída no cadastro nacional das pessoas jurídicas.

Mas a meada tem mais fio para desenrolar. Bourgeois lida ainda com a Lutece Investimento e Gestão de Recursos Ltda., que tem o nome fantasia de ABL Serviços e foi fundada em 2000. Que se vale também de outra denominação: Xibro Axia Administração de Recursos Ltda.

E aí aparece a Lutece Participações Ltda. A Lutece nasceu em 2004, então designada como S&A Serviços Empresariais Ltda., em Santana do Parnaíba, paraíso fiscal do interior paulista. Então, mudou para Opah Participação Ltda. E, após, para Lutece. É uma empresa de gaveta, criada num escritório de contabilidade. Inicialmente pertenceu a Cássio Lopes da Silva Neto, Luciano Correa e André Bourgeois, irmão de Alexandre Bourgeois.

E onde entra Alexandre Bourgeois? Bem, o marido de Verônica e genro de Serra compra as cotas de Luciano Correa e Cássio Lopes da Silva Neto na Lutece. Em fevereiro de 2006, ele tenta usar a Lutece para incorporar a Orbix Global Partners Ltda., empresa de sua propriedade que deve à Fazenda Nacional. No final desse mesmo ano, a empresa deficitária, a Orbix, foi fechada.

Prolífico, o clã Serra registra mais exemplares das *empresas--camaleão*. O que, aliás, transmite a impressão de que os negócios que pratica não dispensam o estratagema. Desta vez, a empresa — e a confusão premeditada — são obras de Verônica, filha do ex--governador paulista. Em 2001, ela abre na Flórida (EUA) a empresa Decidir.com.br em sociedade com Verônica Dantas, como se sabe, irmã e sócia do banqueiro Daniel Dantas, um dos maiores *players* dos leilões de privatização. Logo, e já com o nome de Decidir International Limited, transfere-se para o escritório do Citco nas Ilhas Virgens Britânicas. No Brasil, enquanto isso, surge uma terceira Decidir. É quando a Belleville Participações altera seu nome para Decidir.com.brasil Ltda. E será sua homônima a *offshore* Decidir Internacional Limited, o ponto de partida, em 2006, da internação de R$ 10 milhões no Brasil.

Na dança dos nomes semelhantes, depois da filha e do genro do ex-governador, é a vez das suas amizades. Aqui, o ardil da transmutação ocorre além do círculo familiar, mas dentro do seu entorno de amigos do peito. Pode-se iniciar pelo ex-caixa de campanha Ricardo Sérgio de Oliveira, o dono do *know-how*. Figuram na sua conta a Antar e a Antares. A *offshore* Antar Venture comprou R$ 5 milhões em ações da brasileira Antares Participações Ltda. em 1999. Antar e Antares são controladas pelo ex-tesoureiro e por seu então sócio Ronaldo de Souza, já falecido.

Como se fosse pouco, no pico da privataria Ricardo Sérgio operou mais duas *offshores*, a saber a Consultatum Inc. e a Andover National Corporation. Braço direito de Ricardo Sérgio na Previ — e nas privatizações patrocinadas com dinheiro público e dos fundos de pensão — João Bosco Madeiro da Costa não deixou por menos e abriu outras duas *offshores* nas Ilhas Virgens Britânicas: a Belluga e a Hill Trading.

Mudam os nomes, mas o modo de agir é sempre o mesmo. Invariavelmente inclui a criação de uma *offshore* que um dia vai se tornar sócia de uma empresa réptil no Brasil. E assim conseguirá importar, com a conivência do Banco Central, o dinheiro sujo que certo dia saiu pela porta dos fundos através dos lamacentos dutos implantados pelos doleiros mais criativos.

Concebido por mentes astutas como as de Daniel Dantas e de Ricardo Sérgio de Oliveira, o esquema se espalhou pelo submundo da corrupção. Em 2006, por exemplo, a operação Branca de Neve, tocada conjuntamente pela Polícia Federal, Receita e MPF descobriu que uma dessas empresas-camaleão das Ilhas Virgens Britânicas — a Vilars Holding — ajudou a esconder por mais de 10 anos parte dos US$ 3 bilhões que uma megaquadrilha de fraudadores do Instituto Nacional de Seguro Social (INSS) desviou dos cofres públicos.

O bando era liderado pelo ex-procurador do instituto Armando Avelino Bezerra. Ligado à superfraudadora Jorgina de Freitas, ele cumpriu pena entre 1992 e 1997 condenado por peculato e formação de quadrilha, entre outros delitos.

Livre das grades, Bezerra não dispendeu maior esforço para montar uma estratégia capaz de trazer de volta ao Brasil toda a fortuna invernada no Caribe. Era a hora de desfrutar o produto da roubalheira. A fórmula usada para internar os valores foi a mesma adotada pelos tucanos. Ou seja, a *offshore* se tornou sócia de uma empresa aberta pelo próprio fraudador no país: a Coronato Empreendimentos. As investigações demonstram que o capital inicial da empresa brasileira, em torno de US$ 2,3 milhões foi quase todo injetado (integralizado) pela empresa caribenha. Ao desembarcar no Brasil, livre das impurezas, toda a grana desviada do contribuinte era redistribuída pela Coronato para outras empresas menores. Essas empresas de fachada se encarregaram então de adquirir, através de uma rede de laranjas, um montante de 110 comparsas para Bezerra e sua turma.

Descoberta casualmente por um auditor da Receita Federal — um vizinho com quem Bezerra se desentendera — a fraude levou o megafraudador e os demais integrantes da quadrilha novamente para atrás das grades, desta vez por lavagem de dinheiro e crime contra o sistema financeiro. Os bens dos quadrilheiros foram sequestrados por determinação judicial, o que denota que o estratagema já não anda funcionando com tanta eficiência. Mas os ilusionistas em atividade estão sempre prontos para arquitetar uma nova forma de camuflar o dinheiro sujo e distrair seus rastreadores.

Um ano depois da prisão de Bezerra, uma CPI da Assembleia Legislativa do Rio de Janeiro, aberta para apurar as perdas na arrecadação tributária, constatou que um grupo de auditores fiscais do Rio, comandado por Roberto da Cunha Gomes, conhecido como "Olho de Boi", também recorria ao mesmo tipo de relação societária entre uma *offshore* nas Ilhas Virgens Britânicas com uma empresa brasileira para internar dinheiro oriundo de paraísos fiscais. As investigações concluíram que a operação estava sob incumbência do filho de "Olho de Boi", o administrador de empresas Francisco Roberto da Cunha Gomes. Era ele quem pilotava a *offshore* Rossano Group Corp. nas Ilhas Virgens Britânicas.

Seguindo o esquema tradicional para internar dinheiro, a empresa caribenha comprou 50% das cotas de uma firma aberta pelo filho de "Olho de Boi" em São Paulo: a International Boats Ltda. Os restantes 50% estavam em nome, é claro, do próprio filho do auditor fiscal. Obviamente, o dinheiro sujo, camuflado no Caribe, voltava limpo por obra e graça da injeção dos recursos da empresa estrangeira naquela do Brasil. Mas com uma distinção: em vez da jogada convencional, o ingresso dos valores ocorria sob o pretexto de aumento de capital da empresa brasileira integralizado pela *offshore*. A entrada do numerário da International Boats Ltda. era justificada simplesmente como lucro obtido pela sua filial, mera caixa postal no Caribe, no exterior. Esses rendimentos eram devidamente declarados ao Fisco.

Parecia uma manobra perfeita, porque o auditor e seu filho conseguiam, em tese, escapar do enquadramento na Lei do Colarinho Branco — Lei dos Crimes contra o Sistema Financeiro, que considera crime manter depósitos e empresas no exterior sem o conhecimento dos órgãos federais. Não podiam ser enquadrados em nossa melhor lei de combate à lavagem de dinheiro, porque toda a transação no exterior havia sido informada ao Banco Central e à Receita Federal.

Mas "Olho de Boi" acabou não tendo melhor sorte do que os fraudadores do INSS. Comprovado o ardil pela CPI, o funcionário acabou sendo demitido a bem do serviço público. Evidenciado o esquema de corrupção (crime antecedente), foi condenado também por lavagem de dinheiro pela Justiça do Estado do Rio de Janeiro, que decretou o sequestro dos seus bens.

Toda essa simulação para internar dinheiro sujo certamente teria fim com uma providência: a proibição pelo governo da entrada de *offshores* em sociedades com firmas do Brasil. Só deveria ser permitido o ingresso nas empresas nacionais de companhias estrangeiras que identificassem o nome de seus verdadeiros donos em seus balanços contábeis. É uma medida simples que certamente ajudaria a conter o grande esquema de lavagem do dinheiro e o assalto aos recursos públicos.

A certidão de nascimento de uma *empresa-camaleão*, a Iconexa, de Alexandre Bourgeois, que antes atendia pelo nome de Superbid.

Anexo da Ata de Assembléia Geral Extraordinária
realizada em 26 de outubro de 2001.

Estatuto Social

CAPÍTULO I - Da Denominação, Sede, Objeto e Duração

Artigo 1. A **iConexa** S/A é uma sociedade anônima, que se regerá pelo presente estatuto social e pelas disposições legais e regulamentares que lhe forem aplicáveis.

Artigo 2. A Sociedade tem sede na Rua Doutor Cardoso de Mello, n.° 1.608, 13° andar, na Cidade de São Paulo, Estado de São Paulo.

Artigo 3. A Sociedade terá por objeto a participação em outras sociedades, a prestação de serviços e a realização de negócios, criação, desenvolvimento e distribuição de tecnologia, direta ou indiretamente ligados à rede mundial de computadores ("WorldWideWeb" ou "Internet") e às redes de computadores em geral, especialmente os de desenvolvimento de linguagem de programação.

Parágrafo Único. Para a consecução de seu objeto social, a sociedade poderá abrir e operar filiais em todo o território nacional e no exterior.

Artigo 4. A sociedade durará por prazo indeterminado.

CAPÍTULO II - Do Capital e das Ações

Artigo 5. O capital social é de R$ 5.437.730,00 (cinco milhões, quatrocentos e trinta e sete mil, setecentos e trinta reais), representado por 15.000.000 (quinze milhões) de ações ordinárias, nominativas, sem valor nominal.

Artigo 6. Todas as ações da sociedade terão a forma nominativa escritural, podendo, a critério da Assembléia Geral, permanecer em conta de depósito em instituição financeira autorizada, em nome de seus titulares, sem emissão de certificados. Poderá ser cobrada dos acionistas remunerações pelo serviço de transferência da propriedade das ações.

AB
AB

4

Artigo 7. A sociedade poderá, mediante autorização da Assembléia Geral, adquirir as próprias ações para fins de cancelamento ou permanência em tesouraria para posterior alienação, observadas as normas legais e regulamentares aplicáveis.

Artigo 8. As ações ordinárias de emissão da Sociedade terão os direitos e vantagens previstos em Lei.

Artigo 9. A sociedade, de acordo com plano aprovado pela Assembléia Geral, na forma da alínea "(k)", do artigo 12, poderá outorgar opção de compra de ações a seus administradores ou empregados e a pessoas naturais que lhe prestem serviços.

Parágrafo Único. Não assistirá aos acionistas direito de preferência para aquisição das ações emitidas na forma do "caput" deste artigo.

CAPÍTULO III - Da Assembléia Geral

Artigo 10. A Assembléia Geral reunir-se-á ordinariamente nos quatro meses seguintes ao término do exercício social, para os fins previstos em lei, e, extraordinariamente, sempre que os interesses sociais o exigirem. Exceto conforme disposto no Artigo 12, abaixo, a Assembléia Geral, deliberará por maioria simples dos presentes.

Artigo 11. A Assembléia Geral, convocada de acordo com a lei, será instalada e presidida pelo Presidente da Assembléia Geral, que poderá indicar, para fazê-lo em seu lugar, qualquer membro da Assembléia Geral ou da Diretoria Executiva, o qual escolherá, dentre os presentes, um ou mais secretários.

Artigo 12. As deliberações da Assembléia Geral, ressalvadas as hipóteses especiais previstas em lei, serão tomadas por maioria de votos dos presentes, não se computando os votos em branco, com exceção das seguintes decisões, que exigirão a aprovação de acionistas representando, no mínimo, 70% das ações com direito a voto:

(a) distribuição de resultados, a qualquer título, incluindo dividendos;

(b) aumento ou redução do capital da Sociedade, desdobramento ou grupamento de ações, resgate ou compra de ações para cancelamento ou manutenção em tesouraria;

(c) emissão ou venda de quaisquer valores mobiliários da Sociedade conversíveis ou não em ações, inclusive, mas sem limitação, criação e emissão de ações ordinárias e preferenciais, de qualquer espécie, debêntures, bônus de subscrição, partes beneficiárias, opções de compra ou subscrição de ações, warrants ou outros títulos conversíveis ou permutáveis por ações de emissão da Companhia, incluindo a fixação do preço de emissão e de exercício, quando for o caso, e do número de títulos a serem emitidos;

(d) realização de qualquer negócio de qualquer natureza entre a Sociedade e qualquer de suas afiliadas e coligadas, controladora e/ou seus Acionistas e/ou familiares de seus Acionistas;

(e) realização de qualquer despesa ou investimento, a contratação, seja a Sociedade credora ou devedora, de empréstimos ou outras obrigações de qualquer natureza em uma única ou numa série de operações relacionadas entre si, no mesmo ano fiscal, em valores superiores a R$ 60.000,00 ou que não estejam contempladas no orçamento anual;

(f) contratação de dívidas conversíveis em ações da Companhia;

(g) aquisição, alienação, oneração, permuta ou transferência irrevogável de direitos pela Sociedade, com relação aos seus ativos relevantes, em uma única ou numa série de operações relacionadas entre si, no mesmo ano fiscal, em valores superiores a R$ 60.000,00 ou que não estejam contempladas no orçamento anual;

(h) qualquer alteração das práticas e princípios contábeis adotados pela Companhia e a transferência de qualquer reserva de capitalização;

(i) qualquer alteração do Estatuto Social, em especial, mas sem limitação, alteração das preferências, vantagens ou características das Ações existentes, bem como a realização de qualquer mudança no escopo das atividades sociais;

(j) qualquer operação de incorporação, fusão, cisão ou transformação, constituição de filiais e subsidiárias, ou qualquer outra forma de reorganização societária envolvendo a Companhia, as suas controladas e subsidiárias;

(k) Liquidação ou dissolução da Companhia ou início de qualquer procedimento de decretação de falência ou concordata da Companhia;

(l) Aprovação dos planos de compra de ações concedidas aos administradores, empregados e prestadores de serviços, incluindo a determinação do critério de fixação do preço das ações e do limite máximo de ações a serem emitidas em cada plano;

(m) Contratação, demissão e substituição de Diretores e a aprovação da política salarial e planos de incentivos aos Diretores, cuja remuneração anual seja superior a R$ 150.000,00;

(n) aprovação do orçamento anual e o planejamento comercial e operacional anual da Sociedade, bem como qualquer de suas alterações;

(o) realização de qualquer negócio não contemplado ou de tempo e modo distinto daquele previsto no orçamento anual e no planejamento comercial e operacional anual da Sociedade;

(p) contratação e substituição de empresa de auditoria independente;

(q) emissão de títulos, de qualquer natureza, conversíveis em ações da Companhia;

(r) constituição de ônus e/ou gravames de qualquer natureza sobre a totalidade ou parte dos ativos da sociedade;

(s) alienação, oneração, permuta ou transferência irrevogável da totalidade ou parte substancial dos ativos da Companhia;

(t) determinação do valor de mercado das ações da Companhia, suas controladas e subsidiárias e eleição de banco de investimento de reconhecimento internacional; e

(u) celebração, aditamento, rescisão ou resilição de qualquer contrato de prestação de serviços técnicos personalizados pela Companhia, suas controladas e subsidiárias em valor superior a R$ 1.500.000,00 e a celebração, aditamento,

rescisão ou resilição de qualquer contrato cuja indenização seja superior a R$ 1.000.000,00.

CAPÍTULO IV - Da Administração

Artigo 13. A administração da sociedade será exercida pela Diretoria Executiva.

SEÇÃO I - Da Diretoria Executiva

Artigo 14. A Diretoria será constituída por até 05 (cinco) Diretores, acionistas ou não, eleitos pela Assembléia Geral, sendo um Diretor Presidente, e os demais Diretores sem designação específica, com suas atribuições específicas sendo definidas pela Assembléia Geral, na forma deste Estatuto.

Parágrafo Primeiro. Sendo o número de diretores inferior a 5 (cinco), cada Diretor poderá acumular mais de uma competência.

Artigo 15. O mandato da Diretoria é de 2 (dois) anos. Todos os diretores deverão permanecer em exercício até a investidura de seus sucessores, podendo ser reeleitos.

Parágrafo Único. Os membros da Diretoria serão investidos em seus cargos mediante assinatura de termo de posse lavrado em Livro próprio, devendo permanecer em exercício até a investidura de seus sucessores.

Artigo 16. Em caso de vaga permanente de cargo da Diretoria o Diretor Presidente deverá convocar a Assembléia Geral para preenchimento do cargo.

Artigo 17. Compete à Diretoria, com observância do disposto no parágrafo primeiro desta cláusula, a administração dos negócios sociais em geral e a prática, para tanto, de todos os atos necessários ou convenientes à consecução dos objetivos sociais, ressalvados aqueles para os quais seja, por lei ou pelo presente Estatuto, atribuída competência ou requerida a prévia aprovação da Assembléia Geral. Seus poderes incluem, mas não estão limitados a, entre outros, os suficientes para: (i) zelar pela observância da lei e deste Estatuto; (ii) zelar pelo cumprimento das deliberações tomadas nas Assembléias Gerais e nas suas próprias reuniões; (iii) administrar, gerir e superintender os negócios sociais; e (iv) emitir

e aprovar instruções e regulamentos internos que julgar úteis ou necessários.

Parágrafo Primeiro. A prática pela Diretoria da Companhia dos atos relacionados no Artigo 12 deste Estatuto deverá necessariamente ter prévia aprovação pela Assembléia Geral.

Parágrafo Segundo. A representação da sociedade, em Juízo e fora dele, ativa ou passivamente, perante terceiros, quaisquer repartições públicas ou autoridades Federais, Estaduais ou Municipais, bem como autarquias, sociedades de economia mista e entidades paraestatais, compete ao Diretor Presidente, ou a procuradores da Sociedade, na forma deste Estatuto.

Parágrafo Terceiro. As escrituras de qualquer natureza, as letras de câmbio, os cheques, as ordens de pagamento, os contratos e, em geral quaisquer outros documentos que importem em responsabilidade ou obrigação para a sociedade, até os limites estabelecidos pela Assembléia Geral ou pelos Estatutos da Sociedade, serão obrigatoriamente assinados: (a) pelo Diretor Presidente, isoladamente; (b) pelo Diretor Presidente em conjunto com o Diretor responsável pelo ato; (c) qualquer Diretor em conjunto com um procurador específico do Diretor Presidente; (c) 2 (dois) procuradores em conjunto, sendo um deles representante específico do Diretor Presidente, desde que investidos de especiais e expressos poderes; e (d) 1 Diretor ou 1 procurador, isoladamente, mediante autorização da Assembléia Geral, com a maioria qualificada estabelecida no Artigo 12 deste Estatuto Social.

Artigo 18. As procurações em nome da Sociedade serão sempre outorgadas pelo Diretor Presidente, sempre que necessário com a autorização prévia da Assembléia Geral, devendo quaisquer procurações especificar os poderes conferidos e, com exceção daquelas para fins judiciais, terão um período de validade, máximo, de um ano, sendo vedado o substabelecimento das mesmas, no todo ou em parte.

Artigo 19. A Diretoria reunir-se-á sempre que necessário, mas pelo menos uma vez por ano. As reuniões serão presididas pelo Diretor Presidente ou, na sua ausência, pelo Diretor que na ocasião for escolhido.

Parágrafo Primeiro. As reuniões serão sempre convocadas pelo Diretor Presidente, isoladamente, ou por quaisquer dois Diretores. Para que possam se instalar e validamente deliberar, é necessária a presença da maioria dos Diretores que na ocasião estiverem no

exercício de seus cargos, com a presença obrigatória do Diretor Presidente, observadas sempre as disposições e competências específicas estabelecidas neste Estatuto.

Parágrafo Segundo. As deliberações da Diretoria constarão de atas lavradas no livro próprio e serão tomadas por maioria de votos, cabendo ao Diretor Presidente, em caso de empate, também o voto de desempate, desde que consoante com as disposições e competências específicas estabelecidas neste Estatuto.

Artigo 20. Nas ausências ou impedimentos temporários de qualquer Diretor, este, sujeito o ato à aprovação da Diretoria, poderá indicar um substituto dentre os administradores para servir durante sua ausência ou impedimento. O substituto do Diretor ausente ou impedido exercerá todas as funções e terá os poderes, direitos e deveres do Diretor substituído.

Parágrafo Único. O substituto poderá ser um dos demais Diretores que, neste caso, votará nas reuniões da Diretoria por si e pelo Diretor que estiver substituindo.

Artigo 21. São expressamente vedados, nulos e inoperantes com relação à Sociedade, os atos de qualquer Diretor, procurador ou funcionário que a envolverem em obrigações relativas a negócios ou operações estranhas ao objeto social, tais como fianças, avais, endossos ou quaisquer garantias em favor de terceiros, salvo quando expressamente autorizados pela Diretoria, em reunião, obedecidos os limites fixados pela Assembléia Geral ou pelos Estatutos da Sociedade.

Parágrafo Único. Quaisquer atos praticados pela Sociedade, ou procurações outorgadas para a prática desses atos, que representarem compromisso, ônus, obrigação ou garantia, bem como a aquisição ou alienação permuta, transferência ou alienação por qualquer outra forma, ou a hipoteca, penhor ou ônus de qualquer espécie, de bens imóveis ou outros ativos da Sociedade exigirão, obrigatoriamente, a aprovação prévia da Assembléia Geral da Sociedade.

Artigo 22. Os membros da Diretoria serão investidos em seus cargos, mediante termos de posse lavrados nos Livros próprios, termos esses que também deverão ser lavrados nos casos de substituição permanente de qualquer dos seus membros.

Artigo 23. Os membros da Assembléia Geral e da Diretoria Executiva permanecerão em seus cargos, após o término de seus mandatos, até a posse de seus substitutos.

Artigo 24. A Assembléia Geral fixará o montante global dos honorários da Diretoria, cabendo ao Diretor Presidente distribuí-lo entre os demais Diretores de acordo com suas funções.

CAPITULO V - Do Conselho Fiscal

Artigo 25. A Sociedade não terá Conselho Fiscal permanente, sendo que este somente se instalará a pedido de acionistas, na forma da lei.

Parágrafo Primeiro. Caso solicitado seu funcionamento, os acionistas deverão determinar o número de membros efetivos, e igual número de suplentes para compor o Conselho Fiscal; cada período de funcionamento do Conselho Fiscal terminará na primeira Assembléia Geral Ordinária após sua instalação.

Parágrafo Segundo. A remuneração dos Conselheiros Fiscais será determinada pela Assembléia Geral que os eleger.

CAPÍTULO VI - Do Exercício Social, Demonstrações Financeiras, Reservas e Dividendos

Artigo 26. O exercício social inicia-se no dia 1º de janeiro e termina no dia 31 de dezembro de cada ano.

Artigo 27. No último dia de cada exercício social serão elaboradas, com observância das prescrições legais, as seguintes demonstrações financeiras:

a. balanço patrimonial;

b. demonstração das mutações do patrimônio líquido;

c. demonstração do resultado do exercício; e

d. demonstração das origens e aplicações de recursos.

Parágrafo Primeiro. Do resultado do exercício serão deduzidos:

a. os prejuízos acumulados, se houver, na forma prescrita em lei;

b. a provisão para o imposto sobre a renda;

Parágrafo Segundo. O resultado da sociedade, após as deduções referidas no § 1° deste artigo, constitui o lucro líquido do exercício, o qual, por decisão da Assembléia Geral, ouvido o Conselho Fiscal, se em funcionamento, terá a seguinte destinação, "ad referendum" da Assembléia Geral:

a. 5% (cinco por cento) para a constituição da Reserva Legal, que não excederá de 20% (vinte por cento) do capital social;

b. 10% (dez por cento), no mínimo, como dividendo obrigatório, calculado sobre o lucro líquido do exercício, observado o disposto no § 4° deste artigo;

Parágrafo Terceiro. Os dividendos, cuja distribuição houver sido autorizada pela Assembléia Geral serão pagos dentro do prazo máximo de 60 (sessenta) dias da data de sua declaração, e, em qualquer caso, dentro do exercício social em que forem declarados.

Parágrafo Quarto. A sociedade poderá, por deliberação da Assembléia Geral, ouvido o Conselho Fiscal, se em funcionamento, declarar, no curso do exercício social e até a Assembléia Geral Ordinária, dividendos intermediários, inclusive a título de antecipação parcial ou total do dividendo mínimo, à conta de:

a. lucro apurado em balanço semestral; e

b. lucros acumulados ou de reservas de lucros existentes no último balanço anual ou semestral.

CAPÍTULO VII - Da Liquidação

Artigo 28. A sociedade entrará em liquidação nos casos previstos por lei ou por deliberação da Assembléia Geral, que estabelecerá o modo de liquidação e elegerá os liquidantes e o Conselho Fiscal, se requerida a instalação deste, que funcionarão no período de liquidação.

CAPÍTULO VIII - Das Disposições Gerais

Artigo 29. O acionista que não realizar a prestação correspondente às ações subscritas, nas condições previstas no boletim de subscrição, ou, se este for omisso, na chamada da Diretoria Executiva, ficará de pleno direito constituído em mora, sujeitando-se ao pagamento de juros de 1% (um por cento) ao mês, além de correção monetária

Numa operação atípica de internação de dinheiro, Bourgeois assina nos dois lados da transação: pela Iconexa Inc, das Ilhas Virgens e pela Iconexa S/A., de São Paulo.

191

calculada de acordo com os índices oficiais em vigor, sem prejuízo da utilização pela sociedade dos meios assegurados em lei para satisfação de seu crédito.

Artigo 30. A Sociedade deverá observar os acordos de acionistas em vigor arquivados em sua sede, devendo a Diretoria abster-se de registrar e arquivar transferências de ações e o Presidente da Assembléia geral abster-se de computar votos contrários aos seus termos.

Confere com o original,
lavrado no livro próprio.

São Paulo, 26 de outubro de 2001.

Acionistas:

Alexandre Bourgeois

iConexa, Inc.
p. Alexandre Bourgeois

Alexandre Bourgeois

iConexa, Inc.
p. Alexandre Bourgeois

13

13.

O INDICIAMENTO DE VERÔNICA SERRA

As acusações de lavagem de dinheiro e de ocultação de bens contra o genro do ex-candidato do PSDB. E de sonegação fiscal. O "Sombra" entra na roda. E a mídia faz de conta que não viu nada...

Acusado de participar do "núcleo de inteligência" da campanha da então candidata Dilma Rousseff, nunca fui apresentado, até hoje, a nenhuma prova concreta dessa participação. Que, na ficção engendrada por setores da imprensa, consistiria em encomendar violações de sigilo fiscal de apoiadores de Serra. Aliás, pela primeira vez de modo tão escancarado e comovente, a mídia revelou sua alma serrista.

Se o tal "núcleo" pertencesse à realidade e não à quimera tucana de virar a eleição, seus integrantes deveriam possuir, além do talento para a bisbilhotice, o dom da telepatia. Todos que brandiram a tese da conspirata são unânimes em concordar que os tais integrantes se reuniram uma única vez no restaurante Fritz, em Brasília. Aliás, o contrato entre a Lanza, empresa que prestava serviços para a pré-candidatura Dilma Rousseff, nunca chegou a ser assinado. Mesmo a revista *Veja*, que fez um estardalhaço com a pretensa conspiração de arapongas, admitiu que o "núcleo" não chegou a funcionar devido à ingerência de setores "moderados" da campanha, vinculados ao ex-ministro Antonio Palocci. Apesar dessa constatação, toda vez que queriam relacionar o repórter Amaury Ribeiro Jr. à quebra de sigilo, o ponto de sustentação de qualquer matéria jornalística invariavelmente era o famigerado "núcleo de inteligência"...

Embora não tivesse acesso ao conteúdo dos dados sigilosos, eu sabia que as quebras de sigilo haviam acontecido por decisão judicial. Ao investigar os caminhos e descaminhos do dinheiro da venda das teles sob FHC, também já conhecia os processos que tramitavam contra os parentes do ex-governador paulista. Porém, publicar este livro durante a campanha eleitoral de 2010 daria a impressão de que seu objetivo seria exclusivamente o de desestabilizar a candidatura Serra. Mas o cerne daquilo de que se trata aqui tem uma dimensão que vai bem além de uma candidatura em desespero. Eu já possuía comigo todas essas informações, além de outras que serão entregues à Justiça após a publicação desta edição. São revelações que, publicadas, causariam estragos nos planos eleitorais do campanha do PSDB. Obviamente, seriam todas ignoradas pela imprensa afinada com o tucanato.

Tome-se, apenas para exemplificar, o indiciamento da filha do candidato presidencial do PSDB, a empresária Verônica Serra. Passou em brancas nuvens. Ninguém soube ou, se soube, não publicou. Está sendo informado aqui, em primeira mão. Apontada como uma das vítimas da transgressão de sigilo fiscal ocorrida na agência da Receita Federal em Mauá (SP), Verônica Serra foi indiciada pela Polícia Federal já no remoto ano de 2003 e é ré em processo que corre na 3ª Vara Criminal de São Paulo. Qual a acusação? Justamente a de ter praticado um crime da mesma natureza... Consta do processo 370-36-2003.401.6181 (numeração atual), no qual Verônica e outros dirigentes da empresa Decidir do Brasil são apontados como autores de violação de segredo bancário.

Até o momento, só se sabia, por intermédio da revista *Carta Capital*,[44] que a empresa, nascida de uma sociedade em Miami entre Verônica Serra e sua xará Verônica Dantas, irmã e sócia do banqueiro Daniel Dantas, rompera o sigilo bancário de 60 milhões de brasileiros em janeiro de 2001, no apagar das luzes do período Fernando Henrique Cardoso. Na ocasião, com base numa reportagem da *Folha de S. Paulo*,[45] o então presidente da Câmara, Michel Temer (PMDB/SP), solicitara ao presidente do Banco Central na época, Armínio Fraga, a abertura de um procedimento administrativo para investigar o caso.

A revista — que informa ainda que a Decidir só teve acesso às informações sigilosas ao assinar um convênio com o Banco do Brasil — só se equivoca ao acreditar que o caso foi arquivado. Em 2003, já no governo Lula, a Justiça acatou a denúncia do Ministério Público. O processo penal corre sob segredo de justiça.

Outro fato: a empresa IConexa S.A. foi indiciada em 2005 pelos crimes de lavagem de dinheiro e ocultação de bens. Como se sabe, a IConexa é um empreendimento de Alexandre Bourgeois, genro de José Serra, candidato tucano derrotado em 2010. E a firma já teve Verônica Serra como sócia.

Um relatório do Conselho de Controle de Atividades Financeiras (Coaf) detectou operações atípicas nas contas da empresa. Em outras palavras, o órgão responsável pelo combate à lavagem de dinheiro percebeu que a movimentação financeira da IConexa era superior ao faturamento da empresa, fundada em 2001 com o nome de Superbid por Bourgeois e por Verônica. A filha de Serra logo se desligaria do empreendimento. Porém, por solicitação do Ministério

[44] Embora essas informações fossem públicas, nunca consegui levantá-las pelos caminhos formais. Só obtive essa documentação na Junta Comercial de São Paulo com a ajuda do despachante Dirceu Garcia. "Sinais trocados", reportagem de Leandro Fortes, em 13 de setembro de 2010.

[45] A reportagem publicada pelo repórter Vladimir Gramacho mostra que a empresa havia quebrado até mesmo o sigilo de políticos. Mas o nome de Verônica não é citado.

Público, o processo acabou sendo arquivado pelo juiz da 6ª Vara Criminal, Fausto de Sanctis, em 2008. A exemplo da Decidir, a IConexa era alimentada exclusivamente por dinheiro trazido de paraísos fiscais. Aberta para internar dinheiro, a IConexa, embora próspera, esqueceu-se de pagar seus impostos federais, o que a levou a responder vários processos de sonegação fiscal, circunstância que expôs o genro de Serra a sucessivos vexames ao ser procurado por oficiais de justiça que tentavam bloquear seus bens pessoais.

Mais um fato que transitou incólume pelos bigodes da vetusta mídia cabocla: em 2010 — em plena campanha eleitoral do sogro ao Palácio do Planalto — Bourgeois teve seus sigilos financeiro e fiscal quebrados por determinação do juiz Roberto Santo Fachini, da 7ª Vara Federal de Execuções Fiscais de São Paulo. No processo, a IConexa é acusada de sonegar R$ 300 mil de impostos à Previdência Social. Após a tentativa fracassada de penhora dos bens de Bourgeois, a Justiça determinou que o Banco Central bloqueasse todas as contas do genro de Serra. Não restou para Bourgeois, obrigado a fugir para o exterior para escapar dos oficiais de justiça que o perseguiam, outra saída senão encaminhar um pedido de parcelamento da dívida. Não foi preciso infringir nenhum sigilo para obter esses dados. Os processos não correm em segredo de justiça, e qualquer pessoa pode ter acesso aos autos na 8ª Vara Federal de Execuções Fiscais, na Praça Roosevelt, em São Paulo.

Mais uma notícia que não ganhou seu espaço: pivô do escândalo da quebra de sigilo fiscal, que teria ocorrido na agência da Receita Federal em Mauá (SP), o vice-presidente executivo do PSDB, Eduardo Jorge Caldas Pereira, também ex-secretário-geral da Presidência da República, e mais conhecido nas rodas tucanas como EJ, abriu seu próprio sigilo fiscal em abril de 2003 ao jornal *Correio Braziliense*. Seu propósito era defender-se de uma investigação do Ministério Público Federal (MPF).

O trabalho do MPF foi motivado por relatório do Coaf que detectou três depósitos "atípicos" no valor total de R$ 3,9 milhões na conta de Jorge. Para o Coaf, o depósito era incompatível com os rendimentos do correntista. O dirigente tucano argumentou que a bolada tinha origem na suposta venda de um terreno no município de Maricá (RJ), antes pertencente ao seu falecido sogro e do qual seria inventariante. Coincidência ou não, na mesma época foram detectadas 11 das 22 quebras de sigilo fiscal da investigação promovida pela Corregedoria da Receita Federal e da Polícia Federal que teriam ocorrido no município de Formiga, região mineira da Serra da Canastra, onde herdei uma fazenda do meu pai. Embora nunca tivesse ouvido falar do servidor da Receita Federal Gilberto Souza Amarante, citado como artífice dos acessos irregulares aos dados de EJ, parece evidente que, na ocasião, já estavam tentando jogar alguma dessas quebras na minha conta...

Como já foi evidenciado, todos os dados que alimentam estas páginas foram coletados de forma legal em cartórios de títulos e documentos, juntas comerciais do país e do exterior e em processos judiciais diversos. Comparar as datas serve para constatar, por exemplo, a inutilidade das declarações de renda do vice-presidente do PSDB e de familiares de Serra — vazadas por funcionário da agência da Receita Federal em Mauá, na região do ABC paulista — para a produção deste livro. Segundo investigação da PF e da Corregedoria da Receita Federal, os sigilos dos dirigentes tucanos e familiares de Serra foram acessados irregularmente nos anos de 2007 e 2008. Acontece que este livro detalha exclusivamente operações do período que vai de 1998 a 2003. Ou seja, as movimentações verificadas durante e logo após as privatizações. Por isso é tão importante cotejar data com data. "Eu falo para os chefes do meu jornal que as datas não batem, que a história não bate, mas a verdade não lhes interessa", ouvi de um colega de um dos jornalões durante a cobertura da crise.

Vale reiterar que as investigações do livro estão centralizadas em operações executadas em empresas dos personagens e não nos próprios. É, no mínimo, estranho que não tenha aparecido, durante as investigações da PF, nenhuma quebra de sigilo de nenhuma empresa de tucanos na agência da Receita Federal em Mauá.

Então, com exceção de Eduardo Jorge, que não tem, ao que se saiba, ligação com o esquema das privatizações, a única coisa que coincide é que algumas das pessoas aqui citadas surgem entre as alegadas vítimas, aquelas que tiveram seus sigilos acessados nas agências da Receita Federal nos municípios paulistas de Mauá e Santo André: Verônica Serra e seu marido, Alexandre Bourgeois; o ex-tesoureiro de Serra, Ricardo Sérgio de Oliveira; e o ex-sócio e testa de ferro deste último, Ronaldo de Souza, já falecido. Aparecem porque o serviço de contrainteligência do PSDB encomendou os dados fiscais dos tucanos aos funcionários da Receita em Mauá e Santo André com o objetivo de ligar a encomenda a mim para neutralizar o conteúdo.

Não foi a primeira vez que vi esse filme. O leitor e mais toda a torcida do Flamengo sabe da ação da PF contra a Lunus, empresa do marido da pré-candidata presidencial do PFL em 2002, Roseana Sarney. Não há também quem não conheça o episódio dos "aloprados", quando integrantes do PT foram presos em São Paulo pouco antes do primeiro turno das eleições. Foram surpreendidos pelos federais com malas de dinheiro em São Paulo, supostamente destinadas à compra de um dossiê contra o então candidato ao governo paulista, José Serra.[46] Todo mundo sabe que os tentáculos de Serra

[46] Em setembro de 2006, aproximadamente R$ 1,7 milhão foram encontrados no hotel Ibis, em São Paulo, com os petistas Gedimar Passos e Valdebran Padilha. Supostamente os valores seriam usados na compra de um dossiê detalhando as ações da "Máfia dos Sanguessugas". Visaria atingir José Serra, à época candidato ao governo paulista. No material haveria denúncias de superfaturamento e outras irregularidades durante o período em que Serra e seu sucessor, o também tucano, Barjas Negri, comandaram o Ministério da Saúde no governo Fernando Henrique Cardoso. Padilha e Passos foram inocentados, assim como vários dirigentes do PT, pelo Tribunal Superior Eleitoral (TSE).

dentro da Polícia Federal e do MPF não se resumem ao delegado da PF Marcelo Itagiba. O destino e meus santos fizeram com que um desses servidores que colaboraram com a candidatura do PSDB em 2010 fosse meu amigo de muitas datas. Essa fonte me ajudou a compreender o que estava se passando dentro do comitê tucano durante as últimas e turbulentas eleições.

Nunca consegui entender qual o interesse que poderia motivar a quebra de sigilo de Eduardo Jorge ocorrida, segundo a PF, em outubro do ano passado. Como poderia ser aproveitada por adversários políticos? Que serventia teria até mesmo para este livro cujo foco é o das privatizações? Em outros termos: qual o motivo que eu teria para encomendar dados sigilosos de EJ em outubro de 2009, quando ele mesmo já os havia tornado públicos por intermédio da imprensa?

Em toda a minha vida de repórter nunca investiguei ou fiz nenhuma reportagem contra EJ. Confesso que isso se deve a uma dose de receio e outra de impaciência. Embora absolvido em todos os processos civis ou criminais relacionados à Lei de Imprensa, sempre tive consciência da desorganização dos departamentos jurídicos de alguns veículos de comunicação onde trabalhei. Atuando nos últimos anos exclusivamente com reportagens investigativas — o que sempre me punha em contato com documentação a mais variada possível — não foram raros os casos em que, apesar de não ser advogado, tive de conduzir a linha de defesa por perceber que os advogados da empresa direcionavam o processo para um caminho totalmente suicida. Houve um caso em que, apesar de a reportagem estar totalmente embasada, o advogado queria que eu fizesse um acordo em que seria condenado à prestação de serviços à comunidade. Propunha uma confissão de ofensa à honra do personagem citado numa reportagem! Por sorte não segui a recomendação e fui absolvido, ao contrário de um colega que, ao seguir a orientação do departamento jurídico, foi obrigado durante um ano a dar banho em crianças carentes numa creche de Brasília. Acho louvável a prestação de serviços à comunidade, desde que voluntária e não por uma exigência da Justiça devido à condenação por um crime de calúnia, injúria ou prevaricação não praticado. Há exceções como o trabalho dos advogados da revista *IstoÉ* que, invocando o princípio da exceção da verdade, derrotaram judicialmente o ex-caixa de campanha do PSDB, Ricardo Sérgio de Oliveira.

À imprensa resta o consolo de que a maioria dos advogados acionados para mover ações contra os jornais e revistas consegue ser ainda mais despreparada do que os recrutados para defender os jornalistas. Eduardo Jorge, porém, não se encaixa nesse parâmetro. Não só contrata os melhores advogados, como segue todos os passos dos processos que move contra órgãos de imprensa e até mesmo os caminhos dos jornalistas e procuradores que o denunciam. Certa vez, quando trabalhava na *IstoÉ*, vi EJ sentado na plateia ouvindo o depoimento que o procurador da República Luiz Francisco de Souza, que o havia denunciado à Justiça, prestava em uma comissão do Senado. Perguntei-lhe por que estava ali. "Eu vou a toda palestra que ele (Souza) dá. Sigo-o para onde vai. É sempre muito divertido vê-lo falar", respondeu com ironia.

Ao longo dos anos, percebi que, além de estar muito bem embasado, o repórter deve estar ciente da maratona jurídica que enfrentará se publicar alguma denúncia contra o ilustre tucano. É preciso valer a pena. Publicar reportagem contra EJ acarreta um desgaste muito grande. Sua outra façanha é que ele se metamorfoseia de réu em vítima num passe de mágica. A investigação do MPF, alicerçada em relatório do Coaf, foi trancada, por exemplo, porque a Justiça acatou os argumentos dos advogados de EJ de que a movimentação atípica (terminologia universal usada pelas unidades de inteligência financeiras para designar operações de lavagem de dinheiro) não significava necessariamente sinônimo de crime ou ato ilícito. Insatisfeito com a decisão judicial, EJ resolveu representar contra o então chefe da procuradoria da República no Distrito Federal, Lauro Cardoso Pinto, no Conselho Nacional do Ministério Público Federal. EJ o acusava de ter vazado o conteúdo das investigações publicadas pelo *Correio Braziliense*. Por tudo isso nunca investiguei EJ, que também carrega o apelido nefasto de "O Sombra", que ganhou quando era o todo-poderoso secretário-geral da Presidência da República sob FHC.

Desde janeiro de 2008, eu desconfiava que algum serviço de inteligência próximo ao tucanato — talvez aquele do Palácio dos Bandeirantes, talvez aquele pilotado por Marcelo Itagiba — armaria uma arapuca para tentar desqualificar as minhas apurações. Durante o trabalho, buscando ouvir o tradicional "outro lado" comuniquei à assessoria de imprensa do governo de São Paulo sobre o conteúdo da reportagem. Informei, inclusive, a descoberta de que a empresa Decidir, fundada por Verônica Serra e Verônica Dantas em Miami após as privatizações, havia se transferido para as Ilhas Virgens Britânicas, justamente para o mesmo escritório que lidava com dinheiro suspeito e que operava, entre outros, para o ex-diretor internacional do Banco do Brasil e ex-tesoureiro de Serra, Ricardo Sérgio de Oliveira.

É fácil presumir que a notícia produziu um efeito bombástico no *staff* serrista. E Serra certamente acionou sua rede de arapongas para neutralizar aquela ameaça. Basicamente, os documentos levantados por mim na Junta Comercial de São Paulo desmentiam as versões apresentadas por Verônica Serra e pela própria Decidir. Ela sustentava que a empresa, além de não tê-la como sócia, teria sido fechada logo após sua fundação. Os novos documentos mostravam o oposto: inaugurada com o capital inicial de US$ 5 milhões do Opportunity, a Decidir de Miami havia se transferido para as Ilhas Virgens Britânicas com o único propósito de repassar toda a grana injetada pelo banco de Daniel Dantas para outra empresa criada com o mesmo nome — a Decidir do Brasil — aberta por Verônica Serra, no Brasil.

A comprovação documental do indiciamento de Verônica Serra por crime de quebra de sigilo financeiro. A chamada "grande imprensa" não viu nem ouviu...

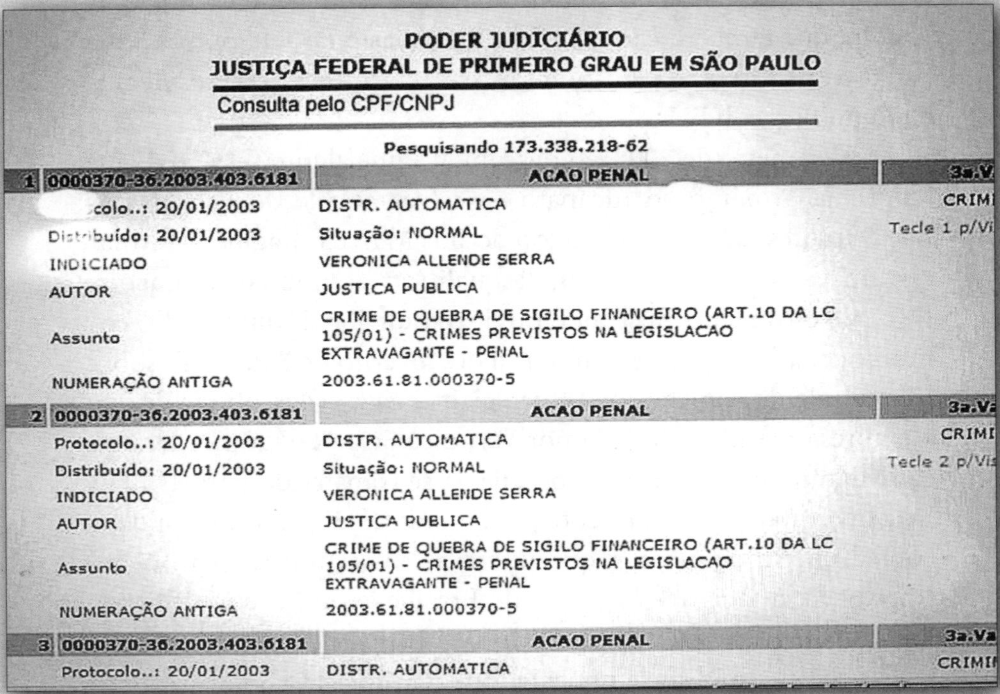

PODER JUDICIÁRIO
JUSTIÇA FEDERAL DE PRIMEIRO GRAU EM SÃO PAULO

Consulta pelo CPF/CNPJ

Pesquisando 173.338.218-62

1 0000370-36.2003.403.6181	ACAO PENAL	3a.V
colo..: 20/01/2003	DISTR. AUTOMATICA	CRIM
Distribuído: 20/01/2003	Situação: NORMAL	Tecle 1 p/Vi
INDICIADO	VERONICA ALLENDE SERRA	
AUTOR	JUSTICA PUBLICA	
Assunto	CRIME DE QUEBRA DE SIGILO FINANCEIRO (ART.10 DA LC 105/01) - CRIMES PREVISTOS NA LEGISLACAO EXTRAVAGANTE - PENAL	
NUMERAÇÃO ANTIGA	2003.61.81.000370-5	
2 0000370-36.2003.403.6181	**ACAO PENAL**	**3a.V**
Protocolo..: 20/01/2003	DISTR. AUTOMATICA	CRIMI
Distribuído: 20/01/2003	Situação: NORMAL	Tecle 2 p/Vi
INDICIADO	VERONICA ALLENDE SERRA	
AUTOR	JUSTICA PUBLICA	
Assunto	CRIME DE QUEBRA DE SIGILO FINANCEIRO (ART.10 DA LC 105/01) - CRIMES PREVISTOS NA LEGISLACAO EXTRAVAGANTE - PENAL	
NUMERAÇÃO ANTIGA	2003.61.81.000370-5	
3 0000370-36.2003.403.6181	**ACAO PENAL**	**3a.Va**
Protocolo..: 20/01/2003	DISTR. AUTOMATICA	CRIMI

A mídia também não tomou conhecimento da execução fiscal contra a Iconexa, do genro de Serra, Alexandre Bourgeois. Que também sofreu ação de penhora de bens por parte da Justiça Federal

10.610/07
11445/07

PODER JUDICIÁRIO
JUSTIÇA FEDERAL

7ª Vara Federal de Execuções Fiscais
Rua João Guimarães Rosa, 215 – 9º andar – CEP 01303-909
Telefone: 2172-3627

Ofício nº 911 /2007 - lhpl
Execução Fiscal nº 2004.61.82.061807-5
Exeqüente: INSS
Executado(s): Iconexa S/A (CNPJ nº 03.434.590/0001-59), Alexandre Bourgeois (CPF nº 043.011.987-92).

São Paulo, 20 de Setembro de 2007

Senhor Delegado:

A fim de instruir os autos da execução fiscal em epígrafe, solicito a Vossa Senhoria cópias das três últimas declarações de bens e rendimentos do(s) executado(s) supracitado(s).

Aproveito a oportunidade para apresentar protestos de elevada estima e consideração.

ROBERTO SANTORO FACCHINI
Juiz Federal

08.180.00
08 NOV 2007
GPJ/DERAT/SPO

Ilustríssimo Senhor
Delegado da Receita Federal
Avenida Prestes Maia, 733
São Paulo/SP
01031-001

02/20/2006 23:38 012-39349171 ITAU AG 7440 SJC PÁG. 01

Banco Itaú S.A — Bloqueio por Determinação Judicial

Nome do cliente

ALEXANDRE BOURGEOIS

Em cumprimento de ordem expressa da autoridade competente, procedemos ao especificado abaixo:

Tipo de bloqueio

BLOQUEIO DE VALOR

CNPJ / CPF do Cliente	Número do ofício	Número do processo
[illegible]		2004.61.82.061807-5

Comarca / Vara / Juízo / Solicitante

SAO PAULO - SP
7A VARA FEDERAL DE EXECUCOES FISCAIS
ROBERTO SANTORO FACCHINI
AUTOR: FAZENDA NACIONAL INSS

Protocolo	Data bloqueio	Valor da ordem em R$	Valor bloqueado da agência em R$
20100000293583 - BACENJUD	17/02/2010	361.880,71	3.114,33

Produtos				Valor bloqueado em R$
CONTA CORRENTE	7057	57485-2	100	2.898,30
PERSON PLUS DI	7057	57485-2	201	216,03

Observação: Se ocorrer bloqueio de fundos, os valores podem ter variado em função do valor da cota.

Em caso de dúvidas entrar em contato com o gerente de sua conta.

SAO PAULO, 18/02/10.

Local e data

Banco Itaú S/A

Agência: 7057 - PERSONNALITE ANGELICA

ALEXANDRE BOURGEOIS
AV MORUMBI 01700
MORUMBI - SAO PAULO
SP - CEP 05606-100

Dúvidas, sugestões e reclamações na sua agência. Se preferir, ligue para o SAC Itaú 0800 728 0728, todos os dias, 24h, ou acesse o Fale Conosco no www.itau.com.br. Se não ficar satisfeito com a solução apresentada, ligue para a Ouvidoria Corporativa Itaú: 0800 570 0011, em dias úteis das 9 às 18 horas, Caixa Postal 67.600, CEP 03162-971. Deficientes auditivos são atendidos todos os dias 24h através do 0800 722 1722.

22742-1 (FL. 1/1) SDM/NU 01/09

Juiz decretou bloqueio de contas do genro de Serra.

44

JUSTIÇA FEDERAL DE PRIMEIRA INSTÂNCIA
SEÇÃO JUDICIÁRIA DE SÃO PAULO
Rua João Guimarães Rosa, 215, 9º andar – São Paulo – SP

Horário de atendimento ao público: das 13:00 às 17:00 horas

Mandado número:
6112/06
7ª Vara

Processo n.º 2004.61.82.061807-5	
Certidão de Dívida Ativa nº 60.126.482-7	*Processo Administrativo n.º* 601264827
Valor da Dívida para efeito de penhora R$ 309.353,89	
Exeqüente INSS	
Executado(s) ICONEXA S/A E OUTRO	
EXECUTADO QUE DEVERÁ SOFRER A PENHORA **ALEXANDRE BOURGEOIS**	*CNPJ/CPF* 043.011.987-92
Endereço **AV. MORUMBI, 1700**	***CEP*** **05606-100**
Obs:	

CÓPIA

MANDADO DE PENHORA, AVALIAÇÃO E INTIMAÇÃO

O(A) Dr.(a) ROBERTO SANTORO FACCHINI, Juiz Federal da 7ª Vara de Execuções Fiscais, na forma da Lei, **MANDA** a qualquer Oficial de Justiça Avaliador deste Juízo Federal a quem este for apresentado, passado nos autos em epígrafe, que, em seu cumprimento, dirija-se ao endereço acima ou a outro local e:

a) PENHORE bens de propriedade do executado acima indicado, tantos quantos bastem para a satisfação da dívida.
b) INTIME o executado bem como o cônjuge, se casado for e a penhora recair sobre bem imóvel.
c) CIENTIFIQUE o executado de que terá o prazo de 30 (trinta) dias para oferecer embargos, contados da intimação da penhora.
d) PROVIDENCIE O REGISTRO da penhora no Cartório de Registro de Imóveis se o bem for imóvel ou a ele equiparado; na Repartição competente, se for de outra natureza; na Junta Comercial, na Bolsa de Valores e na Sociedade Comercial, se forem ações, debêntures, partes beneficiárias, cotas ou qualquer outro título, crédito ou direito societário nominativo; e no Concessionário, se for direito de uso de linha telefônica.
e) NOMEIE DEPOSITÁRIO, colhendo-lhe assinatura e dados pessoais, advertindo-o de que não poderá abrir mão do depósito, sem prévia autorização judicial, sob as penas da Lei, e que deverá comunicar a este Juízo qualquer mudança de endereço dos bens penhorados.
f) AVALIE o (s) bem (ns) penhorado(s).

CUMPRA-SE, na forma e sob as penas da lei, ficando o Oficial de Justiça autorizado a proceder na forma do art. 172, § 2º, do Código de Processo Civil, com emprego de força policial e arrombamento, inclusive, se necessário.
Eu, __________, (Técnico Judiciário, RF: 2425), digitei e conferi, e eu, Diretor(a) de Secretaria, assino por ordem judicial (Portaria nº 01/2001).
Expedido nesta cidade de
São Paulo, em 26 de junho de 2006.

PEDRO CALEGARI CUENCA
Diretor de Secretaria

Documentos mostram o mandado de penhora.

CERTIDÃO

Processo nº 2004.61.82.061807-5
Mandado nº 6112/06 7ª Vara
Exeqüente: INSS
Executado: ICONEXA S/A E OUTRO

Certifico e dou fé que me dirigi ao endereço constante no r. mandado anexo (Av. Morumbi, 1700 – Morumbi – São Paulo – SP, onde DEIXEI DE PROCEDER À PENHORA em bens de propriedade do executado ALEXANDRE BOURGEOIS, por não encontrá-lo presente em todas as diligências realizadas, inclusive em outro executivo fiscal em seu nome, onde recebia a informação de que ele estava viajando. Certifico ainda que realizei pesquisa junto ao Detran/SP, pelo número de CPF do executado em questão, porém, a mesma resultou negativa, conforme extrato anexo e diante do exposto, devolvo o mandado para indicação de eventuais bens para penhora pelo órgão exeqüente. Nada mais.

São Paulo, 28 de agosto de 2006.

JUREMA DE PAIVA
Oficial de Justiça Avaliador(a)

10.

PODER JUDICIÁRIO
JUSTIÇA FEDERAL

Mandado n° **11445/2007**
7ª. Vara de Execuções Fiscais

CERTIDÃO

Certifico e dou fé que, em cumprimento ao r. mandado anexo, diligenciei até a Rua Luiz Coelho nº 197 – Sobre Loja - onde, em 08 de novembro de 2007, INTIMEI o Delegado da Receita Federal em São Paulo, apresentando o mandado ao protocolo de acordo com diretriz interna do órgão oficiado (DERAT-SP), sendo aposta chancela no anverso do mesmo.

São Paulo, 08 de novembro de 2007

Maurício Simioni
Oficial de Justiça

PODER JUDICIÁRIO
JUSTIÇA FEDERAL

CERTIDÃO

Certifico e dou fé que encaminhei à pasta "Informações Sigilosas - 22" as Declaração(ões) de Bem(ns) e Rendimento(s) do(s) executado(s) / co-executado(s) abaixo relacionado(s), remetida(s) à este juízo pela Delegacia da Receita Federal, onde ficará(m) à disposição das partes.

Processo nº 2004.61.82.061807-5	
Executado / co-executado	**Declarações enviadas**
1. ICONEXA S/A	2007/2006/2005
2. Alexandre Bourgeois	2006/2005/2004

São Paulo, 18/04/08

Analista/Técnico Judiciário RF nº 5721

A documentação registra que, em 2002, a Justiça decretou a quebra de sigilo de Bourgeois e de sua empresa Iconexa S. A.

14.

QUANDO O AUTOR VIRA PERSONAGEM

Sob o cerco da mídia tucana.
A conversa estranha do despachante.
"A casa caiu", avisa o delegado.
Mas Serra manda dizer que
"não tem nada contra você"...

Boa parte da documentação que embasa este livro foi obtida na Junta Comercial de São Paulo, com a ajuda do despachante Dirceu Garcia que, logo adiante, seria escolhido cuidadosamente para me transformar no elo hipotético com a quebra de sigilo. Comecei a desconfiar que ele poderia ter sido envolvido em algum tipo de armação no dia 4 de agosto de 2010, quando mantivemos o último encontro, por sinal, a seu pedido. Lembro bem da data porque fui a São Paulo assinar um contrato de trabalho. Pareceu tudo esquisito porque o despachante, além de não explicar o motivo da reunião, começou a falar coisas esquisitas. "Eu não traio as pessoas porque fui criado na Febem, não porque eu fosse um menor infrator, e sim porque meu pai batia na minha mãe", disse.

Antes, Garcia também havia agido de modo peculiar. No dia 8 de outubro de 2009, exigiu minha presença em São Paulo, porque queria me entregar um lote de documentos. Desconfiei, porque ultimamente ele simplesmente enviava a papelada por sedex para Belo Horizonte. Sempre depois de eu fazer um depósito na sua conta bancária, que nunca ultrapassou a cifra de R$ 1.500,00. Como não havia nada de ilegal nessas operações, houve casos em que eu fiz uma transferência direta da minha conta do Bradesco para a conta dele no mesmo banco. A documentação que comprova isso será entregue à Justiça no momento oportuno. No último encontro, Garcia tocou ainda no assunto da quebra de sigilo, que acompanhava pela mídia, o que me despertou ainda maior suspeita.

— Por que você está falando isso? Você não está metido com isso? — perguntei.

— Claro que não. Não conheço ninguém citado na reportagem — respondeu.

Até hoje não entendi como o despachante entrou nessa história. Mas, em vez de raiva, tive pena ao ver seu rosto tomado de pavor me acusando com frases desconexas em entrevista ao "Jornal Nacional", da TV Globo. Atribuiu a mim a encomenda dos dados da quebra de sigilo. "Não dá para ter raiva mesmo porque o rosto dele é de medo", disse uma amiga que assistiu ao noticiário comigo.

— Quem encomendou os dados? — perguntou o repórter César Tralli?

— Foi Amaury Ribeiro Martins Junior — disse.

— Quanto ele pagou pelo serviço?

— Setecentos reais por imposto — respondeu.

— Fazendo as contas, deu em torno de R$ 8.000,00 — perguntou o repórter.

— Levando por esse lado, digamos que sim.

À PF, Garcia declarou que eu paguei em torno de R$ 12 mil pela encomenda que teria sido entregue em espécie em um bar de São Paulo no dia 5 de outubro de 2009. O referido encontro no bar ocorreu no final de dezembro de 2007. O outro, no dia 8 de outubro, aconteceu diante de um hotel na Avenida Paulista.

Narrou ainda uma história mirabolante na qual, após a revelação de que os sigilos haviam sido violados, eu teria depositado R$ 5 mil na sua conta corrente em setembro de 2011. Documentos entregues à Polícia Federal comprovam que nessa época eu estava na Amazônia, na companhia do colega Lumi Zúnica, trabalhando em reportagem sobre norte-americanos que exploravam a prostituição infantil em terras indígenas, republicada nas páginas do *New York Times* em 2011. A PF descobriu que o dinheiro que caiu na conta de Garcia foi depositado em espécie na mesma agência onde a Lanza Comunicação possuía conta. Fica bem evidente a tentativa de envolver a empresa do jornalista Luiz Lanzetta na história. Em meio a todo o tiroteio que estava sofrendo, Lanzetta teria de ser muito estúpido para fazer um depósito com tal finalidade e com tal beneficiário justamente na agência onde sua empresa também possui conta bancária...

— Você entendeu isso como um cala-boca? — perguntou o repórter.

— Não. Apenas como uma ajuda.

No segundo depoimento aos federais, o despachante argumentou que aceitara o dinheiro para fugir da situação. Basta uma leitura dos autos do processo para concluir que as declarações prestadas por Dirceu Garcia são incoerentes. Até mesmo os depoimentos que prestou nos dias 6 e dia 7 de outubro de 2010 são contraditórios. No primeiro, afirmou que teria me conhecido no final de 2009 em frente à Junta Comercial de São Paulo, no bairro paulistano da Barra Funda, quando, após realizar buscas de breve relatos das empresas de Bourgeois e Verônica, eu teria solicitado os impostos das mesmas pessoas e firmas. No dia seguinte, relatou que me conheceu um ano antes. Vale lembrar que até hoje — agosto de 2011 — nem a PF nem a Receita Federal detectaram quebra de sigilo de qualquer empresa ligada ao tucanato.

Com certeza, o despachante foi convidado a prestar novo depoimento à PF, porque o primeiro conflita com as apurações policiais e fiscais. Ao invés de me incriminar, acaba me inocentando. Diz que eu lhe pedi os impostos no dia 30 de setembro de 2010 e que, no mesmo dia, seu contato na Receita Federal Ademir Cabral teria lhe passado duas das encomendas. De acordo com as averiguações, o pedido de cópia do IR de Verônica Serra foi protocolado no dia 29 de setembro de 2010, por meio de procuração, na agência de Mauá (SP), ou seja, um dia antes de eu ter feito a encomenda. Detalhe: segundo o próprio Garcia (em seu segundo depoimento) a encomenda demorava de três a quatro dias para ser liberada. Outra pérola: sustentou que, ao contrário dos documentos das empresas na Junta Comercial, eu não só lhe encomendei como negociei as cópias das declarações de IR pela primeira vez por telefone. Mas ninguém faz um pedido desses para uma pessoa que mal acabara de conhecer por telefone. Como eu poderia adivinhar que ele desfrutava de um esquema para obter acessos irregulares na Receita Federal?

É de se supor que, ao reler o depoimento, os federais perceberam as contradições. E logo foi marcada uma segunda oitiva. O despachante abre o segundo depoimento corrigindo o que havia dito no primeiro. Relatou que, "na verdade", somente me conheceu em meados de 2008. Disse ainda que, opostamente ao que havia declarado, eu lhe fizera o pedido pessoalmente e não por telefone. E não no dia 29 e sim entre os dias 24 e 27 de setembro. Ao tentar consertar o primeiro depoimento, Dirceu acaba trazendo elementos que contradizem o inquérito. As investigações não detectaram a violação de nenhum tucano ou pessoas ligadas a Serra no período mencionado. Na verdade, eu o conheci em dezembro de 2007, quando ele passou a me ajudar a levantar documentos em cartórios e na Junta Comercial. Se tivesse interesse em solicitar os dados do IR, já teria feito isso nessa época, hipótese descartada pelas investigações.

No segundo depoimento aparece um detalhe deixando claro que Garcia agia sob orientação tucana. De todas as empresas do casal Verônica Serra e Alexandre Bourgeois, assegura que só não conseguiu encontrar nada da Socimer International Limited. Ou seja, não conseguiu encontrar justamente o documento da *offshore* instalada nas Ilhas Virgens Britânicas e que comprova que a sociedade entre Verônica Serra e Verônica Dantas havia se transferido para um paraíso fiscal no Caribe. Ao admitir isso, Garcia estaria afirmando oficialmente que encontrara documentos que comprovavam os movimentos financeiros de membros do clã Serra em um paraíso fiscal.

Mas para haver contrainformação o assunto teria de sair na imprensa, a fim de que toda a rede fictícia caísse num efeito dominó. Trazendo no currículo várias reportagens contra o PT e sua candidata, o repórter da *Folha de S. Paulo* Leonardo de Souza também foi escolhido a dedo. Além de não fazer questão de esconder sua ojeriza a Dilma e de atuar em um veículo alinhado à campanha tucana, o repórter possuía fontes oposicionistas na Receita Federal, que sempre o ajudavam a detonar a candidata petista. O repórter é o autor, por exemplo, da entrevista publicada em agosto de 2009, em que a ex-secretária da Receita Federal, Lina Vieira, acusava a então ministra-chefe da Casa Civil, Dilma Rousseff, de ter apressado o fim das investigações contra Fernando Sarney, filho do senador José Sarney. Na entrevista, a ex-secretária diz acreditar que, desta forma, a então ministra pretenderia abafar as investigações.

Em junho de 2010, o jornalista publica que o célebre "núcleo de inteligência" da pré-candidatura Dilma — que até *Veja* admite que não chegou a funcionar — tivera acesso às cópias das declarações do IR de Eduardo Jorge. Haveria ainda comprovantes bancários dos três depósitos de R$ 3,9 milhões na conta de EJ. Mas o repórter não conseguiu comprovar que os documentos tivessem circulado no "núcleo". A denúncia da violação de sigilo bancário é um assunto ainda mais nebuloso. A imprensa tentou, sem sucesso, atribuir a quebra a petistas ligados ao Banco do Brasil, o que foi desmentido com veemência com provas pelo banco estatal e pela PF. Segundo o

BB, todos os acessos foram realizados com base legal e atendendo determinação judicial.

Passei um bom tempo acreditando que fosse o próprio EJ o autor do vazamento de seus dados para a *Folha de S. Paulo*. Seria uma maneira de se defender das acusações apontadas no relatório do Coaf. Afinal, o dirigente já havia feito isso anteriormente ao mostrar seu IR ao *Correio Braziliense*. Recentemente, porém, tive a confirmação de que os dados foram repassados ao jornal paulistano por um funcionário federal que investigou oficialmente o dirigente tucano. O servidor também teria intermediado a entrevista com a ex-secretária da Receita Federal, Lina Vieira. Ao receber as informações, pensei que a fonte tivesse traído o repórter ao dizer que as cópias dos impostos, obtidas oficialmente, haviam sido alcançadas clandestinamente pelo "núcleo" propalado por *Veja*. Os amigos da fonte garantem que aconteceu o inverso. O funcionário teria sido provocado pelo jornalista da *Folha*. Este teria lhe pedido as cópias para fazer reportagem em que mostraria que EJ caíra em desgraça no PSDB e estava afastado do comando da campanha, devido à investigação sobre sua movimentação bancária.

Se o fato for real, não será a primeira vez que Souza faz a inversão de *lead* (abertura da matéria) ao obter documentos de suas fontes. Por exemplo, ao receber documentos comprovando que a farra dos cartões corporativos também havia ocorrido no governo do FHC, em vez de denunciar os desmandos dos tucanos, o repórter arrumou uma forma de colocá-los como vítimas. Sua matéria acusava a Casa Civil, comandada por Dilma, de ter recorrido ao aparato governamental para vazar dados sigilosos dos cartões de FHC e seus pupilos. Como se vê, o formato é o mesmo. Os bastidores do vazamento dos impostos para a *Folha* é assunto que cabe ao repórter e ao jornal explicarem.

Comecei a sentir numa quarta-feira, ao receber uma visita inesperada no meu trabalho, em São Paulo, as atribulações que o *affaire* "quebra de sigilo" detonaria na minha vida. O visitante havia se identificado apenas como "Hugo". Ao recebê-lo na portaria, fiquei surpreso ao perceber que o visitante era o delegado carioca da PF, Hugo Uruguai, responsável pelas investigações sobre a questão dos sigilos violados.

— A que devo a honra da visita?

— Você fez um monte de denúncias contra os tucanos. E agora vou ter que apurar. Quero que você explique essas operações complicadas.

Não demorei a perceber que o delegado queria tomar um novo depoimento.

Meu terceiro depoimento não ocorreu na sede paulistana da PF, mas em um hotel das proximidades. Fomos encaminhados para lá pelo agente Luciano César Bernardo, que já nos aguardava na portaria da empresa. Iniciado à tarde, o depoimento se prolongou até a madrugada. Além de Uruguai e Bernardo, participaram da conversa mais dois federais, um deles o delegado Alessandro Moretti.

Depois de quase cinco horas de interrogatório, Moretti falou:

— Não está funcionando — disse a Uruguai. — Vamos abrir o jogo e explicar que queremos que (o depoente) colabore. Temos uma testemunha contra ele.

— Em primeiro lugar, se tem alguma testemunha contra mim, ela tem de provar o que está falando. E, no mais, se isso estiver realmente acontecendo, vocês não precisavam ter montado este teatro. Deveriam ter me intimado para eu comparecer acompanhado do advogado.

— Não tem nada disso. Mas se você quiser, marcamos o depoimento para outra data — respondeu Uruguai.

— Não, vamos continuar. Estou falando a verdade. E não tenho nada a temer — rebati.

Percebi que, na verdade, o meu depoimento serviria também para que a PF conseguisse entender a principal incógnita do inquérito:

qual a finalidade que as tais cópias poderiam trazer às investigações. Isto ficou claro quando comentei sobre a Lei do Colarinho Branco, que tipifica como crime os depósitos no exterior feitos sem a autorização do Banco Central e da Receita Federal.

— Ele sabe que ter conta em paraíso fiscal sem avisar a Receita é crime — comentou Bernardo. No entendimento do agente, eu poderia ter encomendado os dados dos IRs na tentativa de provar que os familiares de Serra praticaram crime ao não informarem a existência de empresas e de contas bancárias em paraísos fiscais. Achei ingênua a observação. Contas e *offshores* em paraísos são informações que não costumam aparecer nas declarações de imposto de renda. No final do depoimento, Uruguai me chamou ao lado para fazer a revelação.

— A casa caiu. Chegamos ao Dirceu (Garcia) — disse.

— O único Dirceu que conheço é um despachante que levanta documentos para mim na Junta Comercial. E nada mais.

— Acrescenta então isso ao depoimento — disse o delegado.

Eu viria a me reencontrar com os federais na segunda-feira seguinte, 25 de outubro, na sede da Polícia Federal, em Brasília, na antessala do segundo turno das eleições. Eu era a última esperança com que a imprensa serrista contava para virar o jogo nas eleições. Por isso eu e meus advogados, comandados por Adriano Bertas, tínhamos a certeza de que eu sairia de lá indiciado. Seria uma forma de a PF aplacar a fúria da mídia. Tive vontade de rir ao constatar que a advogada de Eduardo Jorge também estava lá de plantão, a fim de vazar meu depoimento para a imprensa.

Nos dias anteriores ouvira relatos de jornalistas e mesmo de tucanos de que o "Sombra" havia transformado a cobertura midiática da quebra do sigilo numa grande ópera bufa, em que ele era o mais divertido dos personagens. Com ironia, colegas de imprensa diziam que, de posse de informações privilegiadas do inquérito, o prócer do PSDB travestira-se de pauteiro e editor de veículos dos quais arrancara indenizações milionárias em ações de danos morais. EJ teria iniciado um verdadeiro leilão em troca das informações privilegiadas. Não pedia dinheiro ou algum benefício pessoal. Apenas exigia determinado espaço, chegando a definir qual seria a linha editorial da matéria. Se determinado jornal não concordasse com suas exigências, simplesmente transferia o "furo" ao concorrente. Pareceu algo simplesmente genial. EJ conseguira a façanha tão desejada pelos *blogs*: levar a mídia ao papel ridículo que se propôs a assumir no pleito. Além de arrancar fábulas de dinheiro dos jornais e revistas que no passado haviam publicado reportagens que considerou caluniosas, EJ tinha o prazer de aumentar seu poder de vingança, ao assumir o controle editorial, mesmo que momentâneo, das páginas de política. E, de sobra, irritava Serra que o havia deixado de lado durante a campanha eleitoral. Afinal, Serra acionara seus arapongas com o objetivo inverso, o de impedir que as denúncias viessem a público. Acabou perdendo o controle da situação devido aos conflitos internos do PSDB e ao fogo amigo petista, que colocaram o tema em pauta. O sinal de que o candidato tucano não queria confusão com o assunto foi sinalizado pelo próprio Serra ao autor. Na reta final da campanha, quando meu nome frequentava as manchetes, Márcio Aith, assessor de imprensa do tucano, tentou marcar um encontro comigo. Escaldado com a arapongagem serrista, rejeitei a ideia. "Não é nada disso. O Serra só quer dizer que não tem nada contra você", mandou Aith dizer.

Ao chegar à Polícia Federal, fui surpreendido com uma proposta feita por Uruguai.

— Esse inquérito está pesado. Tem coisa grossa contra você. Por isso recebi um *e-mail* do MPF propondo a você um acordo de delação premiada.

Em suma, o delegado esperava que eu confirmasse a conclusão a que havia chegado. Queria uma confissão de que eu e também

Lanzetta havíamos sido contratados pelo jornal *Estado de Minas*, ligado ao ex-governador e hoje senador Aécio Neves, para encomendar os dados fiscais. Justificava sua tese pelo fato de que minhas passagens aéreas haviam sido solicitadas por Marcelo Oliveira, responsável pela marcação de viagens dos funcionários do *Estado de Minas*. Desconhecia que, além de trabalhar para o jornal, Oliveira operava a compra de passagens para várias pessoas. Então, mesmo após deixar o jornal, ele continuou prestando o serviço. E as passagens foram custeadas pelo meu próprio bolso. Em resumo, não foi o PT nem o jornal que pagou minhas passagens. No dia 8 de outubro de 2008, estava em São Paulo por conta própria em busca de informações para concluir este livro. Tenho como provar isso. E realizei o pagamento por meio de transferência dos valores da minha conta para a de Oliveira.

Mas o delegado insistia em sua tese.

— Descobri sua metodologia. Você primeiro pedia os breves relatos e depois os IRs. É assim, uma coisa busca a outra. Só não entendi por que não apareceu o imposto de renda de nenhuma empresa. Mas ainda vai aparecer. Também não consegui entender o que Eduardo Jorge tinha a ver com as privatizações.

A proposta dele era simples: caso resolvesse colaborar, eu seria indiciado apenas com base no crime de violação fiscal que, segundo o Código Penal, deve ser atribuído exclusivamente a funcionários. Caso contrário, ele me enquadraria em outros três crimes apontados pelos meus advogados como ainda mais absurdos: uso de documento falso, corrupção passiva e oferecimento de vantagem a testemunha. A testemunha seria Garcia, que à época em que disse ter recebido os R$ 5 mil, era totalmente desconhecido da PF, do MPF e da Justiça, portanto estava longe ser testemunha em qualquer processo.

Em meio à discussão, eu e meus advogados conseguimos pelo menos ter acesso pela primeira vez aos autos do processo.

Ao folhearmos as primeiras páginas, ficamos abismados com as contradições.

— Delegado, o Dirceu (Garcia) que, ao contrário do meu cliente, tinha algum elo com as agências da Receita, foi enquadrado em um só crime, violação de sigilo fiscal, e você quer enquadrar o Amaury, que, segundo os autos, não conhecia nenhuma dessas pessoas, em outros três crimes...

— É. Mas o Dirceu colaborou com as investigações (o acordo de delação premiada não consta dos autos do processo). Na hora certa a gente o enquadra nos outros crimes.

A primeira coisa que observei no processo é que não possuía um alvo específico. Aberto para investigar a reunião do Fritz e o suposto "núcleo de inteligência", o inquérito ganhara outro foco: a violação de sigilo nas agências de Mauá. Além dos depoimentos confusos do despachante, minha atenção se voltara para outro detalhe: ao contrário do que a imprensa noticiara, a violação de dados fiscais estava longe de ser uma prática corriqueira no governo ou um milionário comércio de dados. Ficava evidente que, com frequência, o móvel do delito era a pobreza. Por exemplo, um dos pivôs da crise, a servidora do Serviço Federal de Processamento de Dados (Serpro) cedida à Receita Federal, Adeída Ferreira Leão, começou a violar os sigilos inicialmente em troca de doces e chocolates. Quem fez este relato à PF foram os próprios companheiros que conseguiram recrutá-la.

Como já passava das três horas e o delegado insistia na tal delação, fizemos um acordo. Eu seria indiciado nos tais crimes e estudaríamos a hipótese de voltarmos no dia seguinte, quando poderia ser sacramentado um novo acordo. Mas, logo após sairmos, pedi aos advogados que, além de distribuir uma nota à imprensa, anunciassem o indiciamento nos crimes citados. Na nota, redigida no dia anterior, eu negava com veemência ter encomendado os dados sigilosos. Acompanhada de documentos, adiantava ainda algumas denúncias sobre as privatizações contidas neste livro.

Como o meu depoimento não causou o resultado esperado, a mídia preparou mais um golpe baixo contra mim com o objetivo de atingir a candidatura Dilma. Apesar de ter tido acesso às cópias de todos os meus depoimentos, os principais veículos passaram a publicar a versão mentirosa de que eu havia confessado ter pedido a transgressão dos sigilos. Basta uma consulta na internet para perceber que a farsa virou verdade nos principais jornais. Tornou-se ponto de sustentação principalmente para as investidas contra mim dos colunistas mais à direita. Além dos *blogs*, um único jornalista, o colunista do *site* Congresso em Foco, Rodolfo Lago, publicou a notícia verdadeira. "Os depoimentos à PF corrigem algumas informações publicadas pela imprensa nos últimos dias. Não é verdade que Amaury tenha confessado em seu depoimento ter pago para obter a violação de Verônica Serra e de Eduardo Jorge Caldas Pereira", escreveu.

Não é difícil descobrir qual a procedência da notícia falsa. No dia 20 de outubro de 2010, após revelar o depoimento de Dirceu Garcia, Leonardo de Souza redigiu matéria na *Folha de S. Paulo* em que afirmava que eu havia encomendado ao despachante dados fiscais de dirigentes do PSDB. A informação de que esses dados eram documentos da Junta Comercial de São Paulo e não da Receita Federal só aparece no terceiro parágrafo da reportagem. Mas quem lê o título tem a impressão equivocada. A manobra acabou induzindo os editores da primeira página a manchetear que eu admitira ter pedido acesso ilegal às informações. Não sei se foram induzidos ao erro pelo repórter ou gostaram de ser enganados para agradar os donos do jornal.

Mas nada do que foi mencionado neste capítulo talvez tivesse causado algum impacto não fosse o fogo amigo da campanha petista, como, retroagindo no tempo, veremos nas próximas linhas.

15.

OS VAZAMENTOS NO “BUNKER”DO LAGO SUL

“Quem está próximo ao Pimentel vai ser varrido.”
Sou antipetista, anuncia o araponga.
O bombardeio midiático contra a campanha.

No início de abril de 2010, cuidava das minhas uvas no interior de Minas, quando recebo uma mensagem do amigo Luiz Lanzetta, então contratado para montar a assessoria de imprensa da campanha de Dilma Rousseff à Presidência da República.

Desde o começo de março, Lanzetta, através da Lanza Comunicação, havia feito uma parceria com a Pepper Interativa, contratada pela mesma campanha para tocar a parte de internet. A Pepper, por sua vez, já tinha os contratos com as empresas americanas Blue Stage e Mensage Revolution. Ambas tinham tocado com grande badalação a campanha de Barack Obama à presidência dos EUA. Para isso, a Lanza e a Pepper locaram uma imensa casa no Lago Sul, na QI 05, que logo ganharia em *O Globo* o apelido de "*Bunker* da Dilma".

A casa não era um comitê da campanha. Era uma extensão das duas empresas. Mas ali já estavam trabalhando dezenas de profissionais, como jornalistas, fotógrafos, cinegrafistas, técnicos, especialistas em internet, cada qual recrutado de uma forma diferente.

Também havia o estúdio de rádio, onde a candidata iria gravar os seus programas que seriam distribuídos na rede.

Lanzetta estava preocupado. Havia frequentes vazamentos de informações. Instalou-se um clima de paranoia que foi se agravando gradativamente e tornando-se mais denso conforme 2010 avançava. Uma visita à casa da QI-05 serviu para aumentar minha inquietação. Todo mundo desconfiava de todo mundo. A insegurança era geral.

Detectara-se, ainda, que pipocavam arremetidas na mídia contra o núcleo que se agrupara, na área da comunicação, em torno do ex-prefeito de Belo Horizonte, Fernando Pimentel, um dos coordenadores da campanha, grande amigo da candidata, que eleita, o tornaria ministro do Desenvolvimento, Indústria e Comércio Exterior.

No dia 26 de fevereiro, *IstoÉ* publica a primeira de uma sequência de quatro matérias contra Pimentel. No auge do mensalão do DEM, a revista resolve exumar o mensalão de 2005 e acusar o ex-prefeito de envolvimento no escândalo que, no primeiro mandato de Lula, engolfou a cúpula paulista do PT. Tudo porque, quando prefeito, firmou convênio com a Câmara de Dirigentes Lojistas para instalar câmeras de segurança nas ruas do centro da capital mineira. A vinculação ocorreria devido ao fato de que o então diretor financeiro da CDL fora identificado como doleiro supostamente envolvido na fraude... A matéria não ficava em pé. Pimentel nunca foi da cúpula do partido. Pelo contrário, era e é um *outsider* no PT. Mas nem a manifestação do MPF afirmando expressamente que Pimentel nada tinha a ver com o processo[47] foi obstáculo para a retomada do assunto novas vezes.

---

[47] Na ocasião do contrato com a prefeitura, o diretor financeiro da CDL era Glauco Diniz Duarte, mais tarde denunciado como doleiro. Parte do dinheiro teria sido remetida ao exterior para pagamentos ao marqueteiro Duda Mendonça. Em nota, Pimentel afirmou que nunca foi "inquirido, arrolado, indiciado, denunciado ou ouvido por qualquer ligação, ainda que indireta, com o esquema do mensalão". Em 26/02/2010, o procurador Patrick Salgado Martins, do MPF/MG, disse que os fatos narrados por *IstoÉ* estavam "fora de contexto" e afirmou textualmente: "Não há nenhuma prova ligando Pimentel ao mensalão. Obviamente, por essa razão, ele não foi denunciado. Se houvesse alguma prova, isso teria acontecido".

São matérias marteladas em sequência. Logo, mais coisas pesadas. Surgem notícias em *O Globo* sobre "o *bunker*". Lá, funcionaria uma fábrica de falsidades onde haveria, até, um "editor de mentiras". Na mesma época, plantam-se notas em toda a mídia contra Marcelo Branco, homem da internet que a própria Dilma convidara para a pré-campanha. Todas as burradas são atribuídas a Branco. A começar pelo *affaire* Norma Benguel,[48] uma confusão com uma fotografia publicada no *blog* de Dilma que não foi de Branco e sim do *marketing*. Bastante ruim, o programa de rádio era conduzido por Falcão, mas também caiu na conta de Branco. Tudo porque ele era próximo da candidata. Quem estava na mesma situação era queimado. Um amigo de Dilma sintetizou para Lanzetta a disposição do pessoal de São Paulo: "Quem está próximo ao Pimentel vai ser varrido. Essa é a ordem...".

Outra preocupação de Lanzetta apontava para um punhado de petistas paulistas, reunidos numa empresa chamada Marka, de Valdemir Garreta, Marcelo Parada e Edson Campos, e apadrinhados pelos deputados Antônio Palocci e Rui Falcão — mais tarde, descobrir-se-ia que Falcão era sócio do grupo... Ao contrário do que se pensara na ocasião, Garreta e os seus não estavam mais alinhados à ex-prefeita Marta Suplicy. As partes estavam rompidas. Mas, para todos, sem excluir segmentos da campanha, o trio encarnava ainda a influência da então candidata do PT ao Senado por São Paulo. Nenhum deles negava a informação, embora a relação entre Marta, Falcão e Garreta já estivesse sepultada.

Em fevereiro de 2010, quando se tornou público que a assessoria de imprensa da campanha ficaria sob a responsabilidade de Lanzetta

[48] Uma foto em que aparece a atriz Norma Benguel durante uma manifestação contra a ditadura militar nos anos 1960 foi publicada no *site* de Dilma de tal forma, que induziu as pessoas a entenderem que se tratava da candidata. Inflado pela mídia, o equívoco transformou-se em uma onda de ataques contra a candidata do PT até que a própria Norma Benguel, entrevistada, demonstrou não dar maior importância ao tema, o que contribuiu para esvaziar o episódio.

e de seus parceiros Mário Marona e Robson Barenho, os três com cerca de 40 anos de experiência jornalística, os recados começaram a chegar mais fortes. Lanzetta teria que abrir espaço para o grupo de São Paulo. Para ele, Lanzetta, estaria reservado um cargo de assessor para fazer contatos com algumas redações. Caso não compusesse desta maneira ou saísse do caminho, os "métodos" de Garreta seriam exercitados. Logo veremos o que é o método Garreta de fazer amigos e influenciar pessoas.

Imersa em suspeitas, com todos desconfiando de todos, a casa continuava vazando. Falava-se algo em uma reunião e, no outro dia, a informação estava estampada nas colunas dos jornais. Nesse ambiente crivado de ciladas, Lanzetta procurava um escudo para sua empresa e para si próprio. Queria a minha ajuda.

— Caro, você conhece todos os arapongas desta cidade. Eu não sou da área — sintetizou.

Ele me disse também que estava consultando com Danielle Fonteles, dona da Pepper, algumas firmas de segurança indicadas por conhecidos. Desconfiava-se de grampos e de infiltração de pessoas. A casa era grande e devassada. E frequentada por muita gente. As ações poderiam vir de qualquer lado. Tanto dos adversários, o que seria "legítimo", quanto de dentro, de gente querendo abrir espaço na marra.

Pintado esse quadro, fui à Brasília procurar o ex-sargento da Aeronáutica Idalberto Matias de Araújo, o "Dadá". Levei-o ao "*bunker*" da QI-05. Conversamos sobre a atuação de Marcelo Itagiba, em atividade frenética fazia dois anos, principalmente dedicada ao levantamento de dossiês sobre o PMDB. Garimpava material para Serra pressionar deputados peemedebistas que pudessem influenciar favoravelmente uma aliança com o PSDB em detrimento da provável coligação com o PT.

Dadá descreveu um cenário assustador, mostrando todos os furos na segurança. Aquilo que *O Globo* chamava de "*bunker*" só tinha de "*bunker*" o apelido.

O dono da Lanza levantou a hipótese de ações de setores do próprio PT e falou claramente em Valdemir Garreta. Considerava-se ameaçado, por causa dos recados transmitidos por um dos sócios de Garreta. Dadá não poderia fazer o serviço, mas tinha uma indicação a dar: a empresa de um ex-delegado da Polícia Federal, com estágio no FBI, especialista em contraespionagem, e que teria entre os seus clientes duas prefeituras do PT. Seu nome era Onézimo das Graças Sousa.

Especializado em cozinha alemã, o Fritz, na Asa Sul, existe desde os primórdios da capital e já desfrutou dias melhores. Sempre foi também o restaurante preferido para encontros entre arapongas e congêneres. Com a casa *bichada*, marcou-se no restaurante a conversa entre os três — eu, Dadá e Lanzetta — com o ex-delegado Sousa. Por ingenuidade, não percebi o risco que Lanzetta corria em uma reunião com alguém desconhecido, até mesmo por mim, e, pelo que se viu depois, disposto a qualquer coisa. Porém, como não queria negociar nada envolvendo dinheiro com quem quer que fosse, entendi que seria necessário que alguém responsável pela casa estivesse presente.

Na última hora, juntou-se ao grupo o empresário Benedito de Oliveira Neto, amigo de Lanzetta, e que estava ajudando na parte administrativa e logística da casa da QI-05. "Bené", como é bastante conhecido, havia indicado o pessoal para cuidar da administração e infraestrutura. Foi vítima de um convite em cima da hora. Lanzetta justificou assim: "Precisava de uma testemunha". A "testemunha" Bené virou alvo fixo de boa parte da mídia...

Sousa e Dadá chegaram juntos. Imediatamente, fomos para uma sala no fundo do restaurante. Não havia ninguém. Feitas as apresentações e trocados os cartões, o ex-delegado toma a palavra e pergunta:

— E o Pimentel?

Não havia nenhum encontro marcado com Fernando Pimentel. Depois nos inteiramos do motivo atrás da pergunta. A arapuca estava montada para Pimentel. Ao contrário do ex-prefeito, nem eu nem Lanzetta, muito menos Bené, éramos do PT. Não tínhamos participação formal, em cargos, na campanha. Era um encontro entre duas empresas privadas, a Lanza e a de Sousa, prestadora de serviços de segurança.

Mesmo assim, na ausência do *briefing* que Dadá teria que ter feito, o ex-delegado engata uma retórica esquisita. E afirma, categórico:

— Campanha eleitoral é dinheiro. Nós sabemos transportar dinheiro sem deixar rastros. Com segurança.

Este era, segundo o próprio Sousa, o principal produto que tinha a oferecer.

— Eu sou apenas um jornalista. Não trato disso — respondeu Lanzetta.

Logo a conversa toma outro rumo: a segurança da casa da QI-05. É quando Sousa e Dadá descrevem seus métodos de trabalho. Vendem o "perigo" Marcelo Itagiba,[49] relatando como agia o deputado-delegado.

— Vocês estão dois anos atrasados... Eu vim do lado de lá e sei como eles trabalham — referiu Sousa.

No meio da explanação, Lanzetta pergunta ao ex-delegado o que faria para prevenir ações que certamente partiriam de setores do PT contra sua empresa. E cita explicitamente Garreta e sua fama de mau. A resposta é reveladora do terreno movediço em que estávamos pisando ali naquela tarde na mesa dos fundos do Fritz:

— Não tem problema, eu sou antipetista — retorquiu sem titubear.

---

[49] Também ex-diretor de inteligência da Polícia Federal no governo Fernando Henrique Cardoso, Marcelo Itagiba envolveu-se na Operação Lunus, da PF, em 2002. Visando atingir a candidatura de Roseana Sarney (PFL) à Presidência da República, a ação resultou na apreensão de R$ 1,3 milhão no escritório da empresa de Roseana e de seu marido, Jorge Murad, em São Luís (MA). Segundo o senador José Sarney (PMDB), o objetivo era tirar Roseana da disputa pelo Planalto pois seu crescimento nas pesquisas ameaçava a candidatura de Serra. Sarney advertiu FHC e informou sobre a existência de dossiês contra os tucanos Paulo Renato de Souza, Tasso Jereissati e Pedro Malan, todos adversários de Serra na cúpula do PSDB.

Em nenhum momento toca-se no nome de Rui Falcão. Aliás, naquele momento, ninguém suspeitava dele. Tampouco existe, em qualquer situação, alguma referência ao nome de José Serra. O ex--delegado pede R$ 160 mil por mês, valor considerado irreal.

Antes do final da reunião, Lanzetta levanta-se. Informa que tinha outro compromisso e vai embora. Nunca mais fala ou se encontra com nenhum dos dois, Sousa ou Dadá.

No início de maio de 2010 retornei à Brasília para retomar as negociações com o pessoal da comunidade de informações. O ponto de encontro agora é a confeitaria Suíça Praline, local preferido de Dadá "por só ter velhinhos, o que não gera suspeitas". No encontro, só estamos eu, Dadá e Sousa. Expliquei que, diante do risco de fogo amigo, seria muito arriscado colocá-los dentro da casa. E apresentei a proposta de Lanzetta: R$ 80 mil em troca de um relatório de contrainformação sobre as atividades do tal grupo liderado por Itagiba.

Argumentei ainda que a Lanza e a Pepper já tinham fechado a contratação da DigiLab, uma empresa do Sul, especializada em segurança de Internet. A empresa trataria também dos *blogs* que seriam lançados a seguir. A necessidade era notória, pois quando surgiu o primeiro, o *Blog* da Dilma, houve vários ataques de *hackers* desfechados desde o exterior. Naqueles dias já se noticiava a baixaria arquitetada na rede, que seria atribuição do secretário de comunicação do PSDB e homem de Serra para a internet, Eduardo Graeff.

O delegado detestou. Furioso, reclamou:

— Gastei duas semanas de trabalho pra não receber nada. E você me vem com uma proposta dessas? — redarguiu.

Depois, no seu depoimento na Comissão Mista de Controle das Atividades de Inteligência (Ccai), do Congresso, Onézimo Sousa irá negar a segunda reunião na confeitaria Praline. Mas o fato puro e simples é que ela aconteceu...

— Esse trabalho de levantar a turma de Itagiba é mais complicado do que investigar. Por isso o mínimo que posso cobrar pelo novo serviço é R$ 160 mil por mês — propôs em seguida.

— E o Serra, vocês não vão querer investigá-lo? — emendou.

— Não é esse o trabalho. Além do mais, eu investigo o Serra e as privatizações há 10 anos e devo ter, no mínimo, dois tiros fatais contra ele — repliquei.

Artificiosamente, ao depor na comissão do Congresso, Sousa dirá que eu teria afirmado isso no primeiro encontro. Um subterfúgio, já que o comentário ocorreu no segundo cuja existência ele não admite...

Pressenti que a oferta, envolvendo Serra, era uma emboscada. Despedi-me de Dadá e de Sousa, dizendo que iria levar a contraproposta a Lanzetta, o que nunca fiz.

Intuitivamente, achei que era hora de interromper qualquer contato com o ex-delegado. Senti que ele estava jogando no time adversário, o que o tempo não demoraria a evidenciar...

Apreensivo com o comportamento de Sousa, tentei localizar o dono da Lanza. Não o encontrei na QI-05. Pessoas próximas a Lanzetta, que sabiam por que eu havia sido acionado, me imploravam para descobrir quem era o traidor ou traidores. Fui informado de acontecimentos que só aumentavam minha inquietação. Soube, por exemplo, que Palocci e Falcão haviam trazido dois "voluntários" de São Paulo que estavam trabalhando de graça na Pepper, agência levada para a campanha por indicação do marqueteiro João Santana, homem de confiança de Palocci. Mais: a dupla e mais a própria dona da Pepper estariam investigando os meus passos desde o dia em que pus pela primeira vez os pés dentro da casa. Queriam, a todo custo, saber o que eu fazia ali. Por telefone, fui tirar satisfação com Lanzetta, mas ele saiu em defesa da Pepper, o que continua fazendo até hoje.

Percebi que era hora de romper, por segurança, o vínculo até mesmo com Lanzetta, e abortar qualquer hipótese de assinatura de contrato. Passei no hotel para retirar minha passagem, e no trajeto para o aeroporto, comecei a ver fantasmas em todos os lados. No caminho para o setor de *check in*, dei meia-volta, desci a escada e retirei a bateria do celular. Naquele momento cheguei a imaginar que meus passos estavam sendo monitorados por satélite. Peguei outro táxi em direção à rodoviária e de lá para minha fazenda no interior de Minas. Em pânico, deixei Brasília, onde, nas proximidades, já havia sido baleado. Senti que algo de ruim estava prestes a acontecer. Era só esperar.

16.

COMO O PT SABOTOU O PT

O organograma que virou golpe.
Rui Falcão pauta a Veja contra a campanha de Dilma.
Apadrinhados por Palocci, os paulistas abrem caminho.

É uma esplêndida visão do Lago Sul e da Ponte JK, um dos novos cartões-postais de Brasília, aquela que se tem desde o modernoso restaurante Gazebo. Foi o local escolhido por Palocci. Em uma sala reservada, Palocci apresentou Valdemir Garreta e Marcelo Parada ao então seu colega de coordenação na campanha de Dilma, Fernando Pimentel.

Foi no dia 20 de fevereiro de 2010, durante o Congresso Nacional do PT, quando a candidatura Dilma foi oficializada pelo partido. Pimentel levou Lanzetta a tiracolo. Também estava no almoço João Santana, o marqueteiro de Dilma. Durante o almoço, Palocci disse que Garreta e Parada estavam prontos para apresentar um projeto à campanha. Para o mesmo serviço que já estava sendo desenvolvido por Lanzetta... No almoço, Garreta praticamente exigia que Lanzetta apresentasse o seu projeto. Como a situação tornou-se constrangedora, mesmo com a condução habilidosa de Palocci, foi marcada uma reunião posterior, somente entre Garreta, Parada e Lanzetta.

À saída, Lanzetta demonstrou sua preocupação a Pimentel. Principalmente porque Parada e Garreta não eram do ramo. Lanzetta havia sido sócio de duas grandes empresas do setor, CDN e InPress, e estava havia muitos anos na área, sendo um dos principais criadores da Abracom, a associação das empresas da área de relações públicas e assessoria de imprensa. Os outros dois eram neófitos na atividade, e Garreta, afamado por sua atuação em negócios suspeitos da Prefeitura de São Paulo. Em outro ambiente do mesmo restaurante, aparentemente esperando o resultado da reunião, estava Rui Falcão, recém-eleito vice-presidente nacional do PT. Dias antes dessa reunião, Lanzetta já havia sido procurado por um dos sócios de Garreta e Parada com os seguintes recados:

Fernando Pimentel é o inimigo a ser destruído.

Antônio Palocci é o sustentador do grupo.

Rui Falcão, ex-todo-poderoso da gestão Marta Suplicy na prefeitura paulistana, fazia parte do esquema.

O currículo de Garreta faz jus a algumas linhas a mais. Desde 2008, ele era alvo de investigação do Ministério Público paulista sobre a chamada "Máfia da Merenda". Ex-secretário municipal de Abastecimento em São Paulo, tornou-se suspeito de participação na fraude da terceirização da merenda escolar durante a administração Marta Suplicy. Garreta, porém, sempre negou qualquer envolvimento no escândalo.

O pagamento de propina teria iniciado em 2001, intensificando-se na gestão Gilberto Kassab (DEM). No dia 1º de julho de 2010, os promotores apreenderam documentos em oito empresas[50] suspeitas de envolvimento na falcatrua. Testemunha ouvida pelo MP/SP afirma que, em São Paulo, as seis empresas acusadas de formação de cartel para combinar os preços dos pregões pagaram R$ 1 milhão a Garreta. Informações de vários jornalistas dão conta de que o ex-secretário cultiva o hábito desagradável de ameaçar a vida de seus adversários.

[50] As empresas investigadas são a Gourmaitre, Ceazza e Verdurama, todas do Grupo SP Alimentação; Geraldo J. Coan, Nutriplus, Eb Sistal, Convida Denadai e Terra Azul. A prefeitura paulistana é uma das 30 cidades de São Paulo e Minas Gerais sob investigação.

Ou seja, ou compõe ou compõe...

Logo depois da convenção, num encontro no café Daniel Briand, na Quadra 104, da Asa Norte, Lanzetta disse à dupla Garreta & Parada que havia recebido uma encomenda de trabalho bem clara: criar a assessoria de imprensa da campanha, com vários serviços concernentes à atividade. Enquanto não houvesse determinação de quem fizera o pedido para mudar os rumos do trabalho, ele não poderia compor com ninguém.

Contrariados, os dois foram embora. Não irá demorar para Lanzetta receber o seguinte recado: Garreta vai encaminhar seu projeto do jeito dele...

— Fique tranquilo. É um amigo de 40 anos — amenizou Pimentel.

Dirigia-se a um bastante preocupado Lanzetta diante das primeiras atitudes de Falcão, este já na condição de coordenador da comunicação da campanha.

— Não seriam 40 centímetros no nosso rabo — retrucou Lanzetta, tentando tirar algum humor do episódio. A história imediata mostraria que tinha razão.

Fernando Pimentel e Rui Falcão participaram da luta armada. Foram presos, coincidentemente em Porto Alegre. Cumpriram pena na Ilha do Presídio, no meio do rio Guaíba, onde também ficou Carlos Araújo, ex-marido de Dilma e também companheiro de organização.

Diante do pedido, foi dado a Falcão o tratamento que se dá aos amigos. Foi convidado a ocupar uma sala da casa da QI-05. Ali, o velho e fraterno companheiro de Pimentel conduzia quase que uma assessoria paralela, incentivando a compra de serviços já existentes. Lanzetta e a equipe estavam conformados, tentando ver como sobreviver naquela luta. Era um tremendo desgaste, mas também algo relativamente normal em campanha. Interpretavam-se todos os movimentos de Falcão como um esforço para contribuir com a candidatura. Falcão frequentou o ambiente até o começo de maio. No feriado de 1º de maio, ele mostrou suas garras. E o conceito de "amigo" começou a se esfacelar.

Quando Lanzetta recebeu um telefonema às 08h30, na sua casa em Brasília, sentiu que havia alguma coisa esquisita no ar. Do outro lado da linha, Falcão. Cedo, liga de São Paulo para registrar sua mais profunda e irrestrita solidariedade a Lanzetta. Referia-se a uma diatribe do colunista Diogo Mainardi na edição da revista *Veja* que recém-aportara nas bancas. Sob o título "O Lanzetta da Laranza" e num rasgo que evidenciava os dotes premonitórios do autor, proclamava que a campanha de Dilma Rousseff "está ruindo". Disparava uma rajada de desaforos contra o PT e os petistas, temperava a maçaroca com o médico Roger Abdelmassih e o músico Wagner Tiso, mas centrava fogo em Lanzetta. De quebra, agredia Pimentel.

Lanzetta espantou-se com a solidariedade matinal de Falcão. Sobretudo, estranha e inesperada por partir de alguém que ultimamente mal o cumprimentava. Mas a manhã solidária prometia mais emoções. Cinco minutos depois, Marcelo Parada liga também solidário. "Estamos indignados, coisa e tal." Mas era algo tão recente, a edição recém-saíra... "Não precisam assinar embaixo", pensou. As muitas pessoas que, sinceramente, prestaram solidariedade ao dono da Lanza ligariam à tarde ou no dia seguinte... Um amigo de Lanzetta resolveu fazer graça: "Vai ver eles leram a *Veja* juntos na cama, entre risinhos e torradas...".

Bisonho no departamento de vaticínios eleitorais, Mainardi, porém, foi esclarecedor no mesmo parágrafo. Relata que Pimentel, "quando era terrorista", tentara "sequestrar um diplomata norte-americano cinco vezes e fracassou em todas elas", acrescentando que o então coordenador de campanha de Dilma era "conhecido por suas patetices". Era praticamente o mesmo comentário que Lanzetta ouvira de Falcão sobre a atuação de Pimentel em Porto

Alegre. Na conversa, Falcão autoglorificara sua própria atuação na guerrilha enquanto seu companheiro de Minas seria um tanto trapalhão. Mainardi revelou, ao fustigar Pimentel, mais do que gostaria sua fonte.

Contou também, para tipificar o comitê como uma barafunda, que a assessora de imprensa de Dilma, Helena Chagas, temporariamente não estava trabalhando. E detalhou que o afastamento era consequência de a jornalista ter contraído dengue, algo que era do conhecimento apenas de poucas pessoas envolvidas com a campanha.

Mas a investida de *Veja*, despropositada, hostil e surgida aparentemente do nada, prenunciava novos problemas. Na mesma semana, durante um almoço com toda a equipe, o dono da Lanza observou que aquilo não estava solto. Que não era uma loucura de Mainardi e que a *Veja* estava "preparando um personagem". Primeiro ia ser um laranja, depois inventariam outra coisa...

A coluna de Mainardi foi, de fato, a senha do que viria a seguir contra Pimentel, Lanzetta e sua turma. Uma das raras atividades de Falcão como coordenador de comunicação da campanha, além de vazar informações, foi forçar a entrada de seus sócios em cima da empresa já contratada. Na primeira reunião da coordenação, fez aprovar a contratação de Marcelo Parada e do jornalista Nirlando Beirão, este sem saber o que estava acontecendo com o seu nome. Na segunda reunião, já com Marcelo Parada a seu lado, apresentou um organograma onde só apareciam os nomes dele mesmo mais Marcelo Parada e Nirlando Beirão. Os demais jornalistas, já trabalhando e exercendo cargos de comando, como Helena Chagas — indicada por Dilma como coordenadora da imprensa da campanha e hoje ministra da Comunicação — nem sequer apareciam na hierarquia de Falcão.

— Isto não é um organograma. É um golpe — disse Lanzetta a Falcão.

A contratação de Beirão era um factoide. O jornalista foi convidado por Palocci, mas, sabe-se, nunca cogitou trabalhar na campanha. E realmente não atuou. O que interessava era fichar a empresa de Parada e Garreta para aninhá-la na estrutura. A partir daí, Falcão e Palocci começaram a levar para a campanha uma duplicidade de serviços já contratados. Criou-se, em São Paulo, uma espécie de empresa-espelho. Era só esperar a queda da principal.

Dada a senha por Mainardi, tanto Pimentel quanto Lanzetta passam a receber telefonemas do jornalista Alexandre Oltramari, da mesma *Veja*. Oltramari dizia que na QI-05 havia uma verdadeira fábrica de dossiês contra os adversários, especialmente contra Serra, e que o ex-delegado Onézimo Sousa e o jornalista Amaury Ribeiro estavam engajados na arapongagem. E exigia entrevistas. Foi um tumulto. Lanzetta alertou a direção da campanha na QL 24, do Lago Sul, sobre a matéria da *Veja*. O coordenador de comunicação ficou alheio ao problema. Não havia contratado ninguém e todos sabiam qual era o seu verdadeiro trabalho.

Mas a matéria acabou não saindo. O interlocutor com a revista foi Palocci, que se mostrou um esperto negociador. No início da semana seguinte, mesmo sem a matéria, que não fora publicada por falta de consistência, Palocci e Falcão, ágeis, propuseram o desmantelamento da casa da QI-05. Lanzetta, que havia virado alvo, teria que sair o mais rapidamente da campanha. Decisões tomadas, aos trancos e barrancos, em cima de uma matéria que não fora publicada.

Sob pressão, Lanzetta liga pela segunda vez para a minha fazenda. Ouvi cobras e lagartos. Ele me acusava de tê-lo apresentado a dois maus-caráteres que eram fontes da *Veja*. Corri, novamente, para Brasília.

— Essa sua fonte do Cisa (Dadá) era um infiltrado, deu uma entrevista mentirosa para a *Veja* dizendo que havia sido contratado para fazer espionagem — esbravejou Lanzetta.

Conhecendo Dadá de outras datas, achei difícil que isso tivesse acontecido.

Mesmo assim, fui lhe pedir explicações.

— Você acha que eu vou dar um golpe sujo desses? — reagiu, indignado.

Dadá relatou que seu colega da comunidade de informações Jairo Martins — fonte notória de *Veja* na área — havia sido procurado pelo mesmo repórter. Oltramari mostrara-lhe fotos minhas na casa da QI-05 e de um "pessoal mal-encarado" que circulava em um carro "de placas frias".

Vale lembrar que Martins é o mesmo agente que entregou à revista o vídeo em que o ex-chefe do departamento de compras da Empresa Brasileira de Correios e Telégrafos (ECT) Maurício Marinho embolsa uma propina de R$ 3 mil. Na verdade, o "pessoal mal-encarado" eram funcionários contratados para prestar serviços na casa. O carro, que não tinha nada de placas frias, era de um deles. Martins argumentou com Oltramari que a história não procedia. Caso contrário, por ser do mesmo grupo de Dadá, também estaria engajado no trabalho. Mas para o repórter, o grupo já estaria atuando, pois a informação havia chegado às suas mãos por gente do "*bunker*": um coordenador de campanha, que procurara a revista "por não concordar dos métodos adotados pelos colegas de campanha".

O boato não demorou a se transformar em tumulto. Mesmo antes de receber o meu retorno, Lanzetta alertou a direção da campanha na QL 24, do Lago Sul, sobre a matéria que *Veja* estava preparando. O coordenador de comunicação ficou alheio ao problema.

Enquanto Pimentel e Lanzetta eram postos de lado, Palocci assumia o cargo de mediador da crise.

Indignado com a boataria, resolvi procurar o diretor da sucursal de Brasília, Policarpo Jr., para esclarecer os fatos. Um amigo comum, o procurador Luiz Francisco de Souza, intermediou o contato. Pedi a intermediação, porque o procurador havia me dito antes que, em várias ocasiões, Policarpo Jr. havia elogiado o meu trabalho. Ao procurador, adiantei que, como a notícia era mentirosa e não tinha nada a temer, iria contar passo a passo tudo o que havia ocorrido. Tomei a decisão com base na minha conduta. Não foram raras as vezes em que derrubei uma reportagem ao perceber que a denúncia estava cercada de contradições ou que o acusado havia me convencido de sua inocência.

— Então se prepare para o bote. O Policarpo não é fácil não. No meio da entrevista ele vai jogar a bomba na sua mão — previu.

— Não tem problema. Vou falar a verdade.

— Então pense que seu pai, mesmo morto, estará ao seu lado. Dom Inácio dizia que os mortos, ao invés de se afastarem, aproximam-se dos entes queridos — concluiu o procurador, que também acabara de perder o pai.

Na minha frente, ele ligou para Policarpo. Após contar piadas e fazer-lhe algumas provocações — das quais ele mesmo ria — pediu apenas que o diretor ouvisse minha versão.

Ao chegar à sucursal, o diretor tratou-me com cordialidade e me fez até alguns elogios.

— Nós, apesar de termos trabalhado em revistas distintas (eu, na *IstoÉ*; e ele, na *Veja*), nos respeitamos — afirmou. Mas cumpridas as formalidades, não demorou a disparar o primeiro torpedo.

— Você, que sempre denunciou irregularidades, como se sente sentado aí do outro lado?

Pensei em responder que me sentia melhor do que ele e toda a imprensa que haviam assumido um papel, no mínimo, ridículo nas eleições. Mas achei melhor responder de outro modo. Afinal, não estava ali para esclarecer os fatos, e sim para descobrir o nome do traidor. Sabia que a provocação fazia parte do jogo, que mal havia começado. Então respondi simplesmente que me sentia muito bem.

Não demorei para perceber que *Veja* não possuía nada de concreto: uma foto minha dentro do "*bunker*" ao lado de Lanzetta, outras fotos dos funcionários e um cartão de visita do delegado Sousa, surrupiado da mesa de Lanzetta. De posse do cartão, entregue a Lanzetta na reunião do Fritz, Policarpo Jr. insistia em que o delegado estivera dentro da casa.

A fim de que não pairasse nenhuma dúvida, narrei minha participação no episódio desde o começo, quando ainda trabalhava no jornal *O Estado de Minas*. Foi assim, por exemplo, que a revista e toda a imprensa ficaram sabendo da tal reunião do Fritz.

Mas faltava o tal bote. E ele veio logo após o final do meu relato. Policarpo Jr. disse que tivera acesso, por meio de um cacique de dentro da casa do Lago Sul, a um relatório elaborado por mim sobre as privatizações. Descrito minuciosamente pelo diretor da revista, o que ele chamava de relatório era o esboço geral deste livro arquivado no meu *notebook*. Como não havia passado o relatório e nenhum outro material a Lanzetta e mais ninguém conhecia o seu conteúdo, só havia uma explicação: o texto fora furtado do meu computador. Percebi que estava diante da evidência da traição. O que o jornalista descrevera era tudo igual — *lead*, *sublead*, personagens — ao material compilado por mim.

Não foi preciso nem um pouco de esforço para chegar à conclusão: o texto só poderia ter sido copiado na ratoeira do apartamento do hotel em que me haviam colocado em Brasília e onde Rui Falcão tinha trânsito livre.

— Você diz que está investigando a arapongagem, mas o meu relatório e até mesmo o cartão roubado da mesa do Lanzetta é o resultado não só da arapongagem como do roubo — argumentei.

— Você aceita gravar um pingue-pongue? — perguntou Policarpo.

— Aceito, é claro! Afinal, vim aqui para isso — retruquei.

— Temos uma gravação com um dos coordenadores da campanha dizendo que você faz parte de um novo grupo de aloprados do PT — advertiu.

— Espera aí. De que grupo é esse coordenador? — quis saber.

— Do grupo de lá (de São Paulo, é claro) — afirmou.

— E o que ele diz na entrevista?

— Que um jornalista maluco de Minas (referia-se a mim, é claro) havia deixado denúncias contra Serra. Mas nada muito importante, umas matérias requentadas.

Foi nesse momento que percebi qual a intenção da turma de São Paulo: tentar plantar o factoide de que Pimentel e Lanzetta estariam no comando de novos aloprados, conforme o presidente Lula batizou os militantes petistas flagrados com malas de dinheiro em um hotel de São Paulo, às vésperas das eleições de 2006. O dinheiro seria usado na compra de um dossiê contra Serra que nada mais era do que um monte de matérias requentadas de jornais. Dessa forma, afirmar que eu entregara "matérias requentadas" era a forma de demonstrar que os supostos aloprados seriam um bando de trapalhões.

Policarpo ligou o gravador.

— Há informações de que você faria parte de um novo grupo de aloprados?

— Aloprados é o pessoal do PT de São Paulo, que só pensa em dinheiro e inventam um monte de histórias nem que isso possa prejudicar a candidata de seu próprio partido.

— Mas você investigou as privatizações e o PSDB?

— Sim, para escrever um livro.

— E o que tem a dizer sobre o conteúdo das investigações?

— É avassalador.

Nesse momento, ele interrompeu a entrevista, dizendo que "tinha dado pau" no gravador. Não sei se a interrupção deveu-se a problemas técnicos ou por ele não ter ficado animado com as minhas respostas. Solucionado o problema, mudando um detalhe ou outro, o diretor da sucursal me fez perguntas semelhantes e obteve as mesmas respostas.

Terminada a entrevista, avisei que tinham me metido numa arapuca e que, agora, eu ia me defender por contra própria. Mesmo que isso pudesse provocar a demissão de Lanzetta, iria à Polícia e ao Ministério Público denunciar o roubo do conteúdo do meu computador e o destino do dinheiro da propina arrecadada durante as privatizações tucanas.

Um ou dois dias depois estava na sede do MPF, quando tocou meu celular. Lanzetta pedia que eu desistisse das denúncias. Contou que já havia se acertado com Palocci. Foi me buscar no MPF, e após, enquanto tomávamos um chope no bar Brasília, descreveu o diálogo que acabara de manter minutos atrás com o poderoso coordenador de campanha.

— Pelo que eu apurei, a reportagem (de *Veja*) não sai nesta semana. Mas parece que seu amigo está querendo tumultuar o processo — disse Palocci a Lanzetta.

— Segure os seus radicais, que eu seguro o meu — respondeu Lanzetta, provocando gargalhada em Palocci. O diálogo foi acompanhado com os olhos arregalados por uma terceira testemunha, que viria se tornar um dos mais influentes colaboradores do governo Dilma.

No início da semana seguinte, Palocci e Falcão, agilmente propuseram o desmantelamento da casa da QI-05. Transformado em alvo, Lanzetta teria que sair o mais rapidamente da campanha. "Quem ficar do lado do Pimentel, vai ser varrido da campanha", ameaçou Falcão a outra pessoa próxima de Dilma.

Talvez isso explique a relação fria e formal que, mais tarde, a presidenta passou a ter com o atual presidente de seu partido. Dilma nunca suportou traição. Durante a ditadura militar, os militantes de esquerda eram instruídos a suportar durante certo tempo as sessões de tortura nos porões do Dops e do Doi-Codi, de modo que outros companheiros não fossem capturados com base nas informações que os presos fatalmente dariam. O ponto (local de encontro) só deveria ser entregue quando o risco para os demais militantes fosse o menor possível.

Por causa disso, Falcão não teria sido convidado para a solenidade de posse, o que ele desmentiu à *Folha de S. Paulo* ao ser eleito presidente do PT. Garantiu ter recebido um abraço caloroso da presidenta. E informou que está me processando por calúnia. É sempre assim: toda vez que eu conto sua atuação sinistra nos bastidores da campanha, Falcão inventa um novo processo contra mim. Ele se esquece, no entanto, que a prova da traição está documentada: ao responder interpelação judicial movida na Justiça pelo jornalista Luiz Lanzetta, o delegado Onézimo disse ter ouvido do próprio Policarpo Jr. que Falcão era a fonte que abastecia a revista sobre as atividades do bunker da QI 05. Segundo uma fonte do autor na *Istoé*, Falcão já havia oferecido anteriormente o mesmo material à concorrente de *Veja*.

Durante a guerra contra a *Veja*, quando Lanzetta e Pimentel perdiam espaço na campanha, Palocci assumiu o comando para acabar com a crise. A notícia de que a revista sairia com "uma bomba" agitava o meio político. Mas não era só o povo do PT que tinha os nervos à flor da pele.

Temendo que o assunto das privatizações, que lhe provocara calafrios desde a época da disputa com Aécio, o ex-governador de São Paulo apresentava-se irascível como raras vezes em sua carreira. Fora grosseiro com uma repórter do jornal *Zero Hora*. Atacava até mesmo jornalistas e jornais que se mostravam simpáticos à sua candidatura. Outro dos alvos da sua incivilidade foi a comentarista Miriam Leitão, da Globo News.

As denúncias de quebra de sigilo de seus familiares causavam-lhe embaraço. E provocavam também desconforto em Verônica Serra. Ao desembarcar no aeroporto de Guarulhos, após passar uma temporada fora do país, Verônica e Bourgeois tiveram uma crise de nervos ao serem interpelados de surpresa por agentes federais. Eles apenas queriam intimá-los para prestar depoimento no tal inquérito. Além do mais, ao estampar fotos e nomes das vítimas das violações de sigilo, a mídia forçosamente trazia de novo para o noticiário personagens indigestos para a campanha tucana, entre os quais o ex-caixa Ricardo Sérgio de Oliveira. O comitê petista não demorou a notar o constrangimento que o tópico trazia ao ex-governador. "Afinal, os jornais não tinham se dado conta que estavam colocando a quadrilha das privatizações em suas páginas", comentou um dos caciques da campanha.

O contexto ajuda a entender o conteúdo da tão esperada primeira reportagem publicada por *Veja* cujo título e subtítulo diziam tudo. "Ordem na casa do Lago Sul" e "O comando de campanha teve que intervir para evitar que companheiros afoitos reeditassem o escândalo dos aloprados de 2006".

— Você foi blindado pelo próprio Serra. Agradeça a ele — comentou comigo um personagem da direção da campanha do PSDB. A turma de Serra teria influenciado no fechamento da matéria. Havia divisões internas. Enquanto o candidato ao Senado Aloysio Nunes defendia que o tema ganhasse as manchetes, Serra pedia que nada relacionado ao meu nome viesse a público. A confusão interna do PSDB resultou numa reportagem que não fazia o menor sentido.

Palocci e Falcão apareciam como heróis, Pimentel e Lanzetta ficavam mal e eu, o principal pivô de tudo, que concedera uma longa entrevista pingue-pongue, nem sequer era mencionado.

Mas a tal blindagem só serviu para que o ex-delegado Sousa partisse para o jogo pesado.

— Você e o Amaury aprontaram comigo. Porque eu fui o único a ser citado na reportagem (de *Veja*). Vocês nem são citados. Vou lá na revista acabar com todo mundo — disse a Dadá.

— Você vai dizer o quê? Ninguém fez nada de errado, nem o contrato foi fechado — procurou argumentar Dadá.

Na madrugada de sábado a entrevista já estava na internet. Entre muitas mentiras, o delegado dizia que o tal núcleo tinha dado a entender que queríamos grampear Serra. "Eles queriam saber de tudo. Não dá para fazer isso sem pensar em grampo", afirmava.[51]

O cerco logo se fecharia. A entrevista do ex-delegado[52] torna a situação de Lanzetta politicamente insustentável. A Lanza rompe o contrato com o PT e seu dono deixa Brasília.

— Não queria ficar sitiado em casa pelas tevês — justificou.

Lanzetta embarcou no próprio sábado, acompanhado de um amigo, para Buenos Aires. De lá, constatou mais um vazamento. Com a ausência repentina do dono da empresa, houve um atraso no pagamento dos jornalistas contratados. O comitê da campanha solicitou, então, uma listagem discriminada dos salários de todos. A lista foi enviada para Falcão e Palocci. No mesmo dia, os salários dos jornalistas contratados pela Lanza eram do conhecimento da *Folha de S. Paulo*. Além da *Veja*, o fogo amigo trabalhava também para a *Folha*.

Em nota distribuída à imprensa, a Lanza comunicava que decidira "em caráter unilateral, rescindir o contrato que mantém com a campanha do PT". Acentuava que a empresa, além de não autorizar "a produção de dossiê contra quem quer que seja", rejeitou proposta de "investigação clandestina feita por um ex-policial". Não há dossiê e nem "contrato algum com arapongas". E acusava de "mentirosas, além de contraditórias entre si", as informações e declarações de ex-policiais publicadas por *Veja* e pelo jornal *O Estado de S. Paulo*.

Após ser entrevistado várias vezes, sempre desmentindo o delegado, encontrei-me com Lanzetta em Porto Alegre. Queria mais informações para a conclusão deste livro. Apesar do clima tenso, os

[51] *Veja*, matéria da edição de 02/06/2010.

[52] Idem, "Era para levantar tudo, inclusive coisas pessoais", matéria da edição 09/06/2010.

dias na capital gaúcha foram marcados por conversas divertidas, animadas pelo vinho gaúcho e os jogos da Copa do Mundo.

— Entramos como amigos e saímos como dois irmãos nesse episódio. Estamos iguais a dois gatos siameses — definiu Lanzetta.

Respondi que a crise, pelo menos, havia servido para reforçar as amizades. Citando como exemplo o convite, recebido em plena crise, de Domingos Fraga, amigo desde os tempos de *IstoÉ*, para trabalhar na Rede Record, disse que a solidariedade me emocionava muito. Só lamentava a pressão que alguns amigos sofriam nas redações por se recusarem a fazer matérias contra mim.

— Jornalista gosta muito de reclamar de tudo. Eu era um desses que bastava sentar no bar para começar a falar mal do trabalho. Agora não reclamo mais de nada. Gosto de tudo na profissão, que me deu verdadeiros irmãos — comentei com Lanzetta na tarde fria de Porto Alegre.

EPÍLOGO

Depois desta jornada pelos pântanos da política em que todos são vilões e o Brasil é a vítima, acho importante encerrar a narrativa com algumas observações. A primeira delas é que o país e suas instituições não têm o direito de continuar fazendo de conta que não viram a rapinagem organizada que devastou os bens do Estado nos anos 1990 e começo da década seguinte. E que serviu para tornar os ricos mais ricos.

Varrer a sujeira para debaixo do tapete, como se fez tantas vezes, não é mais possível. Não há tapete suficiente para acobertar tanto lixo. O Brasil, que escondeu a escravidão e ainda oculta a barbárie de suas ditaduras, não pode negar aos brasileiros a evisceração da privataria. Quem for inocente que seja inocentado, quem for culpado que expie sua culpa.

Se isso não acontecer, isto é, se a memória do saque não se tornar um patrimônio dos brasileiros, o país poderá repetir esta história, mais cedo ou mais tarde. Não é demais reparar que, na América Latina, estamos atrasados nestas providências. No México, o ex-presidente Carlos Salinas de Gortari — espécie de santo padroeiro da privataria latina — crivado de denúncias de corrupção, saltou em seu jatinho e fugiu para Nova York. Na Bolívia, após privatizar até a água, que entregou à francesa Suez-Lyonnaise des Eaux e à norte-americana Betchel, o "modernizador neoliberal" Gonzalo Sánchez de Lozada foi ejetado do seu trono aos gritos de "assassino" e voou para Miami.

Tripulando uma *razia* privatizante que liquidou até mesmo estatais que davam lucro e um processo de concentração de renda que desempregou 30% da população ativa, Carlos Menen virou sinônimo de azar. Na Argentina, as pessoas dizem "Mendéz" para não pronunciar seu nome receando uma catástrofe. No Peru, após aprovar sua segunda reeleição, Alberto Fujimori evadiu-se do país sob acusação de surrupiar US$ 15 milhões do erário e de autorizar a execução de dissidentes. Condenado a 25 anos de prisão, Fujimori admitiu, depois, ter concedido propinas — "briberization", como diria Joseph Stiglitz — o que somou à sua pena mais alguns anos de cadeia.

Para quem entende a desigualdade social como um valor em si mesmo e o Estado do Bem-Estar Social como um trambolho no caminho da realização plena do indivíduo, Salinas de Gortari, Sánchez de Losada, Menem, Fujimori e similares fizeram o que tinham que fazer. Foram flagrados — uma lástima do seu ponto de vista — mas não se pode fazer maiores reparos à sua ação política em termos de coerência.

Resta saber se quem interpreta o Estado Mínimo como uma perversidade ineficaz — aqui ou em qualquer outro lugar — está disposto a fazer valer sua condição cidadã e exigir da Polícia, do Fisco, do Ministério Público e da Justiça que cumpram a sua parte. Se jogar uma luz sobre este passado ainda imerso nas sombras, este livro, que termina aqui, terá cumprido a sua parte. E tudo o que houve terá valido a pena.

ÍNDICE REMISSIVO